P9-CJY-968

CARTAS A GALDÓS

A Ramón P. de Ayala
su entrañable, fraternal amigo
B. Pérez Galdós

SOLEDAD ORTEGA

CARTAS A GALDÓS

Con 10 láminas y 17 facsímiles
de epígrafes y cartas autógrafos

Revista de Occidente
Bárbara de Braganza, 12
MADRID

Depósito Legal: M. 16.266-1964. — N.º Rgtro. 3.815-64

Impreso en España por Ediciones Castilla, S. A. - Maestro Alonso, 23. - Madrid

PRINTED IN SPAIN

CONTENIDO DE LA OBRA

Carta de Galdós

Epígrafes de Galdós

LAMINAS

Mucho se ha escrito en estos últimos tiempos sobre la escasez de los libros de memorias en España, en contraste con la superabundancia, por ejemplo, de la producción francesa en ese género. Lo que se dice de las memorias podría decirse —y se ha dicho también— de las cartas. No son abundantes ni copiosos —ni, en general, divertidos y reveladores— los epistolarios españoles. Es penoso a veces leer estas desmañadas y desganadas cartas de ingenios nuestros, a veces eminentes, insignificantes y secas como un esparto. El español que ha inventado eso de «matar el tiempo» parece querer intentarlo en toda ocasión; una carta puede ser como el mantenimiento de una ilusión: que nuestra vida fluya menos aprisa mientras conversamos y la amistad le presta nuevos valores. Pero el español suele escribir cartas para comunicar algo, pedir algo; no hay en ellas nada que no sea estrictamente «funcional».

El retraso de que se ha venido tachando a los estudios literarios españoles y el carácter que suelen tener estos estudios, si los comparamos, vuelvo a decir, con los de Francia, pudiera ser consecuencia en gran parte de esa ausencia de epistolarios y memorias. Se explica que solo los que se ocupen de la obra de Santa Teresa, de Lope de Vega, de Quevedo, de Fernán Caballero, de Valera, puedan trabajar a sus anchas, por lo menos en ciertos capítulos, pues aquellos autores hablaron a sus amigos largamente de su vida, de su obra o de ambas. El erudito español ha tenido casi siempre que reconstruir las vidas de sus héroes con documentos notariales que le permitían saber de modo fehaciente que Cervantes, o Calderón, por ejemplo, se compró tal o cual día veinte varas de paño y no las pagó. Ello ha motivado que apenas haya biografía de español ilustre en la que tengamos otra cosa que un armazón de hechos poco significativos y esté ausente por completo la intimidad de ese hombre, lo que más pudiera interesarnos.

Galdós no podía ser excepción, y no lo es. Don Benito tenía mejores justificaciones que otros de su arisquez epistolar. Poseído como estaba enteramente por el demonio de la creación, esta no le dejaba punto de reposo. La actividad epistolar requiere gustosos ocios durante los que el espíritu pueda recrearse en charlas amistosas. Por eso quizá nuestra generación ha asistido a la total desaparición del género epistolar ahogado en un mundo vertiginoso. Valera, que era lento e intermitente en su creación novelesca, y que era además, diplomático, es decir, que se aburría bastante, pudo escribir miles de cartas —y muy buenas, a juzgar por las ya publicadas. Galdós, hombre de cuatro novelas al año, no podía escribir cartas; las pocas cartas suyas que se han publicado —las que van en este epistolario son buen ejemplo de ello— no pasan de ser notas sumarísimas referentes a algo que desea o necesita. Espero, sin embargo, con la emoción de una posible milagrosa excepción, la lectura de las cartas que don Benito escribiera a Navarro Ledesma, aún inéditas, pero en cuidadosas manos familiares —cartas que espero han de salir a la luz en un futuro próximo y en esta editorial. No cabe duda de que Navarro Ledesma, entre sus innegables cualidades, poseyó en grado sumo el inapreciable don de la amistad, y su archivo epistolar que, repito, se conserva y está inédito, constituye un tesoro insólito para la historia de las letras españolas. Pero pese a lo que puedan aportarnos nuevos hallazgos, es sabido que todos los que le conocieron aseguran que Galdós llevó hasta la manía la defensa de su intimidad. Los que trataron de valerse de la amistad del novelista para hacerle decir algo sobre sí mismo se llevaron el gran chasco, por mucha que fuese la estima que él sintiera hacia ellos. Son muy graciosos los pasajes de esta correspondencia —que me ha deparado el destino presentar a los lectores, con tan escasos títulos para ello— en que *Clarín* se lamenta de que, obligado a hacer un folleto sobre Galdós, apenas tiene nada que decir porque este se obstina en no darle dato alguno. (Estas cartas suenan como el comienzo del citado folleto, buen ejemplo de humor y gracejo clarinianos.) Llegó a ser lugar común entre los periodistas que iban a entrevistar a don Benito esto de que se encontrasen ante él como ante una esfinge, siempre elusivo, siempre arisco y remiso a toda confidencia. Estos dos factores, la falta de tiempo, el pudor de su intimidad, le hacían un corresponsal terriblemente insatisfactorio. Por las cartas de Pereda y de otros sabemos que les costaba tres o cuatro epístolas más el arrancar al novelista unas líneas desganadas. Tenía el egoísmo de los grandes creadores: el tiempo era para los seres por él creados, para sus novelas. No ya cartas: prólogos que eran casi una deuda sagrada —para *El sabor de la Tierruca*, para *La Regenta*— tardaban meses y más meses, con desesperación de los autores, que veían demorarse así la publicación de sus novelas.

Un rasgo del carácter de Galdós que han sabido acusar los que lo trataron, era que nuestro novelista tampoco gustaba mucho de darse a la conversación. Más de una vez nos lo han pintado siguiendo silencioso las palabras de los otros, estimulándoles a que hablaran, pero callado él. Su espíritu de observación le hacía preferir el estudio de los otros a las intervenciones más brillantes —que su timidez de todos modos, le hubiera impedido. Aunque parezca exagerado el paralelo, una actitud análoga nos parece descubrir en este epistolario, y como los corresponsales de Galdós que en él figuran eran los espíritus más desemejantes que a duras penas puedan imaginarse, la tertulia de amigos que aquí habla acaba por aparecérsenos como galdosiana, regida por la voluntad del maestro.

Galdós escribía pocas cartas —sea—, pero gustaba muchísimo de que otras personas de su estimación se las escribiesen, y tenía los originales guardados como oro en paño. En sus *Memorias*, el viejo novelista hablaba de que su «copioso archivo epistolar» conservaba «multitud de cartas de Pereda escritas maravillosamente en aquella prosa fluida, galana, incomparable». Algunas de estas cartas han sido publicadas ya por nuestro ilustre peredista José María de Cossío en el tomo XLVIII de la «Antología de Escritores y Artistas Montañeses» (Santander, 1957), quien sin duda alguna manejó copias o borradores conservados por el propio Pereda —práctica que debió ser frecuente entre las gentes de letras de entonces. Pero las cartas propiamente tales— las que el correo trajo a las manos de Galdós— son estas cuyo texto ofrecemos a los lectores. No hemos considerado acertada la omisión de aquellas ya publicadas por Cossío. Quede el pecado de la repetición perdonado en gracia al deseo de no romper ni modificar lo más mínimo el legado tan amorosamente clasificado y guardado por Galdós, que llega así a los ojos del lector cargado aún de la frescura de la intención humana que lo determinó. Por otros conductos se sabía también de otras correspondencias, como la de Mesonero Romanos, de que dio noticia incompleta Varela Hervías en 1943. Los eruditos, sobre todo los americanos, que en estos últimos años se han lanzado, como diestros y esforzados sabuesos, sobre los papeles de don Benito, se desesperaban buscando aquellas cartas, sin dar con ellas, como era inevitable: don Benito se las había entregado a don Ramón Pérez de Ayala, quizá un año, dos años, antes de morir. Pérez de Ayala no supo precisarme ya la fecha. Y aquí viene la explicación de que estas cartas se publiquen por la intervención de persona tan lega en estos menesteres propios de la erudición y tan ajena a toda actividad intelectual. Hasta tal punto que casi puede decirse que esa intervención no ha sido más que la de unas manos que las pasaron a la imprenta. Llevada por una entrañable amistad familiar, han sido muchos los atardeceres de domingo que he pasado, en estos últimos años de la vida de Ramón, escuchando su conversación amenísima sobre tantos temas y, sobre todo, esos relatos deliciosos de sus recuerdos de tiempo atrás que le venían a la memoria al calor del íntimo círculo familiar. Y así supe cómo, en un atardecer semejante, poco tiempo antes de la muerte de Galdós, había aparecido el criado de don Benito en casa de don Ramón con una maleta de cuero negro —que aún rodaba últimamente por casa de Pérez de Ayala— que contenía todas las cartas que Galdós recibiera en el transcurso de su vida de escritor y que él juzgaba dignas de ser conservadas. «Sin quitarte el polvo de las botas te vas a entregar esta maleta a don Ramón» —gustaba de repetir Pérez de Ayala, reproduciendo palabras de don Benito en boca del criado, quien recibiera tal orden al regreso de no sé qué viaje. Acompañaba el envío una carta de Galdós encargando a Ramón que publicase todo aquel nutrido epistolario, después de su muerte y precedido de un prólogo de su mano. Esta carta, con otras muchas anteriores de Galdós a Pérez de Ayala, desapareció en los azorosos días de nuestra guerra civil. Solamente quedó el rótulo que, de mano de Galdós, iba escrito en el papel que contenía todo el legado y que reproducimos aquí en facsímil, así como las pocas cartas que de Galdós a Ramón se han conservado. La cuidadosa ordenación de Galdós es índice de la estima en que tenía estas cartas; cada grupo aparecía incluido en un pliego de papel de barba rotulado con el nombre del corresponsal, junto al que colocaba una cruz si ya había muerto —y murieron casi todos antes que él. Tras de los grupos muy nutridos venían cartas de corresponsales menos asiduos— a veces solo hay una carta de cada uno. A este apartado acompañaban otros pliegos de papel de barba con la lista de los corresponsales cuyas cartas incluían. Estas fueron las que más padecieron en los azares de nuestra guerra. Las mermas han debido ser cuantiosas y el orden de Galdós quedó en parte deshecho. Hemos optado por publicar solamente la totalidad de las cartas conservadas de los corresponsales asiduos o de nombre más ilustre, pero, por otra parte, el lector encontrará al final una lista, por orden alfabético de autores, de las cartas restantes que, en absoluto desorden, se salvaron.

Pese a todas estas mermas, las cartas aquí recogidas, de gentes variadísimas, por edad, por calidad literaria, por temperamento, son un instrumento inapreciable para el estudio de la sociedad que rodea al novelista; todos los autores aparecen reflejados en sus cartas. El bondadoso don Ramón de Mesonero, siempre repitiendo su muletilla de que él admira a su joven amigo sin pizca de envidia, abre la marcha. Por sus cartas, ya conocidas en parte, pero en mejor lección aquí, pues están copiadas de las originales con la fidelidad que permite la ardua letra de Mesonero, puede apreciarse la enorme ayuda que este significó para Galdós en los días en que preparaba la segunda serie de los *Episodios*, a partir de las *Memorias de un cortesano en 1815*. Y ya empezamos a saber que los amigos de don Benito son más asiduos corresponsales que él, y que se muestra olvidadizo de exquisitos favores hasta frisar en la descortesía; en fin, una vez más, que ni escribe ni contesta a las cartas. La correspondencia se prolonga hasta el último año de la vida de Mesonero, con una laguna de casi dos años que no sabemos justificar.

El más asiduo entre los corresponsales de Galdós, fue don José María de Pereda; sus cartas son las más numerosas de este epistolario. Son también las más importantes por referirse a aquellas eternas discusiones de los dos novelistas sobre temas religiosos y políticos, esas discusiones que tan simpático hacen aquel período de temperamental liberalismo y tanta nostalgia de él producen en nosotros. Como en todas las correspondencias «completas», hay en esta de Pereda algún momento inerte. Menudean los casos de interpretación difícil del texto, por aludirse en él a personas o cosas que nos son desconocidas hoy. A la generosa ayuda de Cossío en el caso de Pereda, y a la de Melchor Fernández Almagro en otros casos, debo la aclaración de muchas dudas. Es probable que don Benito exagerase el valor absoluto de este tesoro epistolar; pero, sin más títulos para ello que los de lectora empedernida, diría que estas cartas, en su mayoría, me parecen superiores, por ejemplo, a las escritas a Menéndez Pelayo.

Siguen en importancia las cartas de *Clarín*, retratado en ellas de cuerpo entero; generoso, cultivador ardiente de la más pura amistad, inquieto y rencoroso por demás, como lo muestran los ex abruptos contra la Pardo Bazán y las amenazas que contra ella y otros —nuestro abuelo Ortega Munilla, por ejemplo— profiere alguna vez. Estas cartas son quizá las que nos han dado más trabajo por lo endiablado de la escritura de Alas. Es lástima que no se hayan impreso aún las dirigidas por él a Pereda, que debieron ser muchas.

De gran interés, para los investigadores del teatro de Galdós, son las cartas de actores que aquí se recogen, las de don Emilio Mario y don Antonio Vico, motivadas, claro es, por representaciones galdosianas. Galdós, siempre un poco perdido en el teatro, debió inmensamente a los buenos oficios de estos actores, y las cartas de Mario, descuidadamente escritas como suelen estar, recogen con abundancia noticias del mundo teatral, muy sabrosas a menudo.

Es muy curioso también advertir lo que en este epistolario falta. No puede ser azar que no se encuentre en él ni una sola carta de la Pardo Bazán; las que contuviese han debido de ser destruidas. Galdós y Valera se trataron siempre con respeto, pero no eran espíritus hechos para entenderse, y no nos extraña que se hallen aquí solo tres cartas de don Juan, de no mucho interés, salvo aquella en que discute el timo que parece ser le dieron, sacándole el permiso para traducir gratis *Genio y figura*, traducción que desconozco y que es probable no llegara a imprimirse. Cartas como las de Costa nos dicen también muy poco, ocasionales parabienes como suelen ser.

Emocionantes son en cambio los testimonios de discípulos:

los de Navarro Ledesma en las cartas aquí reproducidas y los de Ramón Pérez de Ayala en otras cartas que pensábamos incluir en este tomo, pero que omitimos porque acaban de ser publicadas por José Schraibman en *Hispanófila* (núm. 17, 1963). Es muy de desear que algún día se vuelva sobre la persona y obra —en su mayoría dispersa— de Francisco Navarro Ledesma. Su actitud reverente ante Galdós, su arrobo casi extático ante la grandeza del novelista y del dramaturgo, ponen en esas cartas suyas una nota simpática de mocedad capaz de entusiasmo. Navarro, a cuya figura nos sentimos ligados, quizá por una devoción heredada, fue uno de los más ardorosos paladines de la reforma española; su intervención en actos conmemorativos del centenario de Cervantes en 1905 (1) le hizo adelantarse hacia la primera línea entre la juventud deseosa de otra España. Naturales son sus reacciones extremosas frente a los que se empeñan en desconocer la grandeza de Galdós, en cuya obra quizá vio Navarro el programa mismo de esa reforma.

La mayor parte de las cartas de la «maleta negra» no acogidas en este libro, son de gentes desconocidas u olvidadas, otras poco interesantes, aunque de personajes destacados del siglo XIX. Quizá hubiera sido bueno reproducir las de críticos bien conocidos de entonces: Luis Alfonso, Federico Balart, Manuel Cañete, Ixart, Manuel de la Revilla, Luis Vidart y algún otro. Sea esta labor para otro libro, porque quien presenta este a los lectores dista mucho de ser erudita, como queda dicho. Si arrostro la responsabilidad de darle cima es porque creo perentorio cumplir una promesa hecha a don Ramón Pérez de Ayala, quien me confió la ordenación y preparación de estos papeles; la merma más sensible que sufre esta publicación es la del magistral prólogo que Ramón hubiera escrito y que la muerte nos ha arrebatado. Convencida de la importancia que estas cartas tienen creo que no debe demorarse la publicación, y por ello mismo renuncio a adicionarla con notas

---

(1) Muy sintomática del sentir de los jóvenes de 1905 a ese respecto es la correspondencia Navarro Ledesma-Ortega y Gasset, publicada, en parte, en *Cuadernos*. París, núm. 66, págs. 3-18, noviembre, 1962.

y comentarios que no están a mi alcance. Los eruditos pueden acometer a su guisa esa tarea. En mi anotación me he limitado a esclarecer dificultades de lectura, dar breve noticia de nombres propios que pueden no ser tan familiares para lectores de otras tierras y, en alguna ocasión, a poner en claro alusiones hoy difíciles de entender. He procurado reproducir fielmente las abreviaturas y subrayados usados por cada corresponsal que son variables, aun en un mismo autor, a lo largo de los textos. Así mismo, he conservado la acentuación peculiar a cada uno, con todas sus fluctuaciones, e incluso incorrecciones con respecto al criterio vigente en el momento —lapsus de pluma que no he señalado por no afear el texto con más lunares que los inevitables a la mención de las anomalías ortográficas. En suma, me he dejado guiar, en todo momento, por el afán de que estas cartas lleguen al lector en la versión más fresca y directa que la letra impresa pueda proporcionar.

SOLEDAD ORTEGA.

JOSE MARIA DE PEREDA (1833-1906)

FOTOGRAFIA DE UN DIBUJO DE CABEZA DE «CLARIN», POR VICTOR HEVIA
LEOPOLDO ALAS (1852-1901)

(1869-1905)

A su excelentísimo amigo y maestro
D. José Ortega Munilla,
con todo el cariño y la gratitud de
su
F. Navarro
y Ledesma

15-V-905

MARIO LOPEZ CHAVES, «EMILIO MARIO» (1838-1899)

ANTONIO VICO (1840-1902)

(Archivo fotográfico de ABC)

JUAN VALERA (1824-1905)

(Archivo fotográfico de ABC)

JOAQUIN COSTA (1844-1911)

(Archivo fotográfico de ABC)

MARCELINO MENENDEZ PELAYO (1856-1912)

(Archivo fotográfico de A B C*)*

CARTAS DE RAMÓN DE MESONERO ROMANOS

A

GALDÓS

R. de Mesonero Romanos

Facsímil del epígrafe autógrafo de Galdós a las cartas de Mesonero Romanos

Mi estimado amigo:

He recibido con su ap^{e}. carta el tomo de «Trafalgar», único que no tenía, y el periódico en que V. insertó hace ocho años un articulito por extremo laudatorio de mi persona y escritos. No tenía ciertamente noticia de él; y por supuesto ignoraba el buen concepto que merecía a un joven que nació después que yo dejé de escribir. Esto mismo me ha sucedido con Trueba, Pereda, Valera, Alarcón, Castro y Serrano, Grilo, Eguilaz y otros distinguidos escritores lo qual *(sic)* es para mí sumamente lisongero *(sic)*, porque esa nueva generación es para mí *la posteridad* y no me atreví nunca a esperar de ella juicio tan favorable.

V. sabe que procuré su conocimiento, impresionado por sus excelentes «Episodios», y sin asomo de envidia, porque V. había realizado un pensamiento mío, y que yo por mi edad no puedo convertir en hecho. Sin embargo, si el cielo me dispensa algún tiempo más de vida, puede que algo vierta al papel de lo mucho que rebosa a mi prodigiosa memoria. Entre tanto ya le tengo dicho que quando *(sic)* quiera consultar algún punto referente a las épocas que abraza su nueva serie, puede hacerlo con franqueza, y aún acaso le podré dar muchas noticias respecto a la primera corte de Fernando del 14 al 20.

Sabe V. que en conversar con V. y algunos pocos escritores que me son simpáticos, tiene un placer su affmo. amigo y S. S. Q. B. S. M.

Ramón de Mesonero Romanos

23, Mayo, 75.

Como el D^{or}. Garrido, siempre en su farmacia, Pza. Bilbao, 6.

* * *

Mi estimado amigo:

Como nada he vuelto a saber de V. desde que tubo *(sic)* la amabilidad de enviarme su preciosa *Gloria* novela sobre la que tenía deseos de hablar con V. para felicitarle como merece tan bella producción; y como a pesar de haberle remitido a tiempo mi targeta *(sic)* de felicitación de Año Nuevo, y posteriormente el «Catálogo de la Biblioteca Municipal de Madrid» cuya formación ha corrido a mi cargo, creo que ó V. había mudado de habitación, ó la había equivocado el portador de ambos; y me persuade de que había caído en falta para con V. el no haber recibido su último Episodio *Los cien mil hijos de San Luis* a cuyo obsequio me tiene acostumbrado desde la primera novela de la segunda serie *Los equipages* (sic) *del rey José* que resultó duplicada por haberla yo comprado antes como todas las de la serie primera.

No en son de recuerdo, sino porque realmente sentiría haber incurrido en falta con tan valioso escritor y amigo quien tan espontáneamente ha acudido a escuchar mis francas y añejas reminiscencias, es lo que me impulsa a dirigirle estas cuatro líneas a que espera tenga la bondad de contestar su affmo. amigo y S. S. Q. B. S. M.

Ramón de Mesonero Romanos

Abril, 16-77.

* * *

Mi estimado amigo:

Sentí mucho no haberme hallado en casa el otro día quando *(sic)* V. tubo *(sic)* la amabilidad de venir a traerme los dos tomos *Cien mil hiios* y *Gloria*, que deseaba mucho leer y no había comprado por no parecer hacer ese desayre *(sic)* a V. y remesas dobles como algunos anteriores.

Inmediatamente me entregué a la lectura de los *Cien mil*, y aseguro a Vd. que me ha causado la mayor complacencia, admirando (lo digo con franqueza) la poderosa inventiva de V., su sagacidad y destreza para continuar en los términos más brillantes el desarrollo de su drama y combinarlo acertadísimamente con la marcha de los sucesos históricos. Es una especialidad en que no tiene V. rival, y me admira tanto más, quanto *(sic)* que habiendo sido testigo (acaso ya único) de esos sucesos, y hablado con V. largamente sobre ellos, estoy en el caso de apreciar la inmensa fuerza de intuición con que V. con su clarísimo ingenio se hace dueño de situaciones, caracteres, y períodos históricos que sólo ha podido escuchar de mi boca, o leer en tal o qual *(sic)* libro o periódico.

Respecto a la segunda parte de *Gloria,* nada puedo aún decir a V. porque mis hijos me la han arrebatado pª leerla, mientras yo lo hacía de la otra; no dudo que, según lo que dije respecto a la parte primera, me sorprenderá la lectura y me llenará de admiración, en la qual *(sic)* es y se repite su affmo. amigo y S. S. Q. B. S. M.

Ramón de Mesonero Romanos

Julio, 24-77.

* * *

Mi estimado amigo:

No quiero dejar pª nuestra entrevista el placer de felicitar a V. por su último precioso Episodio *El Terror en 1824,* que no dexé *(sic)* de la mano hasta doblar su última hoja; tanto fué el interés que me inspiró y la admiración que en mí produxo *(sic)* como los anteriores. En todos ellos se ha colocado V. a una altura superior, como filósofo, como creador de caracteres admirables, como dramático-novelista, y como narrador sencillo, discreto y alhagüeño. Sobre todo es sorprendente y más pª mí que pª ningún otro la intuición con que se apodera de épocas, escenas, y personages *(sic)* que no ha conocido, y que sin embargo fotografía con una verdad pasmosa. Ya dije a V. en otra ocasión que en tal concepto no tiene rival, y que sus novelas tienen más vida y enseñanza ejemplar que muchas historias.

Esta última, sin embargo, no alcanzará tanta popularidad como las otras, porque en ella apenas hay drama, es decir intriga amorosa que es lo que busca la mayoría de los lectores y tampoco nuevos personages *(sic)* excepto los históricos; pero pª mí que he conocido éstos y la época que describe, tiene un encanto singular.

Algunas inexactitudes se han escapado a su pluma o su memoria:

S. D. Benito Perez Galdós

Mi estimado amigo: no quiero dejar p.a nuestra
entrevista el placer de felicitar á V. por su
último precioso Episodio "El terror de 1824"
que no dejé de la mano hasta doblar su
última hoja; tanto fué el interés que me
inspiró y la admiracion que en mi produjo
como los anteriores. En todos ellos se ha
colocado V. á una altura superior, como
filósofo, como creador de caracteres admirables, como dramático-novelista, y como
narrador sencillo, discreto y alhagüeño.
Sobre todo es sorprendente y mas p.a mi
que p.r ninguno otro la intuicion con que
se apodera de épocas, escenas, y personages que V. no ha conocido, y que sin
embargo fotografía con una verdad pasmosa.
Ya dije á V. en cierta ocasion que en tal concepto no tiene rival, y que sus novelas
tienen mas vida y enseñanza ejemplar que

Facsímil de la carta autógrafa de Mesonero Romanos a Galdós del 6 de diciembre de 1877

pero en general de poca monta y que sólo yo puedo notar. Por ejemplo: yo hubiera dilatado algunos días más la introducción pª dar lugar a la pintura del regreso de los Milicianos y las insignes tropelías de que fueron víctimas; y no digo *fuimos* porque yo por providencia divina, y por mi inspiración afortunada tube *(sic)* la suerte de escapar a esos desmanes dando un largo rodeo y viniendo por Alcalá.

La Superintª de policía no estaba (acaso me equivoque) en la Cárcel de Corte, si no en la calle de Atocha *casa de las Columnas* frente a la de Relatores: la otra cárcel de corte o sea el antiguo convento de los Pes. del Salvador, formaba *una sola manzana* con la Audiencia y entre ambas había comunicación interior y la capilla de aquélla, situada hacia la calle del Salvador, era la misma capilla del antiguo convento. Creo que en 1824 no era todavía ministro Calomarde. Tampoco vino la Compª Monteasor —Jubrica hasta bastante después (1826), y el actor Guzmán hacía ya algunos años que formaba las delicias del público de Madrid. Otras varias cosillas podría advertir; pero como digo, son de poca monta y sólo sí desapruebo por completo la *nota* estampada en la página 343, referente a las palabras del tirador de oro y Capitán de la Milicia nacional D. Pablo Iglesias en quanto *(sic)* al colgárselas al interesantísimo personage *(sic) ideal* D. Patricio Sarmiento, revela V. *inoportunamente* otra idealidad robándole el carácter histórico con que ya le habíamos aceptado. Esto es, amigo mío, una falta de escritor en que no sé cómo V. ha incurrido, pues tanto valdría que Cervantes, hubiese revelado cándidamente a última hora que Sancho o Don Quijote eran personages *(sic)* creados por su fantasía.

Y esto, precisamente, le repito a V., quando *(sic)* acaba de interesarnos y conmovernos tiernamente con la admirable escena de la capilla (que pudiera firmar Víctor Hugo) y quando *(sic)* el lector se encontraba dispuesto a llorar por aquel fanático sublime que V. le ha presentado como ejemplo real y verdadero de las iniquidades cometidas en aquella infausta época.

Baste ya de reprimenda pedantesca al autor. Repito mi parabién, y afectuosa simpatía al amigo y se despide hasta la próxima, s. apdo. admirador q. b. s. m.

Ramón de Mesonero Romanos

6, Diciembre-877.

* * *

Mi estimado amigo:

Tiene V. razón que le sobra para quejarse de esa indiferencia, de ese desvío injusto con que trata, o mejor dicho dexa *(sic)* de tratar la prensa periódica a las producciones del ingenio, como no sean las mezquinas pruebas que de él se dan en los teatros, y que aplaude el vulgo a quien como decía Lope:

es iusto
hablarle en necio pª darle gusto.

Pero esto siempre ha sido lo mismo entre nosotros; en primer lugar porque los periodistas sólo dan atención a la política que es su comidilla, o por mejor decir, en lo que fundan su comidilla y sus medros y luego que si algo destinan a las obras literarias, es a lo que tiene relación con ellos y sus respectivas pandillas, y que tampoco por su misma insignificancia pueden inspirarles celos o envidias.

No desmaye V., amigo mío, y ya que tan profunda vocación y tan relevantes medios tiene pª cultivar la novela (que es hoy día la forma más adecuada pª pintar la sociedad y desplegar el ingenio) continúe firme en su propósito, y luego que dé de mano a los tres que aún le faltan de sus preciosos *Episodios*, hágalas V. independientes o sueltas como las de *Gloria* y *D.ª Perfecta* y concluirá V. al fin por avasallar al público, a la opinión de los doctos, y a los críticos. Ya tiene V. mucho, mucho adelantado con el primero, y aún de los últimos (aunqᵉ es una excepción notabilísima) tiene al primero de los actuales, mi amigo Revilla, aunque es lástima que publique sus excelentes artículos en revistas y periódicos poco leídos.

Al escribir a V. mi carta anterior sólo obedecí al impulso de mi carácter que no pierde ocasión de alabar, estimular y encarecer los escritores y los autores (poquísimos por desgracia) que a mi juicio lo merecen, y lo mismo hice spre. sin la más mínima sombra de envidia con Larra, con Segovia, con Calderón, con Trueba, con Pereda, con Castro y Serrano, con Alarcón y con Valera, que son con Vd. la escasísima pléyade de ingenios *prosistas* y *humorísticos (sic)* contemporáneos. Y en quanto *(sic)* a los *poetas cujus infinitus est numerus*, ninguno ha ensalzado más que yo a los que verdaderamente merecen ese glorioso título, que hoy, a mi ver se encierra en Campoamor, Grilo y Núñez de Arce, en lo lírico, y García Gutiérrez, Rubí, Ayala, y algún otro en lo dramático. Por lo demás, mis juicios buenos o malos, no los he dado a la estampa sino comunicándoselos cara a cara a sus autores, y a todo el que me ha querido escuchar.

Sabe V., amigo mío, que lo mismo hice con V. quando *(sic)* al leer y admirar los primeros Episodios, deseé conocerle personalmente, y manifestarle mi admiración, simpatía, y verdadera sorpresa, por esa virilidad de su inteligencia y delicado estilo de su pluma, y le brindé con toda sinceridad con los infinitos y profundos recursos de mi memoria para hacerle algún tanto más llevadera su animosa empresa de tratar de épocas y de hombres que yo conocí y V. no.

Algún día, si se me presenta ocasión (o acaso pª el último tomo), trazaré un bosquejo crítico de toda la obra. Entretanto, no tengo inconveniente en que V. haga el uso que guste de aquella desaliñada carta o de parte de ella que le escribí días pasados, aunque a vuela pluma, y sin sospechar siquiera que V. la había de encarecer tanto.

Y se repite como spre. su affmo. amigo y sincero admirador,

R. *de Mesonero Romanos*

14 Dicbᵉ.-877.

* * *

Mi estimado amigo:

Hace ya más de una semana que luego que supe su regreso a Madrid me apresuré a escribirle remitiéndole 5 números de la Ilustración con los artículos de las Memªˢ publicadas en su ausencia, y como nada me haya contestado ni siquiera pª acusarme el recibo, no sé que pensar, pues dudar de su amabilidad y cortesía no es posible, y por otro lado tengo la seguridad de que esa carta y esos periódicos fueron entregados en su mano.

Sírvase V. si gusta sacarme de dudas, y contar como spre. con la buena voluntad y afecto de su apdo. amigo y S. S. Q. B. S. M.

R. *de Mesonero Romanos*

27 Stbre.-78.

* * *

El amigo y S. Pérez Galdós ¿leyó el capítulo anterior, o sea el de La Corte de las Españas en que puse una nota relativo a él mismo? Porque como nada me ha dicho, debo suponer que ó no le leyó, ó no le agradó su contenido. Y me extraña, aunque ya me tiene acostumbrado a estos compases de espera.

M° Rs

Envío el número de la Ilustración de hoy, y quedo esperando la novela de la *Fama*. *Roch*.

NOTA.—Sin encabezamiento y sin data; tiene que ser de 1878, fecha de la publicación de *La familia de Lean Roch* y de la contestación de Galdós a esta carta, publicada por Varela Hervias (Madrid, 1943).

* * *

Mi estimado amigo:

Al remitirme V. con la acostumbrada amabilidad por los días de Pasquas *(sic)* los dos tomos de la *Famla*. *Roch* excusándose de que no fueran capones, y deseando conocer a *qué me habían sabido*, diré a V. que me han sabido a «*Gloria*», que es bastante decirle pª expresar lo que me ha gustado, seducido y admirado.

Sin embargo, con mi natural franqueza reitero a V. que no simpatizo con este género *trascendental*, ni en la Novela ni en el teatro, y esto no obsta pª que dado el carácter con que el autor gusta colocarse no hay más que admitirle, por aquello de «*Tous les genres sont bons hors le genre ennuyeux*» y especialmente quando *(sic)* (por desgracia) le acometen hombres de la talla de Víctor Hugo de Vd. y de Sellés. Lamento sin embargo la irresistible influencia de semejantes talentos en la república literaria, así como lamento la de Castelar en la política. Sobre todo, en punto al delicado punto de la religión y del culto quisiera no verle a V. tan encariñado con este objetivo; más me encanta cuando, prescindiendo de él y ateniéndose sólo a la naturaleza como en Marianela, nos regala con un idilio de amor, de sencillez y de ternura.

Tampoco puedo perdonarle que nos dexe *(sic)* en espectativa del tomo 3°, porque tal es el interés que V. sabe despertar en el ánimo del lector, que es cosa de no descansar hasta saber el resultado de sus admirables creaciones.

Nada más por ahora: quando *(sic)* nos veamos, tendrá el placer de platicar sobre ésta y muchas otras cosas su affmo. amigo y sincero admirador,

R. *de Mesonero Romanos*

19, Enero-79.

* * *

Mi estimado amigo:

Todo el mes de Abril le he pasado casi en la cama atacado de una afección nerviosa al estómago de q^{e} ya a Dios g^{s} voy mejor.

Recibí su ap^{e} y supe que había estado en esta su casa cuando yo estaba en cama. Como después no ha vuelto V. no he podido contestarle de palabra, y ahora lo hago p^{a} decirle: que no tiene que abrigar escrúpulos de ning^{a} clase p^{a} hacerme las preguntas que guste a las que satisfaré como spre. con toda la franqueza de mi carácter y que V. se merece. Además, ya verá V. como yo me voy descartando en mis Memorias de la política y de la historia; y que además no cuento de ella más que lo que presencié; y cómo los sucesos de la Granja no pasaron a mi vista, ni siquiera procuro tocarlos, además de que ignoro de todo punto los pormenores sabiendo sólo de ellos lo que todo el mundo, esto es, que fué una intriga fraguada en el cuarto de la Infanta D^{a} F^{ca}, por Abarca, Obispo de León, Carranza, prepósito de los Jesuitas, y Antonini embajador de Nápoles y que comunicada la derogación de la ley de partida al Consejo de Castilla, el Presidente Puig Samper se negó a publicarla y lo mismo el Marq^{s}. de Zambrano, Ministro de la Guerra, etc...

Si supiera donde vive D. Ramón Depret, segoviano, que me decía hace algún tiempo que me daría noticias especiales sobre estos sucesos que yo rehusé, lo diría a V., pues ciertamente estubo *(sic)* en actitud de conocerlos bien; pero no sé dónde para, ni si va al Ateneo, etc., lo que tal vez pueda V. averiguar.

Sin más por hoy se repite su affmo. y entusiasta amigo q. b. s. m.,

R. *de Mesonero Romanos*

Mayo, 4-79.

* * *

Mi estimado amigo:

Recibí su ap^{e} carta de despedida, y en su consecuencia remito a V. por este mismo correo, y en faja el Suplem^{to} de la Ilustración del 8, que contiene mi artículo de *Episodios Literarios*, que desearé merezca la ilustrada y bondadosa aprovación *(sic)* de V. y que se sirva acusarme el recibo.

Estoy deseando ver su último libro de los Apóstólicos, y si hubiese sabido que lo insertaba el Occeano *(sic)*, me hubiese suscrito. No sé si hace V. bien en dejarlo publicar en un periódico poco estendido *(sic)*. Siento que no pudiera V. ver a Depret, como también el que haya suprimido las páginas que pensaba dedicarme. Creo que en vista de mi artículo de hoy no echará ya menos noticias circunstanciadas del Parnasillo.

Deseo a V. buena salud y esparcimiento por esas playas, mientras que aquí nos achicharramos de lo lindo y sin más se repite su affmo. amigo y sincero admirador q. b. s. m.

R. *Mesonero Romanos*

Si V. ve al S. Pereda, sírvase V. darle memorias mías.

NOTA.—Sin fecha. Debe ser del verano de 1879.

* * *

Mi estimado amigo:

Según indiqué a V. en nuestra conversación última días pasados, verá por el artículo de la Ilustración que a la sazón estaba ya en prensa, que el giro de mis «Memorias» me va llevando a la narración del progreso o renacimiento de nuestra literatura, y la semblanza de sus autores a cuyo lado me tocó trabajar en aquel sentido.

Por esta razón rogué a V. que me dispensase si en las noticias ó explicaciones sobre este punto, no era tan explícito como en la historia política; y esto mismo le reitero, y pues que V. en sus preciosos episodios se ha encerrado en este círculo, y no tiene necesidad de extenderlo al campo literario (de que por otro lado sería acaso imposible que pudiese tener noticias ciertas), creo que en interés mutuo conviene a V. no hacer este escarceo que de ningún modo acrecienta el interés de sus novelas, y renunciar a él así como yo lo pienso hacer en mis «Memorias» desde la muerte del rey. Perdone V. la franqueza con que me tomo la libertad de hacerle este ruego, y mande como spre. a su affmo. amigo y s. s. q. b. s. m.

R. *de Mesonero Romanos*

17, Mayo-79.

* * *

Mi estimado amigo:

Hace diez o doce días que escribí a V. enviándole al mismo tiempo el número del día 8 de la Ilustración en que venía el artículo titulado *Episodios Literarios*, *Café del Príncipe*, *Teatro*, etc., y rogándole que se sirviese acusarme el recibo, y también deseando escuchar su autorizada opinión sobre otro artículo. Pero esta es la hora que no he recibido contestación.

Tampoco me ha sido entregado el tomo que V. me anunciaba de los *Apostólicos*, siendo así que hace una semana se halla puesto a la venta en las librerías, y yo le hubiera comprado si no sintiera hacer a V. un desayre *(sic)*.

De todos modos espero que se servirá V. decirme algo, sobre uno y otro estremo *(sic)*, y ya sabe V. la cordialidad con que le aprecia su affmo. amigo q. b. s. m.

R. *de Mesonero Romanos*

Madrid, 21, Julio-879.

* * *

Mi estimado amigo:

A los pocos días de salir V. de Madrid remití a V. a Santander con el sobre que me dijo y acompañado de una carta el número del 8 de Julio de la Ilustración en que venía el artículo *El Parnasillo* y V. no me contestó su recibo; a pesar de haberle yo escrito posteriormente otra carta que tampoco mereció contestación. No sé a qué atribuir este silencio, y tampoco si ha regresado V. a ésta, por lo cual no le envío los artículos siguientes que son cuatro o cinco, hasta que tenga a bien decirme dónde para y si recibió el número ya citado.

Yo recibí el tomo de V. de la admon. de la Guirnalda á donde supuse que dejó orden de enviármelo, y sobre todo ello hablaremos quando *(sic)* nos veamos, y entretanto queda aguardando contestación su affmo amigo y S. S. Q. B. S. M.

R. *de Mesonero Romanos*

Septiembre, 30-79.

* * *

Mi estimado amigo:

Al fin tube *(sic)* el gusto de recibir contestación a las dos o tres que le he dirigido desde el mes de Julio en que salió V. para ésa, y celebro que este silencio que extrañaba, no haya sido causado por falta de salud.

A los pocos días de salir V. le remití también el número de la Ilustración en que venía el artículo del *Parnasillo* y veo que lo recibió V., pues se refiere a él. Después han salido otros cinco o seis con los títulos «*En prosa llana y los pseudónimos* (continuación de los «Episodios literarios») —*La corte de Fernando y de Cristina, Madrid filarmónico y social —Entre la vida y la muerte; la Granja, la Amnistía, la Jura de la princesa —Cambio de decoración, la muerte del rey, el cólera, y el Marqués de Pontejos*, etc. —*Revolución literaria, El romanticismo, el Ateneo, El Liceo*, etc. *Dos artículos*, y no he enviado a V. estos cinco o seis números porque, visto su silencio, me figuré que poco o nada le interesaba su lectura. Los tengo sin embargo apartados, y si V. me lo dice los enviaré a la admon. de la Guirnalda para que se los envíen con alguna otra remesa de libros.

A la misma admon. tube *(sic)* que recurrir p^{a} tener el tomo de los *Apostólicos* que V. me prometió y que no me enviaba apesar de que lo veía espuesto *(sic)* en las librerías, y que no quise que mis hijos lo comprasen porque no sucediera lo de otras veces. Una vez en mi poder lo leí de un tirón, y de su contenido además de la satisfacción y contento que en los anteriores, recibí la grata impresión que me produxo *(sic)* la humorística alusión que hace V. a mis «Escenas», y a su autor, y que éste le agradece en estremo *(sic)*, tanto por ella en sí como por venir de mano, para mí la más autorizada y competente.

Veo que está V. enfangado en el último tomo que por su contenido le ofrecerá seguramente una repugnancia buena para tratarle, porque aquel período que comprende no puede ser más fatal. Yo le rasguñé, nada más que rasguñar, en uno de mis artículos porque a la sazón estaba yo en la agonía y mi madre muerta á impulso de la fiera enfermedad y del terror que produjeron aquellos funestos acontecimientos. Por eso no puedo dar a V. más detalles y sólo sé decirle que puede hallarlos en la Hista. de la Guerra civil de Pirala, y en la Estafeta de Palacio de Bermejo, cuyos libros no le será difícil hallar en ésa.

Sin más por hoy, se repite su affmo. amigo y S. S. Q. B. S. M.

R. *de Mesonero Romanos*

Madrid, 19 Octubre-879.

NOTA.—En el original, escrito en lápiz rojo: «A 9 ancho lo marcado con lápiz negro». Desde «Veo que está V. ...» hasta la firma inclusive, aparece marcado con lápiz negro.

* * *

Mi estimado amigo:

Habiendo visto hace ya días en los escaparates de las librerías su última novela *La Desheredada*, concluída ya, me tomo la libertad de recordarle la promesa que me hacía en su última apreciable de que me enviaría d^{ha} novela así que estubiese *(sic)* concluída —pues ya sabe V. lo que me complace la lectura de sus bellísimas producciones— y como entre sastres no se pagan hechuras, y yo le tengo remitido los cuatro primeros tomos de mis obras (edición reciente de D. A. de Carlos) y me preparo a remitirle los otros cuatro, espero por ello que se sirva contestarme como tengo solicitado que así es justicia que juro, pido, etcétera, etc.

Su affmo. amo. y admirador,

R. *de Mesonero Romanos*

Septiembre, 29-81.

CARTAS DE JOSÉ MARÍA DE PEREDA
A
GALDÓS

Mi estimado amigo:

Hace muchos días escribí a Alvareda diciéndole que estaba concluyendo un 2° *Boceto* que podría dar para cuatro o cinco n^{os}. de la *Revista;* pero que, conociendo los humos políticos de ésta, debía advertirle que en el tal *Boceto*, en su segunda mitad, se atacaba, o se maltrataba, al sufragio universal y al Parlamento, lo cual podía no convenir a la *Revista.* Como el Sr. Alvareda no me ha contestado, y como quiera que me sea indispensable conocer su opinión para, en caso negativo, satisfacer yo otros deseos con el mencionado trabajo, me he tomado la libertad de dirigirme a V. para preguntarle si le es posible sacarme de la duda, viendo a Alvareda si está ahí, ó á la persona que haga sus veces en la *Revista.*

Le anticipo las g^{ras} y me reitero suyo afmo. am^{o}

José M. de Pereda

Santr., 15 de En^{o} de 1872.

* * *

Mi estimado am^{o}:

Aunque V. no quiera yo he de darle un millón de g^{ras} por el artículo que ha escrito recomendando al público mi libro, y que tuvo a bien incluirme en su grata del 28 p^{sdo}. En cuanto a los elogios, si el buen deseo no le salva a V., de ellos dará cuenta a Dios, en su día, por lo que de la justicia se apartan; y por eso no le digo yo a V. nada sobre el particular.

Espero con afán la nueva obra que ha publicado V. quedando a mi cuidado su recomendación en estos periódicos y la remisión del ejemplar de cada uno de ellos.

Mucho me contraría la falta de resolución de la *Revista* de el caso que tengo consultado a Albareda *(sic)*; y sólo una consideración especial hacia aquella publicación en la cual ha visto la luz el 1er *Boceto*, me impide hoy dar el segundo a un periódico que sin cesar me pide algún trabajo para folletín. Dicho boceto, concluído ya, daría para 5 números de la *Revista*, muy nutridos.

En otras ocasiones me ha honrado el D^{r} de la *Ilustración de Mad^{d}*, pidiéndome algún artículo p^{a} esta, por conducto de otros amigos como ahora me le pide por el de V., y siempre he contestado que con el mayor gusto le complacería a no serme ya punto menos que empalagoso el escribir en nuevos periódicos mis sempiternos artículos montañeses. Mas para que no crea que me ando con remilgos de embarazada, y toda vez que ahora es V. quien desea que el cuadro sea de por acá, le advierto a V. para su gobierno que, en la imposibilidad de escribir uno *ad hoc* por ocupaciones de muy distinta índole, podría remitirle otro inédito de entre varios que conservo, que consta de 25 cuartillas y no está dialogado. Es el que menos se separa de las condiciones que V. me precisa, en cuanto a tamaño. Su asunto, a la verdad, no será muy interesante para quien no sea santanderino; pero el que da lo que tiene... Una condición me permitiría imponer yo a la *Ilustración* en el caso en que se decidiera a publicar ese art^{o} u otro mío de igual género, a saber; que hiciese constar a la cabeza de él ó donde mejor le pareciese que al haber tratado yo de debutar en tan acreditado periódico, *espontáneamente*, lo hubiera hecho con trabajo de otra naturaleza, o algo más meditado... En fin, que doy lo único que tengo en el instante en que se me pide.

Mejor fuera que me anunciaran el libro, y como *á propósito* publicaran el art^{o}, pero esto es mucho pedir. Y basta de palabrería.

Queda spre. suyo afmo. am^{o}

J. M. de Pereda

3 de Feb^{o}, 1872.

¿No podría V. enviarme un ejemplar completo del periódico en que salió su art^{o} sobre mi obra?

* * *

Mi estimado am^{o}:

Con su ap^{ble} del 1° de feb^{o} recibí *El Audaz* que tuvo la bondad de remitirme, el cual he leído despacio y saboreado a mi placer; y eso que no me gustan gran cosa las novelas políticas sobre todo las políticoliberales. No por ello dejo de enviar a V. mi más cordial enhorabuena; pues una cosa es la fe de un autor y otra muy distinta el pincel con que reproduce en el lienzo, y desde su punto de vista especial, épocas y personajes. En este ult^o^ concepto no tiene la obra desperdicio.

Pero no es el objeto exclusivo de esta carta hablar a V. de su últ^a^ hermosa producción; que si así fuera mucho me extendería; quiero también advertirle que no se vende todavía en estas librerías, razón por la cual no he querido que esta prensa se ocupe de ella. Dígame V., pues, si piensa remitir alg^s^ ejempl^s^ aquí, pues en tal caso esperaré a que lleguen para decir donde se venden. De otro modo se dirá desde luego algo del libro.

Nada me ha contestado V. á lo que le dije en mi últ^a^ sobre el artículo que me pedía para la *Ilustración*. Espero su respuesta.

En cuanto al *Boceto* que no se atrevió a publicar Albareda *(sic)* en la *Revista*, me ha servido para llenar el compromiso que tenía medio contraido con un periódico de esa corte, y empezarán en breve a darle en su folletín.

Y ya que no cupo en aquella publicación, por un escrúpulo que respeto y disculpo, ¿será posible que tampoco quepan dos líneas en la sección bibliográfica acerca de mis *Tipos* en venta, ya que las ha tenido hasta para la *Agenda de bufete*?

Spre. de V. af^mo^ y muy agradecido,

J. M. de Pereda

Santr., 6 de Mzo. de 1872.

* * *

Mi querido am^o^:

Cúmplese en V. como en nadie, la ley de las compensaciones de la madre Naturaleza. Dióle ésta mucho talento; pero á expensas de la memoria que le falta. Y sino, ¿por qué no me ha enviado el n^o^ de la *Ilustración* de *Mad^d^* que me prometió en esta su casa?— Lo ofrecido es deuda, y para pagarla le doy todo el año actual, pero ni un día más. Tampoco ha publicado *La Revista* el poema de Menéndez (1) que, como primerizo,

(1) Se refiere a don Marcelino Menéndez Pelayo.

no sosiega un punto. Si hay algún obstáculo insuperable que se oponga a su publicación, hágamelo saber para transmitírselo al interesado cuyo afán es fácil de adivinar: si no le hay publíquenle cuanto antes, que Dios se lo tomará en cuenta p^a^ la otra vida. De todos modos escríbame V.

Sigo dedicado a mis obras de cal y canto que me entretienen mucho, aunque me cuestan caras. ¿Ténelas V. también, según está de callado de las de literatura? ¿Cómo va la novela? Hízome reir mucho este últ^o^ otoño su bello artículo titulado (no sé si me equivoco) *Un jurado literario* (1). Después acá no he vuelto a leer nada de V.—Enmiéndese.

Le escribo a la redacción porque he perdido las señas de su casa. En ésta de V. tiene sp^re^ un buen am^o^ y admd^r^ en

J. M. de Pereda

Sant^r^., 26 de D^e^ de 1872.

* * *

Mi querido amigo:

Agradezco a V. infinito las cariñosas palabras que me dedica con motivo de la desgracia que le anuncié en mi ant^or^., pues por razones idénticas a las que V. alega para que las crea cordiales, las estimo yo en tanto.

He retardado un poco la respuesta a su gratísima del 5 por esperar a que el tiempo permitiera recojer las semillas que quería enviarle con esta carta. Así lo hago hoy. Adjuntos hallará 3 paquetitos rotulados. Le advierto que del *Ay de mí* envío la mitad de la cosecha, pues no tengo más que tres plantas cuyas flores, como V. vería aquí, son microscópicas. Para sembrarlas en el semillero, procure V. que la tierra de la superficie esté bien desmenuzada y tómese V. la molestia de ir hundiendo cada grano con un mondadientes de estaquilla, pues la pequeñez de ellos no permite sembrarlos a granel como otras semillas más pesadas y abundantes. Con el mismo palillo cubre V. el hoyuelo resultante, que no debe ser profundo: un milímetro o dos es lo suficiente. Riego frecuente.

---

(1) Se refiere a *Un tribunal literario* escrito de Galdós, publicado en *Revista de España*, 28 septiembre 1872. Recogido en *Obras Completas*, ed. Aguilar, t. VI, páginas 455-470.

No recuerdo si vio V. aquí las siemprevivas cuya semilla le envío. Son tan lindas, de tan variados colores y tan grandes como las margaritas. El semillero de éstas y de las siemprevivas, no necesita las precauciones que el del *Ay de mí*. Sin embargo, no descuide V. el riego.

Me he tomado la libertad de encomendar a V., por medio de la carta adjunta, el cobro de un pequeño saldo que tenía en casa de Manzanedo. Le ruego, por tanto, que cualquier día que pase V. por la calle de Alcalá, se tome la molestia de cobrarle y de conservarle en su poder; que no faltará ocasión de invertirle en el pago de algún encarguillo que yo haga a V. Y a propósito, ¿qué hay de cromos?

Si la *Guirnalda* ha de publicar *El buen paño*, dígale V. al corrector de pruebas, si es que él no lo nota antes, que en la pág.ª 86, me ponga «más que lo puramente preciso» en lugar del «más puramente que lo preciso», que se lee hoy en el cuadro, por obra y gracias del Sr. Fórtanet (1).

Siento que no se vieran ahí V. y Marcelino (2). De éste tengo desde Lisboa, una carta de 13 plieguecillos. La verá V. en la *Tertulia*. Es un compendio crítico de la histª literaria portuguesa hasta hoy; y se continuará en otras dos o tres cartas que me promete sobre el propio asunto, u otros análogos, antes de salir de Portugal.

Estamos aquí gozando un tiempo primaveral. Yo le he aprovechado pª cambiar el tejado, cuya operación, sucia y molesta sobre toda ponderación, se ha concluído hoy felizmente.

Esperando, con el afán que espero todas sus producciones, el *7 de Julio*, quedo su afmo amº

J. M. de Pereda

Polanco, 26 de Octᵉ de 1876.

* * *

Mi querido amº:

Ya me tiene V. instalado en estas hediondas estrecheces santanderinas.—Como señal de buen agüero, pocas horas después de llegar, recibí la *Revista de España*, en la cual tuve el regaladísimo gusto de leer la primera parte de sus *Cuarenta leguas por Cantabria*. Una de dos, amigo

(1) Editor e impresor.
(2) Menéndez Pelayo.

mío, o V. extrema, por modestia, su desconfianza o yo he perdido toda noción de estética, como ahora se dice. Dígolo porque a la vez que V. insiste en que ese viaje le da pesadumbres y parece abochornarse de firmarlo (recuerde lo que le dije en mi ant[or] acerca de los desacuerdos entre autores y lectores), yo creo que es lo más salado y *chispeante* que ha salido de su pluma. Aquello de Santillana no puede tener rival en el género; y sólo son comparables a ello esas deliciosas caricaturas de G. Doré que tanto abundan en una edición que yo tengo de *Les Contes drolatiques*, de Balzac, con la ventaja sobre éstas de que en la de V. se moja el lector y siente el húmedo contacto del musgo, y el rumor del *regato* y el de la gente de otros siglos, y tirita en la abadía, de frío y de miedo. Para que todo sea original en el cuadro, hasta en el modo de tirarse V. de pechos al asunto sin preámbulos ni bordaduras, estuvo V. atinadísimo. Es una verdadera obra de arte la descripción de Santillana, y le repito que en mi concepto, no puede hacerse nada tan vivo, fresco y retozón con la prosa castellana. Cuantos aquí lo han leído opinan como yo (incluso Menéndez), y los que, como nosotros, conocen las famosas *Gargantas*, esperan con afán a que llegue V. a ellas.

Tal es lo que contesto a la exposición de razones que V. me presenta *contra* ese cuadro en la carta del 28; o lo que es lo mismo, el tribunal de jueces de acá falla: que el autor de las *Cuarenta Leguas*, al decir lo que ha dicho sobre su propia obra, *no sabe lo que se dice*. Añádole ahora, que pondré el mayor esmero en correjir *(sic)* cuantos errores de memoria tope en la lectura, como por ejemplo, enterrar a S.ª M.ª en vez de St[a] Juliana, suponer dudoso su martirio, que es auténtico, en vez de poner en duda la traslación de su cuerpo a Santillana, llamar Framalón a Tramalón, etc. En lo que pienso meter un poco la hoz es en el párrafo de las monjas un poquillo recargado de irreverencia, que acaso, y aun seguramente, ha de hacer mal efecto en el pueblo fósil. Pienso, si V. no se opone, suprimir el parrafito que empieza «allí están las pícaras».

Estoy dispuesto a llevar la piedrecita que V. me pida para edificar esa *Gloria* en que se ocupa para mucha suya, aunque harto de ella tiene ya ganado, y gana en cada libro.

Siento de veras que el mío (y lo siento por el *empresario*) no corra más. A mí no me coge de sorpresa. Hay que convenir en que la prensa liberal no ha sido más galante que la de los míos. El *éxito*, pues, ha sido completo. Cuando tenga V. ocasión, remita V. un ejemplar a *La*

España (la de Pidal) y otro a *La Fé*, que ha empezado a publicarse ahora (es la continuación de *La Esperanza*), calle de la Luna, 40, pral. izq.ª..., pero ocúrreme aquí que será preferible que este ejemplar le remita yo desde aquí firmado, puesto que tengo que contestar al Director que me ha escrito al remitirme el prospecto.

También esta vez se le quedó a V. en el tintero el artículo que debió haber publicado el *Imparcial* el últ.º lunes, según V. me anunciaba.

¿Se ha olvidado V. de enviar los ejemplares de *Tipos* y de *Bocetos* para recojer *(sic)* el título de propiedad?

Quiero hacer este invierno nueva edición de las *Escenas*, y con este motivo acaso moleste a V., cuando se desocupe, para que me dé algunos datos sobre imprenta, precios, &.

Verá V. cómo *D. Gonzalo González de la Gonzalera*, entre los remilgos de V. y la indolencia mía, se queda en la oscuridad de su aldea. A fe que lo sentiría.

Tengo sobre la mesa, desde esta mañana, el *7 de Julio*, que leeré esta noche.

De algún tpº acá, cuando concluyo una carta para V. sudo tinta pensando en la *renglonada* que me espera en el sobre. ¿Por qué no se muda V. a otra calle?

Spre. amigo afmo.

J. M. de Pereda

Santr., 6 de Dicb.-76.

* * *

Mi querido amiº:

Vengo de Polanco de reparar una parte de los estropicios que me causó allí el huracán del 31 últº; el cual parece que vino a concluir lo que dejó *pendiente* en Navd., y *aliquid amplius*. Entonces me revolvió el tejado y me tumbó parte de la verja del corral; ahora, dejando a éste de medio lado, y revueltas las tejas de la casa y de la cochera, me arrancó de cuajo la verja del jardín, con los consiguientes desperfectos en hierro y pilastras al caer todo amontonado. Aquello es una desolación y por no verlo me he vuelto después de dejar la casa libre de goteras. No hay ejemplo en este país de otro Sur más furioso y persistente. Lleva reinando tres meses, y sin trazas de concluirse.

Entrando ahora a responder a su carta del 26 por orden de materias, dígole que he leído (robando al Círculo el ejemplar) su incensada a los *Bocetos* y a su autor. Poco le parece a V. lo que de mí cuenta; ¡dichoso yo si me juzgara merecedor de la mitad!

La Fé ha reproducido parte de este juicio, mientras, según dice, prepara otro de cuenta propia.—La *España* ha publicado el art° de Menéndez que apareció aquí en *El Aviso*. *El Siglo Futuro* debe no haber hallado en el libro bastantes citas de los Santos Padres ni en el autor mucho aire de sacristía, pues no ha dicho de él una palabra y creo que no la diga ya.

Insisto en lo que dije de la 1ª parte de sus *Cuarenta Leguas*. Del resto añado, con igual franqueza, que pasa V. muy de prisa por las *Gargantas*, y que desaira a Cabezón y su hermoso Valle cerrando el libro antes de llegar a él.

Aún no ha venido *Gloria*, que me tiene con un palmo de lengua. No me choca que los doceañistas, al leer el *7 de Julio*, le excomulguen a V. Sería lo contrario el primer caso que se diera de ir acordes el buen sentimiento y los liberales de *tira y pompón*. ¡Desgraciado de V. el día en que *la Iberia* aplauda sus libros por hallar en ellos el *sacro fuego* de la *santa causa de la libertad!* Señal será de que D. Patricio anda sobre Monsalud, y esto, *¡chilindrón!*, tendría que silbarlo el arte y el sentido común. Digo, pues, que el *7 de Julio* me ha parecido otra perlita más de esa envidiable corona de 15 volúmenes que ha ido V. tejiéndose insensiblemente, y que le envidio, más que a Manzanedo (1) sus millones.

Enviaré firmado y rubricado un ejemplar del libro, cuyo título de propiedad deseo.

Dígale a Cámara que me envíe un extracto de cuenta de los *Tipos* en comisión para abrirle yo otra en mis libros e ir conformes.

De la reimpresión de *Escenas* ya hablaremos. Entre tanto gras. por la oferta que hace a su afmo.

J. M. de Pereda

La yerba consabida se llama *pan de cuco*.

Santr, 9, de En°-77.

* * *

(1) Marqués de Manzanedo, luego Duque de Santoña.

Mi querido amigo:

Su carta del 3 me hace creer, o que V. no recibió una que le dirigí contestando a la suya del 26 de Dicb., o que no he recibido yo su contestación a ésa mía.

Decíale en aquélla, si mal no recuerdo, que había leído el art° de *El Imparcial* y que aun cuando a V. le parecía poco, en mi concepto le sobraba la mitad; que *La Fe* había insertado, espontáneamente, algunos de sus párrafos prometiendo un artículo de cuenta propia (ya le publicó) y que la *España* había reproducido el juicio de Menéndez. Hablábale también de las *Cuarenta leguas*... y del *7 de Julio*; respondía a su pregunta sobre cierta yerba mala diciéndole que la llamaban aquí *pan de cuco;* que sobre reimpresión de *Escenas*, avisaría; le encargaba dijese a Cámara que me enviase un extracto de la cuenta de *Tipos* que debe haberme abierto en sus libros para formalizar yo eso en los míos... y no sé si de algo más, incluso el huracán del 31 de Dicb. que me tumbó la verja del jardín, como si el hierro y las pilastras fueran de paja.

Hoy le añado, sobre las *Escenas*, que las reimprimiré aquí; y sobre los *Trashumantes* (cuya colección de 18 tengo ya casi hecha, y estaría sin casi a no ser por esta pereza que me abruma y la nostalgia de la aldea que me consume) hablaremos otro día.

El *ay de mí* es algo lento en crecer: riéguelo V. mucho, aunque no tanto que se encharque la tierra del tiesto. —No se olvide V. completamente de los *Cromos*.

En espera de su carta que yo aguardaba cada día, no he avisado a V. antes el recibo del ejemplar que en su nombre, aunque sin su firma, me entregó Mazón (1).

Mucho, muchísimo le diría a V. sobre *Gloria* y bien sabe Dios qué ganas se me han pasado de decírselo en *letras de molde*; pero ni V. es de los pecadores *inconscientes* a quienes ciertas advertencias aprovechan, ni mis fueros alcanzan hasta donde yo quisiera llegar con ellas en este caso. Por ende, voy a decirle a V. en muy pocas palabras mi leal sentir acerca de esa novela, autorizado por el permiso que V. me da para ello.

---

(1) Francisco Mazón, editor de *La Tertulia*, de Santander.

que no tanto que se encharque la
tierra del tiesto. — No se olvide V.
completamente de los Cuervos.

La espera de su carta que yo
aguardaba cada día, no me ha avisado
á V antes el recibo del ejemplar
que en su nombre, aunque sin su
firma, me entregó Herrera.

Mucho, muchísimo le debía á V. doña
Gloria, y bien sabe Dios qué ganas se
me han pasado de decírselo en letras
de molde; pero ni V. es de los pecadores
incipientes á quienes ciertas
advertencias aprovechan, ni mis fuerzas
alcanzan hasta donde yo quisiera llegar con ellas en este caso. Por ende,
voy á decirle á V., en muy pocas
palabras mi leal sentir acerca de
esa novela, autorizado por el permiso que V. me da para ello.

Años ha que viene conociéndosele
á V. (y dicho se lo tengo) el lado á que

Facsímil de la carta autógrafa de Pereda a Galdós del 9 de febrero de 1877

Años ha que viene conociéndosele a V. (y dicho se lo tengo) el lado a que se inclinaba. Vista la inclinación, era de temer la caída; y al fin cayó V. *Gloria*, le ha metido de patitas en el charco de la novela volteriana, situación comprometidísima para V., pués con la casi seguridad del arrepentimiento tiene la retirada muy difícil.

Desgracia es para las letras patrias esa caída. Había V. nacido para conquistar los aplausos y las coronas de tirios y troyanos, resucitando y cultivando la buena novela, con sólo los recursos legítimos del arte, y todo eso lo abandona V. por un puesto para sus libros en los *índices expurgatorios* de Roma, sin la esperanza, por supuesto, de ver logrados sus propósitos *civilizadores*; pués sólo los de la *Iberia* creerán de buena fe que basta tomar de la mano a un judío en quien se reúnen todas las posibles perfecciones físicas y morales (raro ejemplar, por cierto) y presentarle delante de un obispo candoroso, de un cura cerril y bárbaro, de un bribón *neo-católico*, de un señor más testarudo que convencido y de una jóven mal educada y peor instruída, en un rincón de una provincia, para dejar resuelto en vista del contraste resultante, que el catolicísmo es un estorbo para todo lo bueno, y que no hay infierno, ni purgatorio, ni más trabas para la razón humana que la moral de la razón misma...

Y aquí encaja, como de molde, una reprimenda que no rechazará V. «El defecto consiste en que *Gloria* ofrece una punzante sátira religiosa, y al hacerla, el autor ha presentado el asunto bajo un punto de vista particular, despojado de toda imparcialidad y arrojando pesadas burlas y sañudos anatemas, no sobre los malos católicos, sino sobre el catolicismo que precisamente no debe ser lo peor cuando impera con más o menos fuerza sobre todo el mundo civilizado. —Llevando los ardores religiosos a la literatura, no será ésta espejo fiel de las ideas y del sentir de una nación, sino, por el contrario, instrumento de las pasiones de una *secta*, o de un partido, como la prensa periódica.»

Esto en cuanto al *fondo* de la novela; en cuanto a las formas, le declaro, con igual franqueza, que esta vez ha subido de punto mi admiración hacia esas facultades con que Dios le ha dotado a V. para vivir en la buena literatura como el pez en el agua. De aquí mi pesadumbre al verle caído, con tales galas y atavíos, en semejante lodazal; y de aquí mi propósito, que voy a cumplir ahora mismo de aconsejarle, o si V. lo prefiere, de rogarle, que retroceda en la senda que ha emprendido, y tome la de antes pª gloria de V. y de la patria. Me importa poco, por lo que hace al amor propio, que V. se ría de mi consejo: yo sé que no han de darle otro ni más desinteresado ni más cariñoso, y hasta tengo la seguridad de que si hoy le desdeña, le ha de pesar algún día no haberle prestado más atención.

Por de pronto, perdóneme esta franqueza con que le hablo: nunca pude disimularla, y puedo menos desde que vivo más cerca de la Naturaleza que de los hombres civilizados, padres y adoradores de la mentira.

Dígame cuanto le ocurra, aunque sea para reñirme, pero no deje de contestar más a punto que la ultª vez a su afmo.

J. M. de Pereda

Santander, 9 de Febº-77.

* * *

Mi querido amigo:

Dentro de unos días recibirá V., de mi parte, la visita de mi antiguo amigo y paisano D. Federico de la Vega, buen cultivador de la literatura española en París, durante 14 ó 15 años. Como la mayor parte de sus escritos han sido para las repúblicas sudamericanas, tiene en varias de ellas muchas y buenas relaciones; tan buenas, que su viaje a Madrid le hace en calidad de encargado de negocios de Colombia. Según me ha dicho, allí no se conoce la literatura española, ni otros libros que los que envían algunos editores de París. Por lo común, novelas francesas traducidas al castellano. Está, pués, sin explotar aquél mercado para los editores españoles; y creyendo yo que sus libros de V. son los más a propósito para probar fortuna por allá en su doble concepto de novela *buena* y de novela histórica, me ha parecido conveniente que V. y Vega se conozcan y hablen sobre el asunto.

Deseando que la entrevista surta buen efecto, y en espera de su respuesta a mi anterior, quedo suyo afmo. y amº

J. M. de Pereda

Santander, 16 de Feb.º 77.

Hoy 17.

Escrita ésta recibo su carta del 11. No me desagrada que proteste V. contra el adjetivo *volteriano*; sin embargo, hoy lo merece V. proponiéndose arraigar (1) las creencias religiosas, predicando la transacción y las mutuas *concesiones* en el dogma que es indivisible e inalterable por su origen divino; y sin fijarse en que por el camino de estos acomodamientos es precisamente p[r] donde primero se llega a dudar de todo y a no creer en nada. Que combate V. no contra el catolicismo, sino contra los malos católicos. ¡Ojalá fuera así! En tal caso, yo me permitiría pedirle un puesto bajo su bandera. Mas para que se lo crea el público era preciso que enfrente del grupo de católicos malos o imperfectos de *Gloria* hubiese V. presentado otro católico con todas las perfecciones que adornan al judío, y estuvo V. muy lejos de hacerlo, como ha estado en todas sus novelas.

Nada ha influido la amistad, ni tampoco el encanto que sobre mí ejercen las primorosas galas de su ingenio, en lo que dije a V. en mi anterior. Hubiera sido de buena gana más extenso, pero no más duro. Lógico soy, y no *exorcista*, aunque V. no lo conciba en sus prevenciones *neófobas*. Con la lógica y el sentido común he de argüirle a V. en éste asunto, (si V. quiere que le arguya) pués aunque la costumbre no lo demuestre siempre, nada está más conforme con el uno y con la otra que el catolicismo.

Espero su prometida y extensa carta tan pronto como se lo permitan esos *cien mil* que, con asombro mío, están, según me dice, en los umbrales de la imprenta.

* * *

Mi querido amigo:

Vamos a hablar de flores antes de ocuparnos de las espinas, *digámoslo así*, a que se refiere la última más larga, más seria y más interesante parte de su carta del 11.

No sólo puede, sino que debe V. trasplantar el *ay de mí* a las tierras

---

(1) Está sin duda, erróneamente, por «desarraigar».

en que definitivamente han de quedar las matitas. Con dos de éstas, y aún con una sola, tiene V. bastante para llenar un tarro. Adjuntas le remito tres pequeñeces de otras tantas clases de semillas que acabo de recibir de Burdeos. Puede V. sembrarlas, desde luego; así como las que tiene allá. Si el tpo. de los jacintos pasó, otro vendrá: no por eso le agradezco menos su oferta. La que me hace de *gladiolos*, téngala por excusada: no me caben en casa las cebollas de esa misma flor que se recogieron este otoño en el jardín. Gracias por la intención, y venga esa otra flor con que me brinda, y a recoger la cual se presentará (si no lo olvida) un Sr. Llata a quien ayer dí el encargo y una tarjeta con las señas de su casa de V. Adjunto hallará también un retrato de mi niño Juan Man[1] tal cual le vistió su madre este último Carnaval. No se por qué se me figura que no ha de ser mal recibido por V. el *regalo*. De todas maneras, perdóneme esta pequeña debilidad del *oficio*.

Celebro el alivio de su jaquecón (cada uno tiene su cruz) y que haya terminado el parto de los *cien mil hijos* para descanso de su padre y honra de las Letras.

Tomo acta de cuanto me dice sobre Cámara, Mazón, anuncios, &... ¿Se ha visto ya con V. Federico Vega, de cuyo viaje a ésa hablé a V. en mi última?

Y aquí entro en el *espinoso* asunto, y «pido la palabra para rectificar a mi vez», petición que no me negará V. en su calidad de hombre del *día*, y por ende, partidario de las prácticas parlamentarias. En tal supuesto y para no marearme y marearle entre ociosas divagaciones voy a seguir el orden de su misma rectificación de V.

No hallo fundado motivo para que recibiera V. como jarro de agua mi «filípica» sobre *Gloria*, después de haberle asegurado que esta novela, en cuanto a la *forma*, era de intachable hermosura. Del fondo de ella, nunca debió V. esperar que me fuera simpático, conociendo, como conoce, mi modo de pensar en la materia. Para que yo admitiera como elemento dramático (en mi moral, se entiende), a ese judío, era preciso que *Gloria* tuviera menos dudas que las que tiene sobre el dogma, y que el fuego que alienta en su pasión, alentara en su fe; que hubiera menos capítulos dedicados a fustigar a los malos católicos, y uno siquiera consagrado a pintar a los buenos, *como son*; algún personaje católico de la índole del Obispo, y un Obispo con más talento que el glorioso hijo de Ficóbriga; un Obispo capaz, cuando menos, de quedar airoso, ya que no triunfante, en sus porfías teológicas con el hebreo, de modo que al proponerse aquél convertir a éste, no se riera el lector de la *candidez* del buen señor, sino que creyera *posible* la empresa. De este modo, el cura feroz no pasaría de ser una feliz irreverencia (si se me permite el contra-sentido) y el abogadillo neo de una fase especial de los hipócritas; el amante no católico no perdería el efecto dramático que ahora tiene y podría suponerse en el autor una completa imparcialidad y hasta un gran deseo dentro de la ortodoxia católica. Si este *aire* llevara la novela; si algo de esto hubiera en ella, su *fondo* me agradara como doctrina, y entonces fuera justificada la extrañeza que le causó mi franca desaprobación de ese mismo fondo. En cuanto a lo de *volteriano*, ya sabe V. que no se necesita negarlo *todo* para merecer ese título. «La gran infame» llamaba aquél asalariado adulador de todas las humanas grandezas a la Iglesia Católica, y a ella fueron sus tiros constantemente. Como hombre de largos alcances, sabía demasiado que demolido el *viejo edificio*, los demás caerían ellos solos. Por eso apuntaba siempre a la *vieja fe*, y por eso siguen llamándose volterianos los que sin meter mucho ruido, socavan los mismos cimientos con la sonrisa en los labios y la protesta de levantar con los escombros mejores edificios para dar culto a otras ideas *al uso*, y al gusto del consumidor; lo cual es el mejor modo de que nadie se preocupe de ellas y acaben todos por no creer en nada. No quiere decir ésto que V. venga deliberadamente a este fin, pero sí que a llegar a él se exponen los que se aficionan a recorrer ciertos caminos.

Repito que podía V. aspirar a los triunfos de *tirios y troyanos* y lo pruebo además. Usted lo ha conseguido con sus *Episodios* y hasta con *Dª Perfecta*, no obstante haberse mostrado liberal en los unos y poco aficionado a los *beatos* en la otra; pero si en esta se ponía en evidencia un aspecto particular de la mogigatería, no reflejaba a los católicos, ni había notoria delectación en sacar a plaza los pecados, como si no hubiera cosa mejor en la familia. Habrá allí fanáticos que lleven sus escrúpulos hasta el crimen; pero no católicos de buen sentido que duden del infierno, ni obispos que no sepan responder con un par de razones de peso a los heterodoxos atrevimientos del primer judío que se cuele por las puertas. La pasión de partido entre los hombres de regular entendimiento, no ciega hasta el punto de execrar todo lo que no es de su mismo color, mientras lo bueno de este se respeta: lo que hiere son las burlas y el escarnio de aquello que uno tiene en gran estima, como la religión de sus padres. Perder una ilusión en política, poco importa; cuestión es esta de las arrojadas a las eternas disputas de los hombres, y lícito por tanto dudar de todas ellas; pero arrancar de un alma la fe que alienta y conforta y se guarda como un tesoro para que no la profanen ociosas disputas, o la roben arteros sofismas, es dejarla sola y a oscuras en este azaroso valle de lágrimas. En suma, toda novela en que no entren como *motivo* la religión ni la política, puede aspirar al aprecio de *tirios y troyanos*. Esta novela es el terreno de V., y algo parecido creo haberle dicho en la época en que a V. le daba por la política como ahora le da por la religión; cuando escribía *la Fontana de Oro y el Audaz*. Díceme V. que no es aplicable a *Gloria*, lo que V. dijo del fondo de los *Hombres de pró*. ¿De cuando acá es más respetable la farsa inmoral de la cosa política que la conciencia católica?. Y si de un retrato fiel de *todos* los Congresos y de *todas* las elecciones, aunque hecho a la buena de Dios, pueden en buena justicia (no lo niego) tomar motivo los parlamentarios para atufarse ¿qué no podrán decir los católicos de una *caricatura* del catolicismo por más que esté primorosamente pintada?

Tampoco a lo de los *Indices* romanos ha dado V. la intención que le di. Ocuparse con excesiva afición en asuntos que pueden llevar los libros a figurar en aquéllos, no es proponerse un autor ese fin por único objetivo, ni yo podría hacer semejante agravio a su talento. En cuanto a que en esos *Indices* figure todo lo bueno que se ha escrito en el siglo presente, desafío a V. a que me lo pruebe. Entre tanto puedo mostrar yo que borra más en una semana el lápiz de un fiscal de imprenta, por pecados políticos, en estos tiempos y con estos gobiernos *libres*, que en un año aquella *clerigalla estúpida* por atentados contra la fe. Crea V., mi señor D. Benito, que el mundo ha perdido muy poco, y menos el buen gusto, con las cuatro quintas partes de lo que ha caído en aquellos abismos.

No es, en efecto, artículo de fe la unidad católica, ni yo tacharía el fondo de *Gloria* solamte. porque en él se abogara por lo contrario. Cada uno puede hacerse en el extremo de su gusto, las ilusiones que mejor le parezcan; pero no me negará V. que hasta el verbo *abominar* que usa V. para decirme que no es partidario de la unidad le acusa de falta de serenidad y de sobra de pasión en la contienda.

Ignoro si los liberales son la causa de la corrupción de costumbres españolas desde el año 12, ni tampoco sé por qué supone V. que yo he de constestar eso. Si esos caballeros dejaron sin fe a la patria de Isabel la Católica, puede admitir dudas; pero no las hay en que, desde aquella misma fecha, nos dejaron sin colonias y como el Gallo de Morón; lo que se sabe es que cuando España ha valido algo, no imperaban las ideas liberales; lo que la Historia enseña es que bajo el imperio de un césar o de un rey a la antigua usanza, se acometieron aquellas empresas, se consumaron aquellas hazañas portentosas que son hoy el único blasón de nuestra nobleza; lo indudable es que en aquellos tiempos de *ignominia* para ustedes, buscan ustedes mismos los grandes caracteres para sus novelas, los poetas los grandes hechos para sus cantos y los pintores las grandes figuras para sus cuadros; lo que sé, en fin, es (y V. no rechazará el texto) que «es *una desgracia* haber nacido en este siglo».—Y vea V. ahora hasta qué extremo llevo yo la independencia de mis opiniones: a pesar de esos irrefutables argumentos que me da la Historia contra el liberalismo de ahora, no me atrevo a asegurar que él sea la *causa* del actual rebajamiento de virtudes morales y políticas; antes le tengo por *efecto* de nuestra idiosincrasia nacional. No a todas las razas ni a todos los pueblos se adaptan unas mismas costumbres. Cuando se trataba de dar cintarazos y de acometer inverosímiles aventuras, España estaba en primera fila, porque nacimos cortados para eso. Quizá se cumplió entonces nuestro destino. Desde que los pueblos han tomado rumbo más prosaico, España no sabe qué hacerse para matar el tedio que la abruma; y por eso conspira y *guerrillea* y corrompe en la holganza sus viejas virtudes. Pensar que todos estos males, que son hijos de nuestro carácter y forman parte de él se han de remediar con la libertad de cultos o con otras libertades parecidas es por lo menos tan *inocente* como el propósito de hacernos felices sin otro esfuerzo que resucitar la *ronda de pan y huevo*. Nuestra decadencia, pues, bien pudiera ser otro destino que se cumple, hasta que años o siglos andando, suene otra vez la épica trompa y volvamos de nuevo a *desfacer agravios*. En instancia, amigo mío, no está bastante demostrado que los viejos sistemas pueden acabar con nuestra enfermedad; pero es indudable que las medicinas modernas nos van matando poco a poco.

Niego en redondo que yo haya dicho jamás que *todos los liberales son pillos y casi tontos*. Por de los primeros tengo a los que gobiernan con nombre liberal y procedimientos de fuerza y hasta de tiranía, mientras declaman contra este sistema que otros hidalgamente invocan como principio de su política; tengo por tontos a los que viendo tales contrasentidos todavía creen, y por ridículos a estos mismos cuando además vociferan contra nuestra credulidad que, a lo menos, tiene abolengo ilustre y algo en que fundarse. Afortunadamente no me he contagiado con los resabios de esa escuela que llama *feo* a Villoslada (1) o a Tejado (2) cuando éstos producen algo bello, y que borra a Alarcón del catálogo de los *buenos* liberales porque desenlaza una trama novelesca con criterio católico. Bien sabe V. que esta escuela no es la ultramontana. Si por liberales renegara yo a los hombres, ¿cuál sería la razón de mi cordialísimo cariño hacia V. y de mi admiración nunca escondida hacia su ingenio preclaro? ¿Cuál la de los sinceros elogios que V. me ha oído hacer de tantos hombres de notorio talento como militan en el campo liberal?... Señor D. Benito, *aliquando bonus*... y esta vez ha dado V. quince y raya a los más dormilones.

No sé qué delito puedo haber cometido yo ante sus ojos que le hace a V. capaz de ofrecer el rico tesoro de sus 20 volúmenes por el inhumano placer de verme caer en el campo *troyano*. ¿Qué demonios de pito había de tocar en esa grillera yo que ni en el sopor de los recuerdos romancescos vivo enteramente a gusto? —Déjeme, amigo, en esta relativa tranquilidad de espíritu, admirando aquella fe que hizo morir sonriendo a mi madre y que me da la esperanza de volver a verla así como a mis hijos y a cuantas personas me han sido queridas y ya no existen; déjeme desde aquí compadecer a los filántropos innovadores de ogaño que tanto se afanan por matar una creencia que consuela, con una duda que atormenta; y entre tanto, sea V. más equitativo no haciéndome capaz de comulgar con los *Rafaeles* de mi campo a quienes no odia V. tanto como yo. Yo amo la tradición en lo que tiene de grande y de patriarcal y la fe de mis abuelos en lo que tiene de *divina*, es decir, de paz, de caridad, de amor y de esperanza. Si hay bribones por acá, ¿están ustedes, por ventura, libres de ellos? Yo por de pronto sé a qué atenerme, y conozco el sendero que me está trazado, sin atajos ni calle-

---

(1) Francisco Navarro Villoslada (1818-1895), escritor, periodista polemista católico y autor de novelas históricas.

(2) Gabino Tejado y Rodríguez (1819-1891), escritor, periodista polemista católico.

juelas. Cuantos por él caminamos vamos de acuerdo, al amparo de leyes inmutables. Cuando VV. hayan definido su santa libertad y llegado a entenderse, avíseme y hablaremos. Entre tanto, gracias por el buen deseo.

Aguardo con ansia la 2ª parte de *Gloria*, más por admirar el agudísimo ingenio del autor en la solución del problema planteado, que porque abrigue la menor esperanza de que el árbol se levante para caer del lado opuesto.

En resumen: dedúcese de la rectificación a que contesto, que V. se propone en *Gloria* trabajar en favor de las creencias, sin menoscabo del catolicismo, y que, sin duda porque ni aún tratándose de los más esclarecidos talentos, jamás las obras corresponden a los propósitos, deduje yo de la lectura de la suya, como dedujeron aquí cuantos tirios y troyanos la han leído, que la intención de V. fué demostrar que el catolicismo es un obstáculo para todo lo que es digno y levantado. En esta creencia fundé mi «filípica» y parcial le llamé a V. porque para su intento elegía lo peor de un campo y lo mejor del contrario. Si mi franqueza le lastimó, nunca lo lloraré bastante: yo encuentro menor la pesadumbre que me causó la *supuesta* moral de *Gloria* desde el momto. en que V. se rebela contra ciertos calificativos que aceptan a título de honra muchos *espíritus fuertes* de hoy; pero entienda V. que ni ellos ni los que más aplaudan esa novela me ganan en entusiasmo para descubrirme delante de su autor y declararle *gloria* legítima de las Letras patrias. Los escrúpulos que le manifiesto por lo uno son la mejor garantía de la sinceridad con que digo lo otro. —No se quejará V. de que no correspondo yo a la invitación que me hace de contestar a sus 5 pliegos no completos. Cinco cabales le doy en pago; y quiera Dios que, siquiera por la demasía, me perdone el sermoneo y hasta sea tan rumboso que me avise el recibo con los reparos que se le ocurran.

De antemano le declaro para su tranquilidad que aun cuando se muestra V. pecador *inconsciente* como decía esa lumbrera de la idea nueva; ese apóstol de las flamantes libertades; ese neófobo con pespuntes de petrolero; ese enemigo declarado y feroz de las preocupaciones de la conciencia; ese corredentor de setiembre, *Ruciorrilla* (1), en fin, no me hago la ilusión de que mis reparos lleguen a influir un tanto así

(1) Manuel Ruiz Zorrilla (1833-1895), político español.

(señalo la punta de los puntos de la pluma) en el desenlace de *Gloria.* Grande y eterna se la dé a V. ella, pues nadie lo desea con tan sana intención como su huraño pero buen am°

J. M. Pereda

Santander, 14 de Mzo.-77.

* * *

Mi querido am°:

Cañas han de ser spre. mis lanzas para V. y lanzas para mí sus cañas. En esta inteligencia le escribí mis dos anteriores, y después de haberme usted manifestado deseos de que así lo hiciera. Vengan, pues, esas lanzadas, cuando guste, para castigar el atrevimiento de haberle sermoneado a V., y vaya en el ínterin esta caña que me pide.

Adjuntos hallará unos datos que apunté en el acto de leer su carta. No sé si son los que V. me pide: si no le bastan, pídame más, pues confiado en su promesa de que no serán para burlarse del *asunto*, le daré cuantos pormenores desee. La quisi-cosa de Oscariz no ha parecido a la prim^a^ tentativa; pero espero hoy ser más afortunado en la 2^a^: si la hallo antes de la noche irá por este mismo correo.

Si me da V. algunas instrucciones sobre siembra y cultivo del tabaco que me ofrece, venga a buena hora la semilla. En cuanto a las *dahlias (sic)* haga lo que Llata quiera, pero entienda que aunque no me las traiga no he de agradecerle menos el regalo.

Diodora (1) acepta su enhorabuena con toda la satisfacción de *autora* y como yo se alegra de que V. haya colocado la *obra* en tan buena comp^a^.

Desde que publicó la *Tertulia* el primer capítulo de sus 40 *leguas* sabía yo lo de Casa-Mena (2), porque éste escribió a Mazón hecho un veneno. Nada le dije a V. entonces porque juzgué el enfado una puerilidad, y como tal se disipó. ¡Hubiera sido chusca su *contestación!*

Me temo que al fin he de molestar a V. para la impresión de mis *Trashumantes;* pues al paso que va Martínez con las *Escenas* hay obra

(1) Diodora de la Revilla, mujer de Pereda.

(2) Marqués de Casa-Mena, propietario del palacio de Santillana citado en *Cuarenta leguas* en Cantabria.

p[a] medio verano. De imprimirlos, quiero que sea el libro del tamaño de los *Gritos del Combate* (1) y las páginas no más anchas ni más largas que las de su prefacio, y del propio carácter de letra. El papel le tengo preparado aquí. ¿Quiere V. ir tanteando alguna imprenta buena?

De una sentada he, no leído sino devorado, sus *Cien mil hijos*, y ellos me confirman en lo que dicho le tengo: V. ha nacido para conquistar los aplausos de tirios y troyanos. La narración de Genara es un modelo en su género: he buscado en ella un solo *ripio* y no lo he hallado: aquella fluye y se desliza como arroyo en pradera, donde las flores y el tomillo no son obstáculos sino adornos y perfumes. Hay verdad, y sobre todo justicia e imparcialidad en cosas y en personas, y aunque no por eso dejan de transparentar las simpatías políticas del autor, seguro estoy de que no han de faltarle los aplausos de los tradicionalistas que tengan sentido común. Reciba V. el mío cordialísimo, y *conste*.

¿Quiere V. que le comunique una sospecha que tengo desde que leí su carta anteúltima?... Pues allá va: se me figura que no está V. enteramente satisfecho del *aura religiosa* que se respira en *Gloria*.

Si tuviera otros 20 volúmenes los diera por no equivocarme, su afmo. am[o]

J. M. Pereda

Santander, 26 Mzo. de 1877.

Operaciones agrícolas del término de Ficóbriga (suponiendo que esta villa esté situada entre S. Vicente y Santander) en Marzo y abril. Cerradas las mieses que se abrieron en fin de Oct[e]. o pri[mos]. de Nov[e]. (después de recogidas las panojas) al común aprovecha[mto]. de los ganados; es decir, concluídas las *derrotas*, y estercoladas las *heredades*, o sean las tierras *labrantías* o de *labrantío*, se aran estas en marzo, dejando así la tierra removida algun tiempo para que se enjugue. Cuando esta bien seca se le pasa el *rastro*, el cual no solamente deshace los terrones, sino que recoje entre sus *cuños* o dientes de hierro la yerba y los raigones que mas tarde se queman sobre la misma heredad para aprovechar la ceniza como abono. Esta primera operación del rastro se llama *bajar* o *abajar*. Otra segunda que se hace con él despues, en sentido contrario

(1) *Gritos del Combate*, de Núñez de Arce, publicado en 1875.

es decir así  se llama *refreñir* o *refrañir* (por lo menos en los valles inmediatos al mio, éste inclusive). Asi preparada la tierra, entre marzo y abril se siembra el maiz en mayo. En abril se limpian tambien los prados y se *esparcen* las *toperas*, esos montoncitos de tierra que habrá V. visto en ellos, y que son obra de los topos. En esa época se les abona tambien (los más pobres de yerba) con estiercol y con ceniza y cal muerta, se levantan los *vallados* de céspedes y se reponen los *setos* destruidos por el ganado durante la *derrota*. No hay otras operaciones en el campo en esos meses que dignas de notar sean.

Las festividades religiosas de Semana Santa en las villas, son las mismas de la ciudad, aunque mas en pequeño: monumento desde la mitad del jueves a la mitad del viernes, adoración de la Cruz en él constantemente, tinieblas por la tarde (cuyos pormenores puede ver V. mismo ahí en cualquier parroquia haciendo el sacrificio de entrar en ella en la próxima Semana Santa); procesión el jueves por la tarde, en la cual, tratándose de Ficóbriga pueden salir por lo menos dos *pasos* v. gr. la *Oración del Huerto* y Jesús atado a la columna y azotado, a bastante distancia uno de otro; un *San Juanico*, o sea la imágen de un S. Juan juvenil y rizoso y una Dolorosa, estos interpolados con aquellos, abriendo la marcha en la procesión S. Juan. Pueden llevar los pasos los mozos mas robustos del pueblo, que lo tienen a gala en el mío, y hasta los señores del Ayun[mto]. Si hay cofradías, como la *Orden Tercera* (V. O. T.) o la *Milicia Cristiana*, (aquí las hay) irán con sus respectivos pendones formadas en dos hileras con velas encendidas en las manos. El gremio de pescadores no debe faltar de la procesión; y como no dejará de haber en Ficóbriga un par de parejas de la G. C. y media comp[a] de Carabineros, las primeras irán despejando a la cabeza y los últimos detrás y al lado del palio bajo el cual va la Dolorosa. Las varas de éste pueden llevarlas el juez de prim[a] inst[a], el alcalde, el oficial del piquete y los señores *particulares*. Si viviera D. Juan Lantigua era de cajón que no le faltara una de las de preferencia (*). El cabildo en dos filas junto al palio. Si el Obispo esta ahí todavía, debe ir a pié, rodeado del clero, inmediatamente despues del palio. Para el *orden* de esta clase de procesiones fíjese V. en la del próximo *Jueves Santo* ahí, pues, *mutatis mutandis* es lo mismo. El viernes, no suele haber procesiones en la Montaña, excepto en la capital; pero es muy aplicable a Ficóbriga una *especialidad* que hay en Suances (yo no se si en alg[a] otra villa) todos los años, y que yo he visto mas de una vez. Refiérome al *sermón del descendimiento*. En un altar inmediato al púlpito, hay un Santo Cristo de tamaño natural con articulaciones en los hombros y clavos verdaderos de *quita y pón*. Cuando el sermón llega al punto conveniente, que es al final, dos sacerdotes vestidos solamente de alba, atado el cíngulo, y creo que con una banda cruzada sobre el pecho, provistos de tenazas y martillo, suben por cada lado a la cruz, y por escaleras previamente colocadas, y comienzan a desempeñar el papel de José y Nicodemus (supóngolo yo) desclavando primero un brazo y luego el otro con suma parsimonia y obedeciendo siempre los mandatos que el predicador les envía desde el púlpito, entre las más patéticas exclamaciones. Para ésto se elige un orador de cierta elocuencia trágica (el que yo ví era notable). Excuso decir a V. que cada golpe de martillos y cada exclamación del predicador arranca a los fieles una explosión de suspiros. Desclavado el cuerpo, se le deposita cuidadosamente en unas andas doradas cubiertas de cristales, y se le saca en procesión, seguido de una Dolorosa &...

No puede V. formarse una idea de la mística fascinación que esta escena produce en el auditorio que se compone de gente de 10 ó 12 pueblos a la redonda; sobre todo si el predicador es como el que yo oí un año, hace ya muchos... Pero aquí caigo en que voy poniendo en sus manos de V. un arma muy peligrosa. Conste, pues, que si esta noticia que le doy es para echarla a mala parte, la *retiro*. Pinte, pero no hiera.

Es frecuente en estos pueblos y villas, (lo he visto en el mío) la visita de *penitentes* de otros pueblos al monumento, para cumplir alguna oferta piadosa. Van cubiertos con un sayón de capucha y antifáz, como pintan VV. a los inquisidores en *activo* servicio, y llevan a cuestas una cruz enorme. Los que yo ví no hace tres años en Polanco una tarde de jueves santo, ya venian de Torrelavega, despues de haber estado en Barreda y en Hinogedo. Las menos que recorren son cinco iglesias de otros tantos pueblos. No hay ejemplo de que se haya cometido con los penitentes el menor atropello ni la menor irreverencia y todo el mundo respeta el incognito que aquellos guardan.

No tengo noticia de pueblo alguno en que se haga lo que V. dice del muñeco; algo parecido se hace en este pais, pero es en él *antruido*, o sea el martes de Carnaval; desde luego le aseguro que como rasgo de carácter, no puede usarse lo del muñeco con respecto a Ficóbrigal

Lo del Salvador ha quedado reducido a la imágen de este sobre e. borriquito que se exhibe en la Iglesia hasta el Dom° de Ramos. Mi hijo ha ido ayer a ver el de S. Franc°. Lo único que se hace en la calle el día de Ramos aquí, puede V. verlo en el cuadrito *Los chicos de la calle (Tipos y paisajes)*. La letra que cantan y que alli se pone casi toda, es esta:

Bendito sea el que viene
En el nombre del Señor;
bendito sea el que viene,
aqui viene el Salvador;
Salvador de cielo y tierra,
el que ganó la bandera
el que dió la colación,
jueves santo de la Cena,
viernes santo de la Cruz
Padre nuestro, amen Jesús.

(*) Deben los *notables* asistir al coro durante los oficios a cantar las lamentaciones, provistos de libros al efecto.

NOTAS—Ahora recuerdo que la *Venerable Orden Tercera* no puede establecerse más que en conventos de Franciscanos o que lo hayan sido. Puede sustituirse esta hermandad en la procesión con la cofradía, por ejemplo, de la Sta. Vera-Cruz.—Los monumentos de las aldeas se hacen con colchas y pañuelos que pide el Mayordomo a los vecinos; y una fam[a] de las principales adorna con lazos y relicarios, cadenas & (lo más rico y lujoso que halle a su disp[on]) las almohadas sobre las cuales descansa la cruz tendida en la 1[a] grada del monumento.—Por razón de sus ocupaciones, en las aldeas no hay más fiestas en la Semana Santa que desde las 10 de la mañana del jueves hasta igual hora del viernes. La iglesia sin embargo celebra las mismas ceremonias que en la ciudad.

—El palio de que hablo, suele ir no cubriendo a la Dolorosa, sino detrás de ella, y como de respeto.—

—Los *vallados* y *setos* que se levantan en Mzº y abril, entiende V. que no son de posesiones cercadas *sobre sí*, pues éstas se respetan en las derrotas (sin que pr. eso dejen algª de necesitar esas reparaciones) sino de *Mieses* y *Llosas*. Llosas se llaman aquí a las mieses pequeñas.

* * *

Mi querido amº:

Me entregó Llata el paquete de semillas a que V. se refiere en su carta del 9, y con decirle que a estas fechas estan ya *germinando*, bajo tierra, queda demostrado que el regalo es útil, oportuno... y agradecido; lo cual no *empece* (chupate esa de académico) que le riña yo a V. por el afán que ha mostrado de *pagarme* las miserables simientes que le envié! Y a propósito ¿nacieron?

Como no quiero echar sobre mi conciencia el pecado de distraerle a V. de sus ocupaciones, con lo dicho y con la noticia de que el 21, lunes próximo, traslado mis penates a Polanco, donde le espero este verano para que comamos juntos las judías, doy por terminada esta carta, en espera de la que promete V. a su afmo. amº

José M. de Pereda

Santr. 17 de Mayo/77.

* * *

Mi querido amº:

Ante ayer estuve en la *ciudad* y hablé con Crespo (1) del encargo de V., que le cogió casi de nuevas; pues, según él, nada dejaron VV. acordado en Madrid. Prometióme ocuparse del asunto desde aquel día y escribir a V. el resultado de sus gestiones. Mucho sentiría que se malograsen sus propósitos, pues no le ocultaré que la presencia de V. en Santr., en cada verano, va siendo una necesidad para mi, y eso que cada vez me parece verle más empeñado en matarme a pesadumbres, como le iré demostrando en esta carta.

Como nada me ha respondido V. a lo que le dije meses há sobre

---

(1) Andrés Crespo, financiero montañés amigo de Pereda.

tanteo de imprenta para dar a luz el tomito de *Tipos*, he tenido que resolverme a imprimirle en Sant[r]. Cuando esté *venal* (fin de julio) ¿tendrá inconveniente ese Sr. Cámara en encargarse de administrarle en Ma[dr]., asi como la 2ª edición de las *Escenas*? Necesito pronto la respuesta pª decirlo así en las portadas de éstas, ya en la imprenta.

A propósito de este Sr. le diría a V. que en punto a calma y a *desdenes* conmigo, va a hacer bueno a Jubera (1), pero no quiero decírselo porque no me tache de *impaciente*.

¿Y que diremos de los *Cromos*? ¿que de la biblioteca de AA. EE... y que, por último de su inconmensurable silencio, causa y origen de tantos olvidos?; de V. si que puede decirse que «con las *Glorias* se le olvidan las memorias».

Y ya que la nombro, adviértole que me la traje de Sant[r] y leí aquella misma noche la mitad y el resto a la mañana siguiente antes de levantarme. En Dios y en mi ánimo le juro a V. que no sé a que vienen sus temores de que esta 2ª parte desagrade a los que tanto le aplaudieron la 1ª pues si antes se menospreciaba a los católicos, ahora se les desuella y se les crucifica. Lo cierto es que los apreciables judios no se han visto otra desde lo del Calvario acá, y que no tendrán ni la pizca de vergüenza que se les supone, si no acaparan toda la edición, y la encuadernan en oro y la lleva sobre su cabeza el gran rabino en la sinagoga en lugar del libro Santo en sus grandes festividades. Hasta aquí habíamos visto predicar la tolerancia con las falsas religiones, y tachar a los católicos de excesiva[mte] envanecidos con la nuestra, pero pintar las cosas de manera que parezca una abominación el cristianismo delante de un hebreo, *progreso* es cuya iniciativa no disputará nadie a *Gloria*. No le digo a V. ésto como *juicio* de una, por lo demás, hermosa novela, pues ni V. me lo ha pedido, ni yo quisiera meterme en donde no me llaman, sino para demostrarle que serán muy injustos esos libre-pensadores si no ponen la 2ª parte algunos codos mas alta aun que la 1ª.—No dirá V. que la inmerecida honra que me hace sacándome en la procesión del Salvador conduciendo el gremio de *pardillos* del país, me impide ser con V. tan franco como de costumbre.

Las judías (no sus protegidas israelitas, las de la tribu de Merton) han nacido perfectamente, y van trepando ya por sus tutores; tambien

(1) Editor de entonces.

los calabacines y las flores brotan que es una maravilla: la fresa es lo único que hasta ahora dá pocas señales de vida.

Por la vara de Moisés, y las greñas de Absalón,... en fin, por lo más sagrado que exista para V., le ruego que (si el ser católico yó no se lo impide) me conteste esta carta con más puntualidad de lo que acostumbra; lo necesito para imprimir en la portada de las *Escenas* la advertencia indicada mas atrás, si ese Sr. acepta la com^on^. Y pidiéndole a Dios, de todo corazón, que encienda en la mente de V. esa luz que, según me confiesa, se le apagó años ha, y cuya oscuridad resultante es la causa de ciertos tropezones, queda su afmo. am^o^

J. M. de Pereda

Polanco 18 de Junio de 1877.

NOTA.—El original en papel de luto.

* * *

Mi querido am^o^:

Encomendado le tenía a Dios, pues su largo silencio no pedía menos, cuando recibí su carta del 28 del pasado ¡Bendita sea la divina misericordia que tales milagros obra!

Estan en mi poder las semillas. Cárgueme en cuenta su importe para liquidar en primera ocasión, y muchas gr^as^ entre tanto.

Trasladé a Mazón su advertencia sobre libros; y si no me engaña otra vez más, dentro de un par de días, recibirá V. *Trashumantes* y *Escenas* en la nueva edición. Cédalos V. aunque sea de balde, pero échelos a la calle a todo trance.

Probablemente antes que esos libros verá V. al mismísimo Mazón que lleva no se qué proyecto para el ya sazonado que tiene de establecerse de librero a la *alta escuela*. El le informará de todo.

¿Acabó V. *El Terror*? ¿Acaso tiene escritas dos novelas más? Le advierto que no me asombrará una respuesta afirmativa; pues de todo creo capaz a ese horno prodigioso en cuanto se caldea.

Yo acabé en Set^e^. de parir la bestia (1) por que V. me pregunta. Dejó-

(1) Se refiere a *El buey suelto*, de Pereda.

me rendido en parte y muy poco satisfecho; y aqui anda la cria rodando por los cajones, hasta que me resuelva a echarla a la calle, no se donde ni cuando.

Estamos disfrutando un otoño primaveral; y quiera Dios que dure todo el mes, hacia cuyo fin mataremos *el de la vista baja*, «con perdón de V.», y nos iremos en seguida a la ciudad como de costumbre.

Diodora agradece y devuelve sus recuerdos y los de esas señoras (c. p. b.), y yo le ruego que no sea tan perezoso para escribir dos renglones a su buen ami°

J. M. de Pereda

Polanco 3 de Nov^be^/77.

* * *

Mi estimado am°:

Sólo tengo tiempo para decir a V. que recibí la suya del 27, que quedo enterado de su contenido, que será V. complacido, y que le remito adjunto y certificado el art° para la *Ilustración* si después de leído no se arrepiente V. de habérmele pedido, lo cual no me chocaría.

Si se publica, envieme V. un ejemplar, y ordene sp^re^, cuanto guste a su afmo. am°

J. M. de Pereda

NOTA.—Sin fecha; en este lugar, en la ordenación de Galdós.

* * *

Mi querido am°:

Antes de que por hacerme el muerto mucho tiempo empiece V. a pensar de mi las perradas que yo he pensado de V. durante los largos meses que me ha tenido totalmente olvidado, porque de V. ha sido la falta, decídome hoy a acusarle recibo de su inesperada del 22 de Feb°.

Por de pronto, me alegro mucho de tener noticias directas de V., y mucho más de saber que en el libro que tiene detrás de la cortina, no se mete V. en andanzas de religión; lo cual es tanto como decir, que tirios y troyanos han de saludar a *Marianela* con aplausos.

Entérome con satisfacción de que se ha decidido V. a hacerse impresor de sus obras, a cuyo efecto tiene ya los útiles necesarios. Bueno es ésto en cuanto le saca a V. de las garras de los gavilanes, y será mucho mejor si los nuevos cuidados que se echa encima no le producen alguna jaqueca más de las de costumbre.

Esta noticia y las que ya tenía por V. de los muchos engorros propios que ocupan al Sr. Cámara me han decidido a tratar con Vno Suárez (1) de la admon de mi nuevo libro, la cual ha aceptado.

He corregido ya hasta la portada, y firmado, entre otros, un 1er pliego perteneciente al ejemplar de V., el cual ejemplar le será entregado ahí por mano del Sr. Tello o del amo Marañón (2), dentro de pocos días, no tantos como yo quisiera, en mi deseo de alejar o retardar el desengaño que le espera a V., si son sinceras sus manifestadas esperanzas de que el tal rumiante (3) «ha de dar que decir».

Como título de gloria recibo la noticia de que la hoz de V. ha entrado en las mies de algo de mis libros, por convenirle así para el nuevo suyo. Oro molido que fuera, y aun me pareciera poco.

Vi, en efecto, lo que dijo la *Gaceta* de mis *Bocetos* (me lo hizo notar un amo). Por cierto que el suceso me trajo a la mema el cuento aquel de los dos caminantes.—«Buenas berzas» —dijo el uno al salir de Bilbao contemplando las que había en un huerto—. «Para con tocino»— respondió el otro al llegar a Castro. Así anda en España la crónica literaria. A bién que más vale tarde que nunca.

Marcelino me escribe desde Sevilla, y hoy le contesto tambien advirtiéndole lo que me dice V. para él, por si, como espero, vuelve pronto a Madrid.

Nada puedo decirle a V. de la *marcha* de la librería de Mazón, y dudo que él mismo sea capaz de decirle mucho más. Paréceme aquello una madeja a merced de los ratones.

En el próximo mayo, Dios mediante, trasladaré mi residencia a Polanco. Adviértoselo para que me dirija allí la carta, si como es probable,

---

(1) Victoriano Suárez, librero madrileño.
(2) Don Manuel Marañón y Gómez Acebo, padre del ilustre doctor Marañón.
(3) Se refiere seguramente a *El buey suelto*.

tarda la próxima tanto como la última.—Entretanto, seguirá en *su* farmacia de San[tr]., y queriéndole a V. a pesar de sus eclipses *madrileños*, su afmo am[o]

J. M. de Pereda

Santander 6 de M[zo] de 1878.

* * *

Mi querido am[o]:

Aunque no he recibido la *Marianela* que V. me promete en su inesperada carta del 6, inverosímil esfuerzo de su injustificable pereza *madrileña*, no por eso he dejado de leer ese último parto de su cada vez más fresco, rigoroso y retozón ingenio. A la legua se conoce que no ha querido V. hacer una obra de empeño, sino un entreplato sabroso, delicado y aperitivo para preparar el gusto a mayores *tajadas;* y *ex ungue leonem.* No puedo ocultarle a V. el gozo con que he visto que en esta obra no se escarba la conciencia católica con las uñas del cristianismo al uso. De este modo puedo enviarle mi felicitación, como hoy se la envío, sin reparos ni restricciones. ¡Ay, que Celipín aquel y que *familia de piedra* aquella, y que *calidad* la de aquellas *cestas!* En cuanto a lo demás, o sea a lo esencial del libro, es una anatomía piscológica (páseme V. el absurdo) admirablemente hecha, en la que no me toca más que aplaudir, por ser género extraño a mi *comercio.*

No me parece bien el descontento con que habla V. de esta novela en la postdata de la carta, y aun me temo que sus palabras no sean todo sinceridad; temor que me lleva a sospechar también que adolezcan del propio defecto las que dedica a mi asendereado *rumiante.* Con que no le hubiera producido un desencanto lastimero, me diera yo por satisfecho. Y si no, que lo diga la prensa madrileña: jamás se ha visto un desden semejante. No hay copla de ciego tratada con mayor desprecio. Ni el anuncio de cortesía en pago del ejemplar que se les ha enviado. No seré yo quien aconseje a Marañón que trate de romper el *hielo a palos* pues con esa prensa indecente ni *(sic)* quiero tratos ni con embajador *(sic)*, pero no quisiera morirme sin dar las gracias a algunos corifeos de esa Sra., sin exceptuar Flores (1) a quien regalé un ejemplar firmado y se ha resistido

(1) La lectura es dudosa. Debe referirse a Francisco Flores García (1846-1917), periodista crítico literario, director de *El Pueblo* desde 1877.

a poner un triste suelto anunciando el libro en venta; ¡Ah, si pudiera recoger los repartidos y con ellos evitarme el grosero desaire que debo a esa canalla descamisada y pandillera! —Consuélanme en parte, de ese disgusto, los 400 ejmp[s] que aquí van vendidos hasta hoy y «lo bien que corren» por ahí los sacados a luz, según me dice Suárez. Ya no me falta mas, para coronar el éxito que el crítico ese de la *Revista de España*, si se digna hablar de esta obra, como habló de los *Trashumantes*, me diga que en ella, contagiado yo del espíritu provinciano, *hago la guerra a Madrid* ¡Morrocotudos *sabios* son *los señores de la Corte!*

Con ésto, con lo que bien rumiado y visto tenía yo, y con que V. no vuelva a escribirme hasta año nuevo, como es probable, acaba de renegar de esa sentina de miserias y hediondeces, su sp[re] am[o] y admirador

J. M. de Pereda

Santr. 17 de Abril de 1878.

Hágame V. el obsequio de decir a Cámara que me envíe 100 ejm[s] de *Tipos y Paisajes* en pequeña velocidad, pues me los piden de vez en cuando estos libreros, y no tengo ninguno,

* * *

Mi querido am[o]:

No recuerdo fijamente lo que dije a V. en mi anterior (¡tanto hace ya que la escribí!) acerca de los literatos madrileños, *como hombres;* pero si le dije que eran una patulea *descortés* para sus colegas provincianos, no lo borro. Esto no es negarles su competencia en el oficio, ni a ese mercado el título de *metropolitano* ni declarar que en las prov[as] no existen pecadores dignos del azote y de la sátira.

No estoy conforme en lo de que la prensa no ayuda a hacer reputaciones. Sin los bombos de la prensa ¿quién conocería en el mundo a los *suripantes* de las letras? ¿Por qué se agotan ediciones de sandeces, y estan los almacenes de los libreros abarrotados de verdaderas obras literarias? Por la prensa y nada más que por la prensa venal ó apasionada. Que a quien es malo, *a «natura»*, no hay prensa capaz de hacerle bueno. Esa es otra cuestión; pero entre tanto vive y medra. Por lo cemás, no me quejo del público de Madrid, que esta vez, y sin conocerme por mas que V. quiera consolarme con la aseveración de lo contrario, ha consumido un buen nº de ejems.

Y dando por suficientemente discutido este punto, dígole que de buena gana le diera V. *(sic)* un abrazo y un cachete, tan apretado el uno como fuerte el otro, que de este género son las impresiones que en mí deja la lectura de muchos de sus libros de V. Sedúcenme, emborráchanme sus bizarrías de ingenio y de estilo y me llevan los mismos demonios al verle a V. tenazmente empeñado en una empresa que han desacreditado y puesto en ridículo todos los progresistas, desde Espartero a Ruiz Zorrilla, zapateros inclusive. Ya supondrá V. que le hablo de *Un voluntario realista*, no se si le diga que el mejor de sus *Episodios*, con ser todos inimitables como obra de arte y de ingenio, pero el mas endiabladamente apasionado contra cosas y sentimientos que han de tener siempre el respeto de la parte *sana* del pueblo español, sin que por eso deje de conocer lo que en ello hubo de abusivo y pecaminoso, como hijo del tiempo y de las circunstancias. Porque no está el daño, Sr. D. Benito, en que el mal se condene allí donde estuviere, sino en ansia de ocultar lo bueno al censurar lo malo, y en este particular, todos VV. son lo mismo.

Cumplido este doble deber, con el perdón que le pido por mi agreste franqueza, dígole a V. por la noticia que me da de tener escrito un tomo de tres que ha de tener una nueva novela que va a publicar, que ha de llegar día en que las prensas no puedan componer todo lo que V. escriba. Yo me atrevería a aconsejarle, no en bien de su ingenio que se muestra más lozano cuanto más produce, sino en bien de su salud, que se conformara con menos ración de obras al año. Ese parir de V. es «una barbaridad», señor D. Benito, y día ha de venir en que tanta fecundidad le pese. Y cuente que como amigo le hablo, que como parte que soy del público leyente, quisiera un libro de V. cada semana ¿Anda la gente católica á la greña en esa nueva obra? Mucho me lo temo.

Yo, mísero de mi, olvidé por completo en Santr. a *D. Gonzalo*. Desde que aquí vine, volví a pensar en él por recurso para no aburrirme, y he borrajeado algunos capítulos, sin bríos, sin fé y sin gusto. Veremos lo que sale, si es que sale algo, y entonces pensaré si echarlo al fuego o a la luz pública, que para mi tanto monta.

Agradezco a V. la oferta que me hace de traerme los encargos que le dé; pero no la utilizo porque nada se me ocurre, si no es decirle que se venga cuanto antes para acá, pues ya que tan caras me ha vendido este año las cartas, indemnizarme hablando, si es que no dá tambien en la gracia de escurrir el bulto como ha economizado la pluma para mi.

Mazón recibió, y ha puesto a mi disposición, 98 eje[ms] de *Tipos y Paisajes* que abono e/c a ese Sr. Cámara.

Conque salud y frailes, y hasta cuando V. guste, porque pensar que pueda responder a esta carta desde Madrid es meterme en honduras gordas, y no esta ya para tales valentías su am[o] afmo.

J. M. de Pereda

Polanco 27 de Julio de 1878.

* * *

Mi querido am[o]:

Allá va, en justa correspondencia, esta mi fé de vida, antes que el ejemplo de su pereza de V. corrompa mi bien acreditada diligencia en esta clase de asuntos. Conste, en efecto, que V. ha sido el primero en escribir; pero conste tambien que al que se va es al que corresponde hacerlo asi, y que no es poner una pica en Flandes avisar la llegada a Madrid a los tres meses de haber salido de Santander en *tren directo*.

Endosé a Mazón el encargo de gracias que para él me daba V. y bueno es que conste aqui tambien que si no soy merecedor de otras tantas es porque el galante egoismo del amigo fué causa de que yo no tuviera noticia de la llegada de su Sr. herm[o] hasta que ya andaba preparando la maleta para marcharse. *Conste* repito.

Lo que me cuenta V. de Marcelino, es lo mismo que yo esperaba, y algo de lo que me escribieron durante su primer ejercicio. Lo que sucedió después entre los partidarios de la *libertad de pensar y de saber*, apaleándole infamemente en papeles públicos, pasa a ser una de las cien mil pruebas que yo tengo de que esos caballeros, vamos al decir, que no sueltan la *ciencia* de los labios, estornudan delante de ella como el diablo delante del agua bendita ¡Pistonudos alientos se necesitan para echarse a *liberal* en estos tiempos y esperar algo bueno y concertado de ese tropel de pedantes e imprudentes!

Quíteme V. luego este amargor que me ha dejado la secta en su última demostración, echando al mundo su flamante novela ¡Si serán *de ley*, cuando las devoro aun con el *virus* de la casta!

En cuento a D. G[lo] (1), no se haga V. ilusiones: ni vale dos cominos, ni aunque los valiera haría fortuna entre la gente del ruido y del estrépito. Los campos estan ya deslindados: no se combaten nuestras doctrinas; se nos persigue y apalea por el atrevimiento de ponerlas en la cátedra, en el libro y hasta en el lienzo. Excuso decirle a V. cuanto diera yo por que cada página de ese librejo fuera un rejón que levantara en vilo a los sabios de nuevo cuño. Desgraciadamente nunca escribí cosa más sosegada y dormilona.

No volví a Polanco porque la epidemia duró gran parte de Oct[e]., y si llego a ir me divierto: tres semanas hace que no cesa de llover o de granizar. Esto es un verdadero diluvio.

Líbrele Dios de otro tal, déle salud cumplida y un poco de ánimo para volver a escribir, antes de envejecer, a su afm[o] am[o]

J. M. de Pereda

Santr. 14 de Nov[e] de 1878.

* * *

Mi querido am[o]:

Como el mal ejemplo puede mucho, contesto hoy con algun retraso a su carta del 23 de Dicb.

Recuerde V. que no fundaba yo lo que le dije sobre Menéndez en el desconocimiento, por algunos despreocupados, de sus altos merecimt[os]. lo que yo hallaba y sigo hallando monstruosamente absurdo es que reconociéndolos hasta los *sabios*, como los reconocen, y V. mismo lo afirma, haya sido necesario un tribunal *suyo* para hacerle justicia contra el vocerío de los *espíritus fuertes* que le excomulgaban porque no es *mas liberal que Dios*. Y esto sentado, déjolo tambien de buena gana; que a nada conduciría una sermonada sobre el caso. Lo único que la gente *progresiva* no ha podido conquistar en lo que lleva de imperio, es la lógica. Para responderme tendría V. que andar a bofetones con ella; y venero

(1) *Don Gonzalo González de la Gonzalera*, de Pereda.

demasiado a esa señora para exponerla ociosamente a tales contratiempos.

He leido las dos partes publicadas de *La fam*[a] *de León Roch* o sea la 3[a] de las burlas más injustas que se han escrito contra el catolicismo. Y aquí le voy a dar a V. otro chasco suprimiendo el sermón de costumbre. El consabido tema ha llegado en V. a ser *mania*, y no desconozco lo que de invencible tiene esta enfermedad aunque, como ahora sucede, se alberque en el cerebro de nuestro primer novelista. Insisto, no obstante, en lo que dicho le tengo sobre tirios y troyanos; y en esta novela se daría tambien el caso si V., dispuesto de *buena fé*, a fustigar a la roña del falso catolicismo, en cuya empresa le acompañaría con sus aplausos todo buen católico, no se valiera de las virtudes de un *sabio* sin fé, que nada afirma cura ni resuelve, sino de un católico honrado y decente. Esto, ó arrojar de la conciencia el último escrúpulo y acometer garrote en mano al dogma entero y verdadero, como se hace en el campo de la política. Por los que así proceden, dije a V. lo del deslinde de los campos. Si V. quiere apropiárselo, necesita salir de la posición violenta en que se halla con un pie en Voltaire y otro en la ortodoxia. Ya que no la crítica, el tiempo le dirá que yo no me equivocaba al aconsejarle que hasta por razones artísticas debe V. avanzar o retroceder.

Y ahora caigo en que, sin darme cuenta de ello, y contra lo que mas atrás le digo, he soltado un retacito de un sermón. Perdónemele en gracia de lo que le admiro como novelista y le quiero como amigo.

Descendiendo ahora al polvo de ese enfermizo y contrahecho enjendro mio por que me pregunta, vuelvo a repetirle a V. que es lo más inofensivo y candoroso que ha salido de mi pluma. Hasta la política que allí aparece es como medio para mover unas cuantas figuras insignificantes. Necesito repetirle todo esto para que cuando llegue un ejemplar a sus manos, no me haga V. responsable del desengaño que le espera. Para que nada le falte, jamás imprimí libro con más erratas.

En virtud de lo que hablamos V. y yo este verano es fácil que Suárez se acerque a Cámara un día de estos, para tratar de recoger los *Tipos y Paisajes* que éste administra por hacerme un favor, de cuyo cargo deseo aliviarle. Prevéngaselo V. para que le sirva de gobierno.

Todo lo que me dice sobre regalo de libros ahí, me parece muy acertado; pero si yo esperara el anuncio de la espontaneidad de la crítica, medrado estaba.

Acabo esta carta volviendo a pedirle perdón por la sinceridad con que me expreso sobre la parte moral de su última obra, si lo halla atrevido o demasiado crudo. En cambio no tengo palabras con que pintarle el asombro que produce como obra de arte a su adm^or^ y am^o^

J. M. de Pereda

Santr. 10 de En^o^ de 1879.

* * *

Mi querido am^o^:

¡Lo que puede el mal ejemplo! El que V. me ha dado con su larguísimo silencio influye de un modo lamentable en mi bien acreditada diligencia en escribirle. Pero no le pido perdón por la tardanza, porque a buena cuenta se las ha tomado V. mucho mas largas.

Contestando a su gratísima del 4 por orden de materias, dígole a V. que antes de recibirla había conocido yo su mano en el arte que tuvo a bien dedicar en *El Océano* a mi librejo. Sólo un am^o^., y am^o^. como V., es capaz de decir cosas tan buenas de obra tan insignificante y de un autor tan de pacotilla. Todo me ha parecido de perlas y con exceso en el escrito, y una sola falta he notado en él: la de la firma. Aplaudo la *previsión* por V., pero la siento por el libro. De todos maneras, le agradezco cordialísimamente el auxilio de sus alabanzas, que no merezco, por mas que otra cosa quiere dar a entender el *santuco* de la *Ilustración*, producto de una emboscada joco-seria de que no quiero hablarle por no ponerme colorado, y por pasar cuanto antes a otro asunto de su carta, digno de la mayor atención.

Díceme V. que le dicen que si su última obra no ha alcanzado el éxito de las anteriores, consiste en su desenlace. Pues yo declaro, con sobra de razones, que quienes tal cosa aseguran no le dicen a V. la verdad. El final de *León Roch* no es peor ni mejor que el de otras obras de V., ni la superior calidad de todas ellas, incluso la última, permiten juzgarlas por la mayor o menor habilidad con que el autor haya desenlazado la trama de su argumento. ¿Que dejariamos entonces para las lucubraciones de Pérez Escrich (1) o del Vizconde de S. Javier? (2).—Lo que acontece es que mis vaticinios empiezan a cumplirse, y que se ha dado V. ya el primer testarazo contra la roca. Que lleva V. lanzadas a la faz de un público como el de España seis tomos heterodoxos, de pura controversia sobre un punto sin trascendencia real, pues que se imagina *conflictos* que no existen en el seno de la fam[a] católica, y tratando de conjurarlos con un racionalismo seco y antipático, mil veces más desconsolador que todas las gazmoñerías religiosas; que si es cierto que la fam[a] Tellería existe, como existen en el campo contrario Leones ridículos que alardean de comer carne en Viernes Santo e impedir a sus hijos ir a misa, el buen sentido sabe muy bien que aquello no afecta al dogma ni tiene punto de parentesco con la religión católica, que esta tan lejos de las místicas extravagancias de María, como de los desenfrenos lividinosos *(sic)* de Pepa: lo que ocurre, en fin, es que a los descreídos les tienen sin cuidado esos problemas, y que los creyentes de veras no le perdonarán a V. jamás el encono injustificado e injustificable con que lucha para arrancarles del corazón lo que en más estima tienen, sin ofrecerles nada mejor. Creo habérselo dicho a V. en otra ocasión: cabe la disputa en la política, y dejar un partido por otro, y hasta suele ser conveniente quedarse sin ninguno, como a mi me sucede hoy; pero es cosa mucho mas seria y trascendental la fé católica, para puesta en ridículo en los libros. Sin política, hasta se medra; sin fé en algo mejor que este presidio sublunar, confieso que no concibo la paz ni la vergüenza. Así piensan en España millones de españoles que en nada se parecen a la fam[a] Tellería, y un sinnúmero de *despreocupados* que gritan y vociferan contra la *vieja fé*, acaso por que les convenzan de lo contrario, o quizá por entretener y alimentar la voracidad de sus dudas; pero nadie, incluso V. (y perdone la franqueza), por arraigado convencimiento de que la virtud esta vinculada acá abajo en la Escuela de ingenieros y en los dramas de Echegaray, sin ideas de justicia más alta e incorruptible que la falaz justicia humana.—Esta es la verdad pura y neta. Si V. la pone en duda y achaca a *resabios de escuela* estas mis tenaces reflexiones sobre el fondo de alg[s]. de sus novelas, lance otra a la calle basada en las mismas teologías, y aunque trace el argumento a regla y compás y desvanezca el desenlace con esfu-

(1) Enrique Pérez Escrich (1828-1897) dramaturgo y novelista español.

(2) José Muñoz Maldonado, conde de Fabraquer y Vizconde de San Javier (1807-1875) escritor y jurisconsulto español, autor de obras históricas.

mino, ya verá lo que le pasa. Créame V., si hay algo fuera de los dominios del arte, y por su naturaleza soporífero amén de peligroso, es la disputa religiosa.—Afortu^nte^ para V., para las letras y para sus am^os^, por ende, le veo resuelto a no meterse mas en tales caballerias; propósito que me demuestra que comienza V. a temer el escollo en que tantos valientes han naufragado sin gloria y sin provecho. Sea mil veces enhorabuena.

Y dejo aquí el *sermón* para continuarle si le place, cuando nos veamos y hablemos; pues si se realizan sus anunciados intentos de pasar el verano en Torrelavega, prometo aburrirle con visitas. Yo me trasladaré a Polanco en Mayo. Entre tanto ¿puedo servirle de algo en los tratos en que anda para hallar casa a su gusto? Disponga con entera franqueza de mi deseo inmejorable.

Lo que me dice de ver al Papa si le acompaño en su proyectada excursión europea, me seduce un poquillo. No dejaría de ser curioso ver al autor de *Gloria* besando la zapatilla al *infalible* «tirano de tantas conciencias fanatizadas».—La verdad es, y asómbrese, que de muchos años acá, su invitación es la única que me ha despertado un tantico el deseo de ver lo que pasa por el mundo. Hablaremos del caso este verano... y de menos nos hizo Dios.

¿Que hay de los *Episodios* que le faltan? ¿Cuando salen a luz?

Anímese a escribirme dos letras, siquiera para decirme que no se enfada por estas sermonetas que, como la de hoy, le echa de vez en cuando, pero con la mejor de las intenciones, su admirador incansable y am^o^ afm^o^

J. M. de Pereda

Santr. 29 de M^zo^ de 1879.

* * *

Mi querido am^o^:

Sabía por los periódicos el nombramiento de su Sr. herm^o^ p^a^ gobernador militar de esta plaza; y tengo pensado, aunque no me lo encarga V. y si a ello no se opone al saberlo, ofrecerle mis respetos, aprovechando una de mis frecuentes escapadas a esta ciudad, si a ella no llega su mencionado herm^o^ antes del próximo lunes, para cuyo día tengo dispuesta mi traslación a Polanco. Ningún año he emigrado tan tarde: verdad es que nunca se ha visto aquí invierno tan largo como el que ha concluído anteayer habiendo empezado en Oct^e^. Así es que tengo la huerta y el jardin atrasadísimos. Le agradezco la oferta de semillas, de las que estoy ya provisto p^a^ este año.

Comprendo q^e^ le tenga a V. frito la tarea de los *Episodios*, por la obligación que ha contraído V. con el público de llevar a feliz remate tan peliaguda empresa; pero mas frito ha de verse el público cuando al salir el último tomo le diga V. «ya no hay más».

No estamos conformes en lo de que «nadie se acuerda ya de *León Roch*». Su fondo más o menos simpático no impide que esta obra, como obra de arte, proclame muy recio la ilustre estirpe de que procede. Ansío conocer los nuevos proyectos que ahora tiene, pues si en ellos no entra para nada, o entra sin pasión la cuestión religiosa, desde luego le pronostico un triunfo *universal*, y como yo le deseo para V., es decir, como V. le merece.

Mazón me habló hace días de una casa amueblada que se cedería este verano, cerca de la que VV. ocupan ordinariamente, y que tal vez pudiera convenirle a V. ¿Le ha escrito algo sobre el caso? Sírvale de gobierno.

Preveo que este verano me le voy a pasar sin escribir una línea, y ojala así sea. Tan distraído, perezoso e inhabil estoy a la hora presente. Mi salud y las patrias letras se alegrarán de que no sacuda la modorra su afmo am^o^

J. M. de Pereda

Santr. 4 de Julio de 1879.

* * *

Mi muy querido am^o^:

Resueltamente no puedo, aunque *inquisitorial*, ser vengativo. Allá va, pues, sin más dilación mi respuesta a su carta del 4 del corr^te^.

Gracias por su intervención en el asunto —Fé, como ahora se dice. En la noche del día en que V. y yo hablamos del caso, se me presentó Marañón *resuelto* a llevarse el *original* del libro a Madrid. Díjele lo tratado con V., y brindóse a tomar parte en la embajada. Quedamos en que hablarian VV. dos antes de acercarse a Fé p[a] que éste no tradujese en ansia de vender lo repetido de las proposiciones, y no sé si lo cumplió. El caso es que el librero tuvo en poco el *género* para negocio y desdeñóle, en lo cual obró como un sabio y no me enseñó nada que yo no supiese. Le imprimirá Tello por mi cuenta como los demás, en todo el mes que viene.

Desde que vine de Polanco no he cogido la pluma sino p[a] hacer alg[s] correcciones en la colección de tonterias que han de formar el tomo, ni en ganas me hallo de emprender cosa mas seria. Y con esto dejo contestada la 1[a] parte de su carta.

Enterado de lo referente a *El Gran Tacaño*.

Celebro que al fin haya arreglado el intríngulis de la edición ilustrada de *Episodios*, cuya 1[a] entrega me anuncia para Enero, y será recibida por mi y estos am[os] con los brazos abiertos. Supongo que no tardará mucho mas en aparecer la novela que trae entre manos.

Supe, en efecto, lo de Ortega (1) a quien debe haber hecho una visita de mi parte el am[o] Marañón. Terrible fué la caída y el haber quedado vivo o sin grave lesión, un casi milagro.

La única noticia que puedo darle de aquí es que el am[o] Mazón, dispuesto a liquidar la librería, ha tomado una tienda mas pequeña junto a la botica del Puente; y como no vende la de la Rivera y tiene ya llena la del Puente, se encuentra con la *economía* de dos tiendas y la misma mercancía y la propia carencia de dinero. Esto se llama entenderlo.

Si no le parece a V. avaricia en mí, escribame alguna vez.

Sp[re] suyo afmo. am[o]

J. M. de Pereda

Santander 13 de Dic[b] de 1880.

* * *

(1) Don José Ortega Munilla, director de «Los Lunes» de *El Imparcial*, padre de José Ortega y Gasset. Se refiere a una gravísima caída de caballo que sufrió el primero.

Mi querido amº:

Con verdadero asombro he visto la firma de V. en una carta del 17 que tengo delante de los ojos, y aun dudo si me la finge el deseo. ¡Tan caros me vende V. sus autógrafos de un tiempo acá!

He visto, en efecto, los 1os cuadernos de su *Desheredada* en casa de Mazón; pero no he tenido agallas para cometer la irreverencia de leerlos. Lo que he hecho, después de desollarle a V. vivo por la ocurrencia (que podrá ser lucrativa; pero no *estética*, vamos al decir) de publicar un novelista como V. obras por entregas, ha sido encargar que me los vayan reuniendo para leer la novela de un tirón.

Entre tanto felicítome y le felicito a V. porque se deje en ella en paz a los curas y a los católicos; y esto me basta para creer que el libro no tendrá tacha, ni siquiera en la parte material, pues me agrada mucho la edición, no obstante lo que me gustan los libros en 8º con preferencia a cualquier otro tamaño.

Me asustan las noticias que me da V. acerca de la edición ilustrada de los *Episodios*. Verdaderamente va V. a jugar un albur en el negocio; y aunque tambien es cierto que la obra se presta maravillosamente a él por su índole y por su popularidad, eso de ver entrar las partidas por medio millón de reales y salir por medios duros, tiene tres perendengues. Sin embargo, el buen éxito de esa empresa depende, entero y verdadero, de los agentes que tenga V. en las provincias; o mejor dicho, de los *viajantes*. Por lo que hace a Santander, no me atrevo a decirle a V. nada en respuesta a la pregunta que me dirige. Lo mismo que yo, o mejor, conoce V. a las dos personas consabidas.

Supongo que habrá V. recibido un ejemplar de *Esbozos*. No se lo advierto para que me dé las gracias ni la enhorabuena de cajón, que ni las unas ni la otra merece la miseria de la oferta, sino para que le sirva de gobierno por si Marañón se ha descuidado.

Tengo, efectivamte el proyecto de hacer una noveleja, y aún algunos capítulos escritos, sin pies ni cabeza. Será aldeana montañesa de pura casta, sin sabios heterodoxos, ni jóvenes escrupulosas, ni políticas *corruptoras*. Pura aldea, con sus tipos y resabios congénitos. Mucha naturaleza, mucho viento sur... y nada en tres platos.

¿Sabe V. si continúa la publicación francesa de *El Gran tacaño*? Pregúnteselo a Fé cuando tenga ocasión.

¿Ha leído V. la novela de P. Valdés? (1) Me gusta a mí que estos señores críticos, que nada hallan bueno, se echen de vez en cuando a predicar con el ejemplo.

He pasado el invierno sin las pamplinas a que V. se refiere, y lo atribuyo a la holganza en que viví durante el verano.

¿Piensa V. dar en el próximo la respuesta a la presente carta? Suyo, a pesar de todo, y afmo. amº

J. M. de Pereda

Santander 26 de Mzº/81.

* * *

Mi querido amº:

Será portador de la presente epístola el Sr. D. Apeles Mestres, artista a quien ya conoce V. por sus obras, y he tenido el gusto de hospedar durante algunos días en esta casa. Le hablará a V. de mi parte de un asunto que le toca muy de cerca, y le ruego muy encarecidamente que, atendidas las razones que Mestres le exponga y otras que a V. se le ocurrirán, despache la pretensión *como se pide* y para cuando se necesita.

De todas maneras, tengo el mayor gusto en presentar a V. a tan distinguido artista y en ofrecerme yo a sus ordenes todavía en este *Tusculanum* contrahecho como su afmo. amº. que le abraza

J. M. de Pereda

Polanco 17 de Octbe/81.

A D. Benito Pérez Galdós B. L. M. sintiendo infinito no poder apretarle la mano en esta ocasión y se despide para Barcelona s. s. s.

Apeles Mestres

s/c. Barcelona - Cortes 302.

NOTA.—Las últimas dos líneas son de mano de Apeles Mestres.

* * *

(1) Armando Palacio Valdés (1853-1938), crítico literario y famoso novelista.

Mi querido amº:

Supongo que le habrá visitado a V. de mi parte Apeles Mestres a quien dí una carta con ese objeto, y le habrá hablado de cierto asunto que yo deseo encomendar a V., y me sirvió de disculpa para hacer que Mestres y V. se conocieran y se trataran por desearlo él tanto como yo y constarme que me lo había de agradecer V. Por lo demás, todo lo que dicho artista haya encarecido a V. el deseo que yo tengo de que acometa la empresa que se le quiere encomendar, es la verdad pura. Los Srs. Domenech me escriben pidiéndome esa noticia bio-bibliográfica para publicarla al frente del libro, según acostumbran a hacer con los demás autores al *debutar* en su biblioteca, y yo no tengo mas remedio que proporcionársela y para ello necesito que V. se encargue de ello aunque sea muy a la ligera. Nada, por supuesto, de la persona; o cuatro palabras a lo sumo, por cumplir; pero sin estadística ridícula de *proezas* de la vida; y golpe a los libros, aunque sea para triturarlos. Esto lo hace V. en cuatro días, y con ello un gran servicio al libro, a la empresa y al humilde nombre del autor. Deja V. unas cuartillas al último para hablar del librejo que ya tengo concluído, se le mandan a V. las pruebas, según yo vaya corrigiéndolas... y agur. No me atrevo ni a suponer siquiera que se niegue V. a prestarme este servicio, a menos que su conciencia literaria se le rebele contra el intento.

Por de pronto, conteste.

Como supongo que Mélida le habrá enterado a V. de ello, nada le digo de la causa de haberse encargado Mestres de la ilustración de mi libro. Este llevó de aqui apuntes para unas setenta ilustraciones, que espero han de gustar.

A Mélida escribí preguntándole de parte de Velasco por una familia cuyo paradero ignoraba este amº y no he tenido respuesta. Sentiré que sea por falta de salud. Si le vé V. déle mis cariñosos recuerdos.

Yo estaré aqui hasta el 6 y 8 de Novᵉ. Ayer estuve en Santander, y supe que aun andaba V. por ahí. Por eso le escribo hoy, pues al hacerlo por mano de Mestres, dudaba si estaba V. ya en la Montaña otra vez.

Por supuesto que si va el jucio de V. al frente del libro, no irá la consabida carta-prólogo. A V. ¿que le parece?

Suyo spre afmo. amº

J. M. de Pereda

Polanco 22 de Octe/81.

* * *

Mi querido amº:

Como nunca ato dos cominos con lo que me dice Mazón y nada responde V. a la carta mía que debe haber hallado en su casa al llegar de aquí, y me urge muchísimo conocer *oficialmente* la *actitud* de V. en el asunto, le ruego con todo encarecimiento que me ponga dos letras para sacarme de la duda en que me hallo y poder contestar a los de Barcelona que aun aguardan lo que yo les diga sobre un requisito que quieren llenar al frente de mi librejo, a la sazón en manos de Mestres.

Perdóneme si le distraigo, pero no lo puede evitar este su afmo. amº

J. M. de Pereda

Santander 10 de Nob/81.

NOTA.—Después de lo dicho por Mazón y casi confirmado por Aurelio, no le faltaba a V. mas ahora que venirme con excusas. ¡Por vida del chápiro verde, que nos habían de oir los sordos!

* * *

Mi querido amº:

Un millón de gracias por la honra que me dispensa aceptando el consabido encargo, y otros tantos perdones por habérselo hecho en ocasión tan incómoda para V.

Creo haberle dicho en mi primera carta algo sobre el cuando y el como del trabajillo en cuestión; sin embargo, respondo a las preguntas que sobre lo mismo me hace V. en su carta diciéndole que lo que desean los de Barcelona es «una noticia sobre el autor y sus obras» por el estilo de las que preceden a los *Cuentos de Andersen*, a *Marcos de Obregón*, *Los dramas de Schiler (sic)* &... mas o menos extenso según lo que la materia dé de sí. No puede por consiguiente ir al fin y en forma de respuesta a una carta mía, puesto que esta carta sólo se referiría a la novela última, y aquel trabajo ha de ser bio-bibliográfico. Claro es que como biografía hemos de prescindir de todo género de *proezas* y otras minuciosidades impertinentes al uso, y sólo mencionar aquello que haya de comun *digasmolo* así, entre el carácter personal y literario del autor; tiquismiquis que sólo un amigo íntimo como V. puede sorprender y entrelazar convenientemente. Si para trabajar en ello con más desembarazo necesita alg[s]. datos, envíeme un interrogatorio a su gusto, y yo se le devolveré con las respuestas pertinentes.

Cuanto a la urgencia de ese trabajo, solamente puedo decirle que Mestres, según carta que recibí anteanoche, tiene ya hecha la tercera parte de las viñetas; que esta todo el libro en su poder y que los editores tienen mucho empeño en publicarle pronto. Ya le dije a V. que segun fueran imprimiéndole se le irían enviando a V. (tres pliegos diarios, segun mis noticias) para que pudiera decir cuatro palabras de él al fin de su trabajo. Entre tanto puede V. ir escribiendo lo demás sin ahogos ni apresuramientos. Bien sé yo que esa empresa la da V. *cima felice* por debajo de la pata; pero temo mucho que si se enreda antes con la novela que tiene *in-mente*, no he de sacarle yo ni con tenazas *lo mío* en todo el año. Por tanto,

A V. suplico muy encarecidamente que tan pronto como despache esos asuntos que hoy le ocupan y preocupan, arremeta con el trabajillo que ha de ser el atractivo único de la novela, la mejor ejecutoria de su autor y el negocio de los editores. Todo se reducirá a que retrase V. un par de días el comienzo de su novela.

¿Estamos conformes?

No deje de comunicar lo que resuelva a su afmo. am[o]

J. M. de Pereda

Santander 18 de Nov[b] de 1881.

* * *

Mi querido am^{o}:

Aunque sea en un papel de cigarro, sin fecha y sin firma, hágame V. el obsequio de ponerme dos letras para decirme si recibió mi última carta del 18 de Nv^{be}, y si el estado de sus negocios le permite al fin desempeñar al consabido encargo: y cuando, poco mas o menos, estará para remitirlo a Barcelona, de donde me escribe uno de los Domenech (el otro debe andar por ahí segun noticias del mismo origen) diciéndome que van a comenzar la impresión del libro el cual quedará listo en 15 días. Mucho, muchísimo siento tener que apremiarle a V. pero necesito salir de duda y saber a que atenerme para lo cual sólo le impongo el sacrificio de escribir media carilla de papel. Si tambien me responde ahora con el silencio será prueba para mi de que no debo insistir en esta sencilla pretensión; pero tengo grandísima confianza en que no dará V. tal pesadumbre a su afmo. am^{o}

J. M. de Pereda

Santander 17 de Dic^{b}./81.

* * *

Mi querido am^{o}:

Me entero de que V. y D. Luis Domenech estan de acuerdo sobre la fecha en que han de llegar a Barcelona las cuartillas *in fieri;* pero, en este caso, bien pudo el otro Domenech haberse ahorrado la carta en que me las pedía con urgencia, lo cual fué causa de que yo molestara a V. Sea todo por el amor de Dios.

Hablando de otra cosa ¡vaya un sobre majo de veras el de su carta última! No deje de ponerme otro igual cuando me escriba, si es que está usted en ánimos de volver a hacerlo en los días de su vida, que tan numerosos se los dé Dios como yo para mí deseo! ¿Donde demonios halla V. esas gangas, presumidote?

Andese, ándese ahora en caballerías heréticas, y verá como le excomulgamos en un periquete, por mucho que se le quiera.

Y aquí le dejo, despues de *felicitarle las Pascuas*, como artista de murga, porque no diga que le robo el tiempo que *me debe*. Con que a trabajar en lo convenido; *écheme* del mejor material que tenga, y vengue, si le parece, a estos correligionarios excomulgados en el juicio que le merezca el «oscurantismo» de este su amº

J. M. de Pereda

Santander, 26 de Dicᵇ/81.

* * *

Mi querido amº:

Aunque V. no lo crea, es la pura verdad que a la presente fecha, después de haber corregido las últimas pruebas de mi librejo hace medio mes, no sé si ha remitido V. las consabidas cuartillas. La natural curiosidad me hizo preguntárselo primero a Domenech y después al impresor, y ni el uno ni el otro han tenido la bondad de responderme una sola palabra; en virtud de lo cual acudo a V. en aclaración de la misma duda, y (hablándole con franqueza) con pocas esperanzas de que V. me resuelva la dificultad. Le advierto desde luego, para ahorrarle el trabajo ímprobo de coger la pluma y escribir media docena de palabras, que tomaré su silencio por una respuesta negativa.

Los tales catalanes se comprometieron a publicar el libro en Enero, por lo cual me dí un pechugón bestial de trabajo en Octubre. Estamos en Abril y aun ignoro si aparecerá en todo el verano. Poco se perdería con que jamás le diera la luz; pero es lo cierto que no vuelvo a meterme en otra parecida, aunque me pagaran las cuartillas a peso de oro.

Perdone esta interrupción que me obliga a hacer a V. la total oscuridad en que me tienen aquellas gentes, y vea de ordenar, aunque sea por señas (ya que el arrancarle una carta es punto menos dificil que arrancarle una muela), lo que a bien tenga, a este su sprᵉ amº

J. M. de Pereda

Santander, 4 de Abril/82.

* * *

Mi querido amº:

Traslado a V. la carta que acabo de recibir de uno de los Domenech. Sírvase V. contestarla directamente, pues yo solo en último extremo me atreveré a decir a esos Srs. que en el caso de que se trata tambien a mi me da V. la callada por respuesta, despues de haberles asegurado que escribiría V. con *mucho gusto* la desdichada introducción. La verdad es que no puede darse una situación de mayor apuro..., ni mas cursi que la que a mi se me ha puesto en este particular; sobre todo desde que los editores tuvieron la infeliz ocurrencia de prometer mi libro en la cubierta de otro, «con un prólogo de & &». Sin este pregón que ha de ser causa de que trascienda al público el desaire dado en secreto al autor yo no le habría enviado a V. la adjunta carta, ni acaso me la hubiera escrito a mi, pues aun sin el último portazo con que fue despachada mi última pregunta, tenía yo bien presumido que la tal comisión le estaba a V. cargando. Ponga V., pues, a un hombre, que *aunque de provas*. tiene sentido común, en la necesidad de reclamar *un elogio;* que se responda con un pataleo a cada reclamación; que se le obligue a insistir llamando..., en fin, póngase V. en mi caso y dígame si no hay para dar el librejo a los demonios, y la hora en que se le ocurrió cederle; y la en que cayó en la debilidad de pedir lo que no quieren darle, y el oficio que en tales atolladeros mete a hombres con canas. Dígame, en conciencia, si todo esto, a mas de enojoso y desagradable, no es cursi en grado eminente.

En virtud de lo cual, y renunciando a demostrar a V. lo fácil que le hubiera sido decir desde el primer día que no le daba la gana escribir lo que se le pedía, con lo cual todos hubiéramos ganado, puesto que el libro va a perder al fin las únicas páginas interesantes con que contaba; en virtud, repito, de lo apuntado, y en gracia de los editores a quienes se perjudica con estas inexplicables dilaciones, le ruego muy encarecidamente que responda a los Srs. Domenech, o a mi, lo que mejor le cuadre; pero que responda algo, de modo que sepamos todos a que atenernos; en la inteligencia de que, por mi parte, todo lo disculpo y todo lo comprendo en un hombre ocupado, aunque sea de Madrid, menos el negar dos letras de cortesía a otro que no está señalado por la mano de la policía ni perseguido por la Guardia Civil.

Entretanto, no olvidaré la lección, pero no por eso dejará de ocuparse en su servicio con el mayor gusto, ni de ser su atento amº afmo.

J. M. de Pereda

Santander, 16 de Abril/82.

* * *

Mi querido amº:

Comprendo la quemazón de sangre que le habrán dado a V. los Domenech en asunto tan importante para su empresa, por el que me han dado a mi en cosa menos trascendente, pero al cabo irritante; mas como yo no le tengo a V. la culpa *(sic)*, señor D. Benito, de las informalidades catalanas que tanto le perjudican, no alcanzo la razón de no haberme escrito V. dos letras cuando se las pedí para aclarar la duda de si estaba o no en Barcelona el prólogo consabido. Si V. me dice entonces lo que en su última, no solamente no le hubiera yo enviado la de Domenech con la mía medio avinagrada sino que, a creerlo V. necesario, de mutuo acuerdo hubiéramos retenido las cuartillas hasta el fin de los siglos, si era necesario, puesto que el favor de su trabajo me lo hace V. a mí y no a aquellos señores, cuyo obstinado silencio a mis preguntas, junto con el de V. llegó a ser mas fuerte que mi paciencia.

Ahora, otro esfuercito mas y otro acto de abnegación de parte de V. para decirme en dos palabras, que salió de su carpeta el prólogo y que le puso en el correo.

Entretanto, mil perdones y disponga, en mi nueva morada, Muelle, 4, de su afmo. amº

J. M. de Pereda

Santander, 24 de Abril/82.

* * *

Mi querido amº:

Por si le urge la respuesta a una pregunta que me hace V. en su carta del 1º doísela diciéndole que la casa que yo dejé en el núm. 14, está ya ocupada, por un señor de mucha papera, muchos hijos y mucho dinero; indiano californiano y vecino de VV. en la punta del muelle; pero sigue desocupado el piso que en el núm. 15 dejaron mis hermˢ.

En 24 cuartillas, si son como las que V. usa para escribirme, se puede decir mucho mas de lo que yo merezco; además de que no son los mejores prólogos los más largos. Los rematadamente malos..., para el *prologado*, son los que dejan conocer que han sido escritos de muy mala gana, cosa que yo no creo del de V. á pesar de los reniegos que le cuesta y los juramentos que hace de no volver a meterse en otra.

Por lo tocante a no haber dicho nada de la novela que le lleva al frente, casi me alegro de ello; pero si ha de remorderle la conciencia por tal pequeñez, subsane la omisión al corregir las pruebas.

En todo caso, perdone el mal rato, en gracia que le endosé el fardo creyendo que le aceptaba de buena gana, y sobre todo, de que ha tenido *seis meses* a su disposición. Yo no le tengo *(sic)* la culpa de que haya dejado V. todo el trabajo para el último instante... ¿O me viene V. riñendo para que no le riña yo?

No tema V. nada malo de la Academia. Marcelino está advertido, y ya sabe V. lo que me dijo acerca del particular el año pasado. No es mozo que falte a su palabra. Si cree V. necesario que vuelva a escribirle, lo haré con el mayor gusto.

Aunque *era de esperarse*, he sentido la muerte del bueno de D. Ramón. Parece ser que acabó, como un pajarito, sin sentirlo; y hasta en esto fué afortunado en el mundo el celebrado *parlante*. También sabrá V. por el *Imparcial* que ya no hay costumbres ni quien sea capaz de pintarlas en España; por lo cual la muerte de aquel escritor es doblemente sensible; y cuando Ortega lo asegura, bien sabido se lo tendrá!

Por mucha prisa que se dé V. en venir a la tierruca, dudo que me encuentre en Santander a su llegada, pues Dios queriendo, en mediando Mayo cáteme en Polanco.

Aquí y allí y en *Ingalaterra*, es de V., a prueba de desdenes, devotísimo amº

J. M. de Pereda

También Domenech me dice que le ha remitido pruebas de las tapas para los *Episodios*. Si está la composición tan bien entendida como la de la prueba que me envía a mí para *El sabor*..., debe V. haber quedado satisfecho. Esta es tan sencilla como original y adecuada.

Santander, 4 de Mayo/82.

* * *

Mi muy querido amº:

Está V. servido como lo quería y un poquito más. Han publicado hasta hoy el suelto-anuncio, el *Boletín de Com.º*, *El Aviso* y el *Correo de Cantabria*. Este le repetirá unos días. *El Eco de la Montaña* le publicará pasado mañana domingo. Conque mande V. otra cosa.

El buen Luciano es «efetiamente»... «asín», como V. me le pinta, muy para poco; pero *asín* y todo, se me queja, «efetiamente», de que habiéndole escrito a V. sobre el particular, V., «efetiamente», no le ha contestado todavía. Dábale a V. según me dijo, las señas del domicilio de Mazón que anda por ahí, por si V. quería verle para pedirle las litas de suscrición *(sic)* las cuales pudiera conservar aun, como conservaba, y devolvió, las de Arte y Letras al comisionado que esta biblioteca tiene aquí. Victo[no] Suárez debe saber también algo del famoso ex-librero, pues él es quien me dió noticias de su aparición en Madrid, y en su librería, en la cual depositó no se que cajones de libros y *botellas*. Según escribe un montañés estudiante, ahora recorre los barrios bajos incesantemente para estudiar al *chulo* en todas sus fases, con el fin de escribir una comedia de *costumbres* para Variedades. Con ésto verá V. que sigue tan destornillado y en carácter como siempre. Lo he dicho y ha de cumplirse: hemos de verle marido de la *dama jóven* en una compª de la legua, importunando la redacción de los periódicos con quejas del mal trato que el público dá en las tablas, inmerecidamente, y por intrigas de la primera dama, a «su señora» siempre embarazada, o *en cinta*, como diría él, y vestida de tafetán marchito.

Por lo demás, me alegro un poquitín del percance de las listas pues a él debo el grandísimo placer de ver la firma de V. al pié de unos cuantos renglones dirigidos a mi.

Estuve, en efecto, enredado algún tiempo con ese tal *Pedro Sánchez* que V. cita; pero llegó su trato a aburrirme de tal manera (a lo cual contribuyó no poco cierto caballero de apellido *Manso* (1), que se me entró por las puertas este verano pasado chorreando gracias y donaires) que le hundí en el mas oscuro de los 11 cajones (once nada menos!), que tiene mi nueva mesa de París de Francia.

Desde Octubre acá ando *en propósitos* de echar al mundo cierta *Sotileza*, novela marítima, del género *Tremontorio*..., y así estoy, lleno de buen deseo, pero falto completamente de bríos y de jugos..., y sin coger la pluma en la mano.

Venga, pues, esa obra que V. tiene en el telar para consolarme de esta sequía tristísima que me va endureciendo el meollo; y, entretanto, no se olvide por completo de su spr^e^ am^o^ del corazón,

J. M. de Pereda

Santander, 23 de Fb^o^/83.

* * *

Mi querido am^o^:

No por no hallarme en Madrid, ni por no estar *apuntado* en casa de Fe para el banquete que (según he leído en los periódicos) se prepara en honor de V. (cuyas ansias y congojas presupongo e imagino) he de privarme del intensísimo placer de echar al aire la montera en honra y gloria del eximio novelista a quien admiro tanto como quiero.

Téngame, pues, por asociado a ese gran acto de justicia, y crea que si en autoridad, y en arte y en resonancia han de aventajarle todos y cada uno de los *bombos* que a V. se le lancen, ninguno ha de igualar en

(1) Se refiere a *El amigo Manso*, de Galdós.

fervor y en entusiasmo a los que se *calla* en estos breves, oscuros y humildísimos renglones, su incansable admirador y amigo que le abraza,

J. M. de Pereda

Santander, M^zo^ 10/83.

NOTA.—Se refiere al gran homenaje nacional promovido por Sellés, Palacio Valdés y otros en honor de Galdós, celebrado en 26 de marzo de 1883.

* * *

Queridísimo am^o^:

De intento he retrasado unos días la respuesta a su carta del 13 porque *Tormento* andaba ya si toca o llega, según noticias de Luciano, y yo deseaba, al escribirle a V., haber hecho ya los debidos honores a esa hija de su inagotable ingenio, que me tenía con algún cuidado desde el anuncio que me hacía V. de ella al fin de su carta; no por lo que respecta a lo literario, sino por lo que se refiere «a lo eclesiástico» ¡Cómo será ello —pensaba yo— cuando este hombre que nada me advirtió sobre el caso al lanzar al mundo a *Gloria* y a *La Fam^a^ de L. Roch* me dice ahora que me agarre! Y, vea V. lo que son las cosas: nada hallo en esta novela que justifique los temores de V. con respecto a mi intransigencia católica. Cierto que tiene algo de repugnante la brutal pasión de aquel cura desdichado; pero al cabo es un cura sin licencias, sin vocación y sin fé, y su propio desenfreno y la misma enormidad de sus faltas y hasta sus remordimientos de conciencia, de vez en cuando, le hacen abominable; cierto también que la pureza y la bondad del padre Nones pudo haber estado encerrada en estuche menos caricaturesco y ridículo para que el contraste de los dos curas resaltara mas a favor de *los buenos*; pero ¿quien pide tales gollerías a un novelista de la extrema izquierda de los *clerófobos*? En fin, aunque con ciertas irreverencias, no es *Tormento* libro de tesis religiosa, ni obra de sectario; y a esto iba, y de ello me alegro mucho, y de ello le hablo porque de ello me habló V.; que a no haber echado mis recelos por ese camino con su advertencia, hubiérame limitado, después de leer el libro, como le he leído, de dos sentadas en un solo día, a manifestarle de nuevo mi admiración reverentísima hacia ese nuevo testimonio de sus extraordinarias facultades de novelador, más gallardas y potentes cuanto más las despilfarra y ejercita. No hallo nada comparable a la frescura de estas obras de V.; lejos de ver en ellas el esfuerzo de la voluntad, parecénme hechas con solo los desperdicios del ingenio, que no cabe entero allí. Eso es ser algo en el oficio: lo demás es andarnos por las ramas arañando la corteza. Le juro a V. que le hablo con el corazón en la pluma; y que solo porque no me tache de descortés me atrevo a mencionar a *P. Sánchez* (1) aquí para darle a V. las gracias por los buenos ojos con que ha mirado a ese pobre hidalguete, tan insulso como el padre que le engendró. Punto sobre ésto, y mil anhorabuenas por su delicioso *Tormento*.

Y ahora, dígame: ¿qué carnavalada es esa de que me habla y quienes son las personas en nombre de las cuales V. me invita para asistir a ella? ¿Qué visos de formalidad tiene el caso? Y, ante todo ¿es V. de la partida? Dígame todo lo que sepa; pues teniendo, como, en efecto, tengo proyectada una escapadita a Madrid, aunque no resuelta, en la próxima primavera, quizás acabará de animarme el deseo de presenciar siquiera un *acto* como ese.

Para que el propósito no acabe de enfriárseme en el cuerpo, conteste luego a este su spr^e^ am^o^ y más que nunca apasionado admirador,

J. M. de Pereda

¿Y como va de *dispepsia?*
Yo estoy *atroz* de *eso*.

Santander, 20 de M^zo^/84.

* * *

Mi querido am^o^:

Como el viaje en proyecto de que le hablaba a V. en mi anterior, no era asunto exclusivamente mío, sino de mi mujer, harto necesitada mucho tiempo hace de un esparcimiento por el estilo, pero nunca resuelta a decir «ahora», habiéndola visto bastante animada cuando el recuerdo

(1) *Pedro Sánchez*, de Pereda.

que me hacía V. me indujo a poner el asunto *sobre el tapete*, cogíla por la palabra y, para que no se arrepintiera, *quemé las naves*, como diría Mazón, trazando el itinerario y fijando el día de salida. Este será, Dios mediante, el próximo 16, derechamente a Madrid. Desde allí... Pero de esto le enteraré a V. a nuestra vista, si es que no me encarece tanto su presencia como la contestación a mis cartas.

Esta mía no tiene otro objeto que poner en conocimiento de V. esta nuestra resolución, para lo que guste mandar; con el cual fin le advierto que si no le digo cosa en contrario, pararé en el Hotel de Madrid (Mayor, 1).

Spre suyo amicísimo

J. M. de Pereda

Santar Abril 11/84.

* * *

Queridísimo amo:

Por esa prensa local sé que al fin llegó V. a mi tierra, y por la de Madrid (prensa) que echó V. al mundo *La de Bringas* en cuya *confección* le dejé a V. entretenido a mi salida para Valencia. Bienvenido, y mil enhorabuenas; porque supongo que esa hija se parecerá a todas sus hermanas, supuesto con el cual le doy bien claro a entender, que aun no la he leído. No me descuidaré en adquirirla.

Le escribo a V. porque no pienso ir tan pronto a Santander. En cambio, cuento con que me haga V. pronto una visita. Avíseme el día y le enviaré el coche.

Traje el saco lleno de cosas que contarle a V., todas de murmuración lícita y harto conveniente; y tengo acopio de buen *lúpulo* para que lo tomemos en memoria de aquellos que me hicieron soportable tres semanas de Madrid. Con que, ánimo; y de todas suertes escríbame.

¿Recibió V. los libros de Oller? (1) Se que se los envió el día de mi salida de Barcelona. ¡Que excelente sujeto es!

Desde que llegué a esta casa, estoy trabajando en *Sotileza*, sin plan, sin esperanza de tenerle. No hago mas que sacar gentes y cosas a la

---

(1) Narciso Oller y Moragas (n. 1852), famoso novelista catalán.

escena, y tiemblo la hora en que necesite *sacar el argumento*. A tal extremo ha llegado la pobreza de mis recursos, que me dan gana de echar por el balcón todos los trastos del oficio.

Le quiere, le abraza, le admira y le *espera*, su amigo

J. M. de Pereda

Polanco, 18 de Julio/84.

* * *

Queridísimo am^o^:

El día 9 escribí la 682ª y última cuartilla de *Sotileza* y el 9 me vine a esta casa, con Juan el guantero (1) y mi cuñado Fernando, abrumado, muerto de cansancio, y con horror a la tinta y al papel. Antes de salir dejé encargado el de imprimir y escrito a Tello advirtiéndole que quería ver la novela en las librerías en todo el mes de enero. Anoche me enviaron su respuesta, afirmativa, juntamente con la gratísima carta de usted, de Santander. Como se se *(sic)* han ido copiando los capítulos a medida que yo los escribía, tengo el original disponible para ser remitido a Madrid en cuanto yo vuelva a Santander, que será, *Deo volente*, pasado mañana. Contando con la respuesta de Tello, he tenido que escribir aquí unas cuartillas de dedicatoria a mis contemporáneos santanderinos; pretexto para decirle a la s^ra^ Crítica que me tienen sin cuidado los ascos que pueda hacer a ese libro cuyas dificultades es incapaz de comprender. De modo que, huyendo del perejil, me salió en la frente. Entre tanto, hemos hecho la *matanza*, y nos hemos regodeado con el *remojón* y la *tortuca*. Pero mi máquina sigue descompuesta, y temo que no ha de enquiciarse con tanta facilidad como el verano pasado. Sumando la tarea de entonces con la de ahora, salen 10 semanas para las 700 cuartillas, mal contadas; y ésto es mucho trabajo para un cuerpo como el mío. Y basta ya de *mí*. —Creo haberle dicho que pensaba publicar un vocabulario al fin del libro. ¿Tendría V. inconveniente en que se pusiera

(1) Juan el guantero era don Juan Alfonso, propietario de una guantería de Santander, en cuya trastienda se reunía una tertulia animadísima evocada por Pereda en el artículo «La Guantería», del tomo *Esbozos y rasguños*.

allí la curiosa etimología de la palabra *limonaje* (1), que V. me ofrece en su carta, citando, por supuesto, la fuente en que yo la he bebido?

¿Conque se ha lanzado usted a la novela de frac y guante blanco? (2). Pues me alegro mucho, estando, como estábamos, amenazados de que esa hazaña la acometiera el amigo de marras; y si éste, al conocer la obra de V. se decide, fiado en su *competencia*, a ponerle los puntos sobre las ii, con otra mas *elegante*, mejor que mejor para usted. Por de pronto venga bendita de Dios esa novela que tanta falta hace para matar tanta cursilería como se ha escrito en el género fino, y desalentar a algún Asmodeo (3), que se sienta próximo a caer en el pecado.

Muchísimas gracias en nombre de mi hijo por los sellos que le envía, y tienen el doble valor de lo que son *per sé* y el buen recuerdo que representan.

Contaba yo con que los libros de Oller habían de gustarle mucho y me alegro de que haya dado V. a su autor ese buen rato diciéndoselo así. En cuanto a que se venga con nosotros un adalid de tanto brio, no lo espere V. porque es imposible. Los escritores catalanes piensan en catalán, hablan catalán y viven en una sociedad que no habla otra lengua en familia. Por consiguiente el idioma catalán es el jugo de su literatura; y escribiendo en castellano Oller, Vilanova, Bertrand, y tantos otros, serían, a todo tirar, los Fanstenrat *(sic)* (no conozco la ortografía alemana de esta palabra) de Cataluña, que es ser bien poco para los fines que V. desea. Así pues, no hay mas remedio que tomarlos como son, con su pecado de origen, harto castigado con la pequeñez del mercado que tienen para sus libros y el injustificado desden con que los mira el público literato de Castilla.

Le escribo a V. desde aquí temiendo que las ocupaciones y el ruido de Santander me distraigan y dejando pasar días, llegue a contagiarme de la pereza que suele acometerle a V. para escribirme a mí.

He visto en los periódicos que Armando Palacios ha publicado un libro titulado *Aguas Fuertes*. Si le hay en Santander le compraré. Dígale, entretanto, que desde allí pienso escribirle, siquiera para pe-

(1) En *Sotileza* dedica Pereda a este vocablo una larga disquisición etimológica, pero no cita a Galdós.

(2) La «novela de frac y guante blanco» debe ser *Lo Prohibido*, de Galdós, que éste preparaba entonces.

(3) Asmodeo es uno de los seudónimos que usaba Ramón Navarrete y Fernández Landa (1818-1897), periodista y principalmente cronista de salones.

dirle perdón. Me escribió una carta a principios de verano, y todavía no se la he contestado. Cierto que no contenía cosa de urgencia; pero esto no salva mi criminal descortesía. A buena cuenta dele un abrazo de mi parte.

Y con ésto y en espera del retraso consabido, y sin saber apenas lo que deja dicho atrás ni con que fuerzas lo ha escrito, se despide hasta otra su amicísimo

J. M. de Pereda

Polanco, 16 de Di[b]/84.

* * *

Queridísimo am[o]:

Contando con las veleidades y encogimientos de los hombres, *maisimen (sic)* cuando estos son *ogenios (sic)* de alto vuelo, hay que tomar desde lejos los asuntos que con ellos se traten; en virtud de *la cual* consideración (y vea como sé defender la pizca de académico que me tocó en suerte) y habiéndoseme *personado* (forense puro) este D. Andrés Crespo repetidas veces para preguntarme a cuantos estamos de proyecto de viaje primaveral, y siéndole bien notorias mis intenciones de cumplir, por mi parte, dentro de lo racionalmente posible, la palabra empeñada, faltamos ahora conocer los propósitos de V.; y para conocerlos le escribo la presente. Conque ¿persevera V. en lo dicho y convenido aquí durante el pasado *estío*? ¿Se halla V. dispuesto a hacer la proyectada excursión a Portugal, yendo o volviendo por Galicia y Asturias? En caso afirmativo, Andrés y yo iríamos a buscarle a V. a esa corte hacia mediados de Abril; y desde ahí emprenderíamos la caminata por donde mejor nos pareciese. Cuento con la afirmativa, porque el lance es tentador y la palabra es palabra; pero así y todo, hágame conocer sus *impresiones* al momento, porque Andrés y yo somos hombres de cuenta y razón y necesitamos saber a qué atenernos.

Y ¿como va la novela?, ¿cuando se publica? *Rechupándome* estoy ya los dedos.

Supongo que habrá V. leído *La Regenta*, y me consta que su autor espera con ansia el dictámen de V. Allá tiene ya el mío, porque le deseaba, y también sé que no le ha incomodado ni mucho menos; y eso que no me mordí la lengua para decirle lo que me parecían ciertas y determinadas cosas que ahí acontecen. Ya supondrá V. a cuales aludo. Pero ¡cuanta gracia y cuanto ingenio hay derrochados en aquellas páginas! Podrá aquello no ser un modelo de novelas, y para mi desde luego no lo es; pero ninguno que lo considere con ánimo sereno dejará de comprender que en *Clarín* hay un novelista de empuje, que con un poco de juicio y de imparcialidad puede hacer grandes cosas.

No por lo de grande (aunque en volúmen lo es) sino por lo de novela, ocúrreseme que acaso esté a la hora presente en manos de V. *Sotileza.* ¡Qué vulgarote pastel ha resultado! Ni como cosa local me satisface, porque no salió lo que yo había visto. Resueltamente me inutilizan para el oficio estas mis impaciencias geniales.

Conque responda sin tardanza a lo que le pregunto al comienzo de esta carta, y reciba a buena cuenta un abrazo de su amicísimo

J. M. de Pereda

Sant^{r} 20 de Feb^{o}/85.

* * *

Amigo queridísimo:

Un millón de gracias por los piropos que en su cariñosa y salerosa carta del 24 dedica a mi afortunada callealtera, piropos sobre los cuales no quiero discutir ahora, porque, como V. recela que los tome yo por hijos de lo que me quiere, acométenme a mi recelos de que a V. le parezca cosa muy distinta de lo que serían mis escrúpulos.

Y ahora dígame ¿a cuántos está V. de ocupaciones? ¿Cuándo cree usted hallarse en disposición de que tomemos las de Villadiego los tres *Mambrunes* con rumbo a *Lisboda?* (sic). Yo necesito estar ahí unos días antes de nuestra marcha hacia Lusitania, porque tengo algunos asuntillos que ventilar, uno de ellos en el Ministerio de Fomento, motivao *(sic)* a un sustipendio *(sic)* que solicito del Gobierno de Arriba para un camino vecinal de mi pueblo. Esto *en tésis general; porque partiendo del principio* de un parrafejo de su última carta (3 son las que tengo de V. *incontestadas*) la cosa varía de aspecto y puede dar serio motivo de alteración de propósitos. En plata, señor D. Benito: quiero una explicación clara y terminante de ese párrafo en el cual me dice V., a propósito de la manifestación montañesa de aquí, que la que *ustedes* harán ahí será esto y lo otro y lo de mas allá. Vengan detalles de ese enigma temeroso. Ya sospechará V. por qué se los pido; y a buena cuenta, sepa que daría las únicas botas que no me lastiman, que es lo más estimado de mis *propiedades*, porque se hallara V. ya desembarazado de impedimentos y en disposición de emprender la caminata. Ya estaría yo ahí ocho días hace huyendo de esta quema a fuego lento, que es de las peores. Entendidos, verdad? Pues a otra cosa. ¿Cuándo sale el primer tomo de *Lo Prohibido*? ¡Qué afilados tengo los dientes ya! Me carga eso de los *dos* tomos. Aunque resultara grueso, yo la hubiera publicado en uno solo. Pero, en fin, V. se entiende.

Relative a la 1ª de sus tres cartas. o sea la del 24 de Febº, nada tengo que decirle ya, sino que Andrés se alegró mucho al saber por ella que V. perseveraba en sus buenos propósitos de viaje. —La 2ª me la entregó a la mano su recomendado Sr. Lugol, con quien hablé largo rato. Parecióme buena persona y le regalé algunas obras mías.

¿Conque estuvieron VV. en Toledo?. Me lo escribió Armando, y me rechumpé *(sic)* de envidia.

Tengo recientes noticias de *Clarín*. Ha estado enfermo. Me escribe convaleciente aun, y también voltea las campanas en honor de *Sotileza*. Piensa incensarla en *El Globo*, o donde se lo permitan.

Y aquí lo dejo por hoy: me hallo con amagos del *trancazo* que ha corrido ya toda la gente de mi casa, y me pesa mucho la cabeza.

Conque venga su carta sin tardanza; salud, y un abrazo de su amicísimo

J. M. de Pereda

Santander, 30 de Mzº/85.

* * *

Carísimo amº:

Despejado el camino de ciertos obstáculos imaginarios, por informes fidedignos, que V. se ha guardado muy bien de darme, por lo mismo que se les pedí, y estando ahora en punto de caramelo lo del *sustipendio* consabido, según cartas de los diputados amigos que me lo manejan allá, con bien poco fruto, por cierto, hemos acordado los dos Mambrunes de acá, salir de aquí el jueves 16, si no hay obstáculo muy gordo que lo impida..., porque esperar a que V. avise que ya se halla pronto, es esperar al Mesías. Ademas creemos conveniente vigilar a V. de cerca, y arrearle un día y otro, sin caridad ni descanso, para moverle la pereza africana. Conque ya lo sabe: del 17 al 18, cátenos ahí, y si es posible en las mismas habitaciones que yo ocupé un año hace en el Hotel de Madrid.

No ha llegado aun por acá *Lo prohibido.*

Escriba siquiera dos letrucas antes de salir de aquí este su venturao *(sic)* am°

J. M. de Pereda

Santander, 10 de abril/85.

* * *

Si me la tenía calada yo, arrastrado D. Benito! Me daba el corazón que me la iba V. a hacer a última hora! ¡Pues son flojos, en gracia de Dios, los achuchones que he dado yo a este pobre *cómplice* para que despachara sus negocios pendientes en esta semana; y todo con el santo fin de que aprovechásemos lo más posible de este mes para rodar por esos mundos lusitanos! Y ahora me sale V. con que necesita todo lo que falta de Abril para quedar en disposición de *empezar* a rodar; y aun teme que necesite pellizcar algo de Mayo... En fin, no hay paciencia que le aguante y quédese lo que me ocurre sobre el particular para cuando nos veamos el *Sábado.* ¿Lo entiende V. bien? El Sábado; porque despues de escrita mi anterior este Mambrun *(sic)*, me dijo que no le era posible salir de aquí el Jueves sino el Viernes. Por tanto, el *ceremonial* que V. me detalla para el Viernes, valdrá para el sábado, si, como le dije en mi anterior, hallamos habitaciones cómodas en el Hotel de Madrid, sobre lo cual he escrito a Marañón. En caso contrario, avisaré a V. desde donde nos hallemos, y cuidaré de hacerlo antes que V. se lance a sus exploraciones. De modo que si hasta las 3 de la tarde del sábado no recibe V. aviso nuestro, o nuestra apreciable y distinguida visita personal, señal será de que estamos en el Hotel de marras, o perniquebrados en el camino.

Abriendo estaba las hojas del 1r tomo de *Lo positivo* (1) (anoche

(1) «Lo positivo»: lapso de pluma. El primer tomo de *Lo prohibido* está fechado en 1884. Es raro que tardara tanto en imprimirse, pero Pereda no puede aludir aquí a otra cosa.

llegó a casa de Luciano) cuando recibí su carta de V. No sé si la impaciencia me permitirá obedecerle en el mandato de que no le lea hasta tener el 2º. En fin, veremos si puedo contenerme. Sospecho que nó.

El Sábado le contará el resultado su contrariadísimo y enojadísimo amº

J. M. de Pereda

Santander, 14 de Abril/85.

* * *

Queridísimo amº:

Cumpliendo la oferta hecha en el momento de nuestra *terrible* separación despues de haber corrido juntos tantas y tan peligrosas aventuras, como las de las camas de Lugo y los espárragos del restaurant de Lisboa, dígole a V. que lo de Oviedo no cabe en papeles. Aquello fue una *juerga* incesante: cinco días continuados de excursiones y comidas, en las cuales no me quedó hueso sano ni un instante de sosiego para meditar sobre las consecuencias de aquel engullir sin cabo ni medida, y aquel rodar de un lado para otro. Fiaba V. en el capote de *Clarín* para estar a los *quites*. ¡Buenas y gordas! Lo que hacía el condenado de él era llevarme hacia el *bicho* a todas horas. Cierto que no se trataba de Miuras como los de marras, sino de gentes simpáticas, ingeniosas y comilonas. Gentes como nunca soñé yo a los asturianos que indudablemente dan quince y raya a los andaluces en lo de buen humor, con la ventaja sobre éstos de no ser bullangueros ni cursis jamás. Pero ¡qué estómago se necesita para seguirles con *éxito* en sus francachelas, y que correa! Toda la Universidad, con la sola excepción del rector, y todo lo que con ella tiene algo que ver, anduvo en la danza. No se limpiaba calentura allí, donde tanto se lamentó la ausencia de V. Mis compañeros de viaje, asombrados y seducidos a la vez, opinaban, y yo con ellos, que si la expedición la emprendemos al revés, es decir, por Asturias, no pasamos de Oviedo.

Como el cuerpo no es de bronce, al salir quebrantados de aquella ciudad pensábamos con gusto en la noche de reposo que nos aguardaba en Covadonga. Gran chasco nos llevamos. Aquellos canónigos son asturianos tambien, y armaron la de Dios es Cristo. Duró la cena hasta cerca de las 12, hasta con un poco de danza-prima entonada por ellos, y si no nos apresuramos a salir de allí despues de haber comido atrozmente al otro día, reventamos por alg[a] parte. Hay mucho que hablar de estas cosas, y lo dejo para cuando nos veamos. Quizá V. se alegre de haber escapado de estos zarandeos tremendos: yo lo siento de veras, porque le hubieran alegrado la pajarilla a pesar de los pesares. En cambio, ya le he visto entre los apuntados para el banquete de marras... Toma chinitas y esa ramita de perejil de la frente..., y vuelve por otro.

Y aquí lo deja con un abrazo hasta la suya, o hasta la vista, su amicísimo

J. M. de Pereda

Santander, 6 de Junio/85.

* * *

¿Cómo mil demonios he tardado tanto, mi señor D. Benito, en escribirle esta vez? Verdaderamente que no lo sé; porque tampoco sé como se ha ido pasando el verano y el otoño. ¡Que otoño! ¡que verano! No recuerdo otros mas tristes en toda mi vida. Hace mas de un mes que no cesa de diluviar, no puedo ni asomar las narices a la huerta, que es una charca; el frío es insoportable, y creo que hasta berros me han nacido en el pellejo. De modo que mañana nos largaremos a Santander, porque es pensar en los imposibles pensar en que venga una quincena de sol para sacar un poco el jugo a la vida campestre. A todo ésto, mi salud desquiciada y el magín tan invernizo como el tiempo. Usted se marchaba de Santander sin llevar la visión de la novela de la temporada; yo acabo de meter en el fondo de un baúl *la resma del verano*, pulcra, intonsa, inmaculadada, lo mismo que vino de Santander, sin haber pasado sobre ella ni el soplo de un propósito de mancharla con la pluma. Para ayuda de males, el único asunto *novelable* que, a ratos, se me agita en embrión en la mollera, es, no ya de levita, sino de *frac*, y entre gentes que solo por la fama me son conocidas. ¡Tendría que ver esa tela entre mis manos!... Y a propósito: ya va saliendo a luz lo que V. se temía el año pasado: ya esta en campaña Luis Alfonso (1) con su novela de *patchouli*. Supongo que habrá V. visto el *escomienzo* en el último

(1) Luis Alfonso (1863-1892), literato español muy conocido, colaborador de *La Ilustración Española y Americana*.

cuaderno de la *Revista de España.* Veremos, cuando acabe el alumbramiento, donde coloca Orlando (1) al autor, y hasta donde nos va bajando a nosotros; y con ésto, y con que Fernan Flor (2) *eche* esa que tiene en el magín, para ejemplo y asombro de novelistas, dése V. por finiquitado y véngase por acá a empuñar la esteva y el azadón, que yo le daré tierra en que saque, con el sudor de su frente, el mendrugo cotidiano. Verá V., verá V. como a lo mejor va a llegar el gallego de Moratin (3) con las alforjas atestadas de *género.*

Cuénteme su Odisea desde que no nos vemos. ¿Se ha puesto ya al telar a ver si *sale*? Días atras estuve en Santander, y ví el manuscrito del *Am*° *Manso* encuadernado. No esta mal, pero más merecía la alhaja.

Supongo que habrá V. leído el último libro de *Clarin... Sermón perdido.* ¡Cuantísima gracia y cuantísimo garrotazo! La verdad es que buena falta hace. Según su última carta (de *Clarin*) prepara una mano de leña espantosa a la novela de Suárez Bravo (4), premiada por la Academia. No la conozco.

Escríbame dos letras a Santander, aunque solo sea para decirme que perdona a este su amicísimo

J. M. de Pereda

Polanco 8 de Nov^e^/85.

Si anda por ahí Armando, un abrazo, y, dígame lo que hace.

* * *

Recomienda á su amigo D. B. Perez Galdos, al dador de esta tarjeta, D. Fern^do^ Diaz Varela, ambulante en Madrid ó Santander

11 de En^r^/86

NOTA.—El original en tarjeta de visita de José M. de Pereda.

* * *

(1) Orlando es el seudónimo de Antonio Lara Pedraja, crítico de la *Revista de España.*

(2) Fernán Flor es el seudónimo de Isidoro Fernández Flórez (1840-1902), escritor y periodista español, principalmente crítico literario.

(3) De lectura dudosa.

(4) Ceferino Suárez Bravo (1825-1896), novelista, periodista y autor dramático español.

¡Buena espera tenía yo, compañero del alma! buena, buena, buena!. La carta a que V. se refiere en la que recibí anoche *fué en mis manos* a su debido tiempo, y casi a vuelta de correo la contesté diciendo a V., entre otras mil cosas, que quedaban compradas por Aurelio 500 pajillas, un poquito más caras que lo de costumbre, porque ahora escasean y que dispusiera de ellas. Luego pasaron días, y días, y semanas, y meses, y V. *tenza que tenza*. Por si el silencio era obra de la pereza acostumbrada, le mandé un recado con el conductor Varela, el hombre de la tarjeta que le subió a V. la portera. Ese conductor debía preguntarle a V. si, habiendo recibido mi carta, contaba con alguna persona de su confianza para llevarle los cigarros, o quería valerse de él, de Varela, del hombre de la tarjeta... ¡Y salimos ahora con qué sin saber V. ni una palabra de toda esta historia! Conteste, pues, que las pajillas están compradas, y que si V. quiere recibirlas por el conducto recomendado, puesto que esa portera conoce a la mujer del conductor, adviértale que se presente este en casa de Aurelio a recoger el encargo o se lo advertiré yo aquí si a V. no le es *factible* aquel trámite. ¿Queda bien enterado? Pues a otra cosa. Lo de *Los de Pas*, es una tonta invención de un periódico local el día de Inocentes; la cual invención, como todo lo estúpido, ha dado la vuelta a toda la prensa de España. No hay tales pasiegos ni cosa que a novela mía se parezca. En esta mollera no hay más que oscuridad y vacio. Lo mismo que la burrada muy acreditada ya en esa prensa, de que soy candidato por Cabuérniga. Desmiéntalo V. a trompada limpia, si es preciso, cuando oiga citar el caso si lo oye alguna vez.

Y V. ¿que mil demonios hace? Asegúranme que trabaja, y esto coincide con algo que me apuntaba V. en su carta. Se por *Clarin* que Armando ha pasado por Oviedo con una novela en la maleta, y que él, Clarin, va a la corte despues de dejar corregido un tomo de cuentos. ¡Buena falta hace que escriban algo los que saben hacerlo!.

Entre el centenar de puntos que tocaba yo en mi carta extraviada, le prevenía a V. para que no se cayera de espaldas cuando Marañón le diera la noticia. Es el caso que he mandado armar el abanico que regaló Manzano a mi mujer, y que he formado el criminal proyecto de llenar la otra cara de autógrafos *de prim*[a] con algo *bonito* encima de cada uno, y que en la lista de las víctimas esta V., con doble motivo que todas las demás. Bien sé yo que estos antojos son de los que merecen un tiro por respuesta; pero así y todo, le solicito de V. hasta con el aditamento de que se le pida de mi parte a Castro y Serrano (1) que vá en lista. Tengo ocasión de hacer, de ese modo, un regalo inapreciable a mi mujer, y no quiero desaprovecharla, aunque ruja la ira de todos VV. En fin, ya se verá Marañón con V... y hasta con *Clarín* que no estaba en lista por hallarse lejos de Madrid.

Y no tengo más que decirle, por hoy, ni siquiera tiempo, porque voy a misa y no quiero perderla.

Póngame dos letras para acusarme recibo de éstas ininteligibles, y mande otra cosa a su amicísimo

J. M. de Pereda

Santander 7 de Feb^o/86.

* * *

Dígole, (*) ¡Oh Benito! que esto del correo no se puede aguantar, ¡Dos *furtos* en tan breve *lapso* de tiempo! Temiéndome lo que al cabo sucedió y siendo varios los asuntos tocados en mi carta perdida, dejé copia de ella, cuyo intento por el horror que tengo a *compulsarme* a mí mismo, me sugerió la idea de adoptar el estilo telegráfico. A continuación se la reproduzco, después de advertirle que en vista de su telegrama y de la carta subsiguiente, díme a buscar a Varela. Ayer topé con él a media mañana, a las dos de la tarde estaban los *cherutos (sic)* en su poder y a las tres y pico debieron salir ajumando hacia allá. Supongo que al recibo de estas cortas letras estarán ya en esa su casa, si no los ha atrapado el resguardo, que es todo lo que nos faltaba para fin y remate de esta odisea. Y decía la carta furtada: «B. Pérez (Ogenio) Madrid.

Recibida carta. Practicada diligencia Admo^n. Correos. Conductor Varela hallaráse ahí hasta 18 corriente. Si urge remesa pajillas, búsquele, domicilio año pasado, Alburquerque 11, pr^al. Ignoro si consérvale actual momento histórico.—Gracias generosa colaboración abanico aunque otra quédele dentro, por fementida índole cosa. Lista colaboradores, poder Marañón. Fórmanla con V. y Armando, Alarcón, Sellés, Nuñez de Arce, Campoamor, Tamayo, Guerra, M. Pelayo, y C. y Serrano. ¡Buen personal! Creyendo *Clarín* Oviedo, omitíle. Providencial^te. ahí, suéltele perro respective, y saque tajada todo riesgo. Escribióme anuncio

(1) José Castro y Serrano (1829-1896), escritor español que perteneció en su juventud a la famosa *Cuerda* granadina.

salida próxima: en duda llegar tarde carta, escribiréle Madrid. Envíeme dirección cuando conózcala.—Aprobada rectificación *Correo* candidatura Cabuérniga.—Oscuridad mollera macízase: supuesta «gestación misteriosa», música: incapacidad neta.—Excítame curiosidad ocupación semi-literaria que impídele trabajar novela telar. Descorra pronto velo misterio.—Abrace Armando previniéndole suceso abanico. Hable Serrano mismo asunto. Vayan discurriendo anticipación cosa buena, fin abreviar tiempo trámites. Encojan texto razón *potísima* caber todos. Sitio, hora, actitud, detalles noticia comunicada, puro carácter Mazón. Desmentirála tiempo corrido olvidada gentes.—Enamórame distinción portuguesa Jimenez Delgado: *bombeiro salvador da humanidade*, uso libre pintoresco uniforme. ¿Dariánme otra igual? Inténtelo y telegrafíe.

Y agur, que me mudo abrazándole.

Pereda

Santander 1.º de Mzo/86.

(*) Este borrón va fuera de abono; quiero decir que cayó al ir a plegar la carta. Perdone y adelante.

Ahora, y dejando en pié todo lo utilizado de la sarta de majaderías trascritas, dígame ¿como esta de influencias en el actual Fomento con estos liberalones imperantes? Dentro de unos días volverá despachado lo del *sustipendio* a ese ministerio, y necesito que el ministro diga «sáquese el camino a remate». Respóndame *en puridad* y pronto, que urge, y tambien a esta otra pregunta, ¿que hay de ese viaje de V. a la Jandalucía *(sic)*, que anuncian los periódicos? ¿Será como lo de mis *pasiegos*? ¡que murria tengo!

Si anda por ahí *Clarín*, un abrazo; otro a Armando, y otro a Montero Ríos (1) si afloja lo que persigue este su amº (de V.) que tambien le abraza

J. M. de Pereda

Voy a certificar esta carta a ver si me la roban tambien.

Santr. 2. 12/86.

(1) Eugenio Montero Ríos (1832-1914), político, jurisconsulto y escritor español.

* * *

9 de la mañana

La precedente carta fué escrita anoche, aunque lleva la fecha de hoy. Dos horas despues de cerrada me llamaban de casa de nuestro am° Andrés a quien iban a sacramentar. Me quedé espantado; pues le había visto por la mañana tomando chocolate en la cama, esperando a convalecer de uno de los frecuentes recrudecimientos que suelen acometerle en invierno de su catarro crónico. Parece ser que despertó medio asfixiado de un largo sueño que había dormido al anochecer. Le encontré ya confesado y animoso, pero muy grave. Entre otras cosas, me dijo que cuando le escribiera a V. le diera noticia... (aqui se calló). Preguntéle de qué, y respondióme que de su mal estado. Presumo que cosa mas grave y triste quiso encargarme, y quiera Dios que no llegue mi pluma a verse en la necesidad de traducirle a V. tan triste intención Me retiré de su casa a las 12 1/2, y quedaba el enfermo relativamente sosegado. Acabo de saber que pasó muy mala noche, me temo lo peor Le tendré a V. al corriente de lo que suceda.

Suyo

P.

Nota.—Sin fecha en este lugar.

* * *

Telegrama.

BENITO PEREZ GALDOS PLAZA COLON 2

MADRID SANTANDER

ENCOMIENDE A DIOS A NUESTRO AMIGO ANDRES

PEREDA

2-marzo-1886.

* * *

Mi querido amº:

A lo más urgente de sus dos cartas últimas respondí en un telegrama que ha recibido V., puesto que Zoilo (1), cuyo apellido ignoraba y le daba yo en el parte, recibió anteanoche carta de V.

La muerte del pobre Andrés, ha sido muy sentida aqui, y fué una prueba de ello la extraordinaria concurrencia a su entierro a pesar de lo lluvioso y desapacible del día. Tiene V. razón al suponer que a los íntimos nos habrá causado honda sensación aquel triste suceso. Es la primera vez que la muerte *se nos mete en casa*, y como eramos pocos en ella, la falta de uno deja un claro enorme sembrado de temores y tristezas. Para esparcirlas un poco en este momento, y despacharme con mayor comodidad, vaya un párrafo en telégrafo puesto que no le desagrada el procedimiento.

Comprendo chifladura por libreto *Zaragoza*. Gran pensamiento; y si estrénase Real, cuente viaje mío exprofeso, si vivo, aplaudir entusiasmo. Leí *Guante* Alfonso, y en carta primera extraviada, hablábale largo sobre materia. Suceso alcoba, detalles jolgorio en pluma tan *fina* propagadora idealismo, castaña. Salvo pachulí *gilife*, bien narrado caso.

Gracias nuevos propósitos abanico. Respetive, ruégole veáse Marañón que no escríbeme, y por si Alas marchase, recoja prenda y entréguesela para fines convenidos. Témome fracaso por demoras largas.— Otro favor reclámole: pues desconoce Montero y gentes Fomento, *quiero* vea, V. mismo, periodista Vicenti, yerno ministro, trátelo o no, con ruego mi parte interésese, calor, sáquese a remate consabida carretera tan pronto despáchese ahí tramitación última. Irá proyecto despachado aquí breves días y avisaréle momento oportuno dar acometida ministro. Vicenti gran privanza; embajador calibre V., cosa hecha. Escríbame conformidad para gobierno. Urge.

Poseo traducción Dª *Perfecta* remitida traductor. Cosa buena. Supongo remitiríale Oliveira Martins ejemplar *Historia da Civiliçao iberica*. ¿Avisóle recibo?. ¿Correspondió con remesa otra obra?. ¿Con que señas en

(1) Zoilo Somadevilla, amigo de Pereda.

sobre?. Entéreme para igual conducta.—¿Como dirígese carta traductor *Da Perfecta*?.

Semana toda entierros gente conocida. Esto y viaje a Polanco causa no escribir *Clarín*. Subsanaré falta. Déle enhorabuena conferencia Ateneo. Salúdele; a Armando tambien.

Silencio Marañón, háceme temer siga enfermedad señora, o extravío carta mía última. Por ello ruégole anticipe entrevista (San Marcos 3, 3º).

Suyo amicísimo

J. M. de Pereda

Santander 10 de Marº/86.

* * *

Queridísimo amº:

Suponiendo, y no es poco suponer, que haya V. recibido mi antior. del 10 y que se halle dispuesto a desempeñar el encargo que le propuse para Vicenti, adviértole que ha llegado la hora de dar la acometida, porque el expediente se halla en Fomento días hace. Parece ser que Marañón le conoce mucho tambien, y según me escribe *espontaneamente*, está dispuesto a hablarle, si lo juzgo oportuno. Le he dicho que si, y que se ponga de acuerdo con V. si le parece, puesto que le tenía encargada a V. la misma gestión. Podían desempeñarla juntos, y así tocaría menos molestia a cada uno, y el resultado sería más completo.

Y dígame, ¿es cierto que le presenta a V. el gobierno para diputado por Puerto Rico? Mucho, pero mucho, muchísimo celebraría que lo fuera y doblemente si, como tambien afirman los periódicos, iba en compañía del bonísimo Sellés.

Cuando vea a Armando dígale que recibí su carta y su novela, la cual he comenzado a leer con el regalado gusto que pueden VV. imaginar, sabiendo, como saben, lo mucho que me gusta lo bueno, particularmente cuando es obra de amigos muy queridos. Que leí a Zoilo Somadevilla las cariñosas frases que dedica a la memoria del inolvidable Andrés, las cuales agradeció aquel con toda el alma, y que le escribiré comunicándole *en caliente* mis impresiones tan pronto como termine la lectura.

Tambien recibí el tomo de cuentos de *Clarín*, quien segun me dice Armando, se ha largado ya a Oviedo. No sé si recibiría una carta que yo le escribí a esa fonda de las 4 Naciones.

Estoy muy deprisa y no puedo meterme hoy en otras *finiquituras*.

Avíseme resultado gestiones Vicenti, y mánde a su ap^do^

J. M. de Pereda

Santander 20 de Mar^o^/86.

* * *

Mi querido am^o^:

Bien sabe V. que no peco por el lado que V. sospecha en su carta del 2 que me he hallado sobre la mesa al volver hoy de Polanco. Lo que hay es que esta que yo traigo de un tiempo acá no es vida como la usual y corriente; porque en rigor de verdad,

> «Una pata tengo aquí
> y otra tengo en el tejado»

En cuanto mi hijo Salvador hubo convalecido de la insidiosa enfermedad que le acometió entre Abril y Mayo, se fué con su madre a Polanco, adonde llevé yo el resto de la patulea quince días después, resto que habíamos tenido en casa de mi herm^o^ desde que se declaró en la mía la difteria. Mientras viví solo en ella, como ahora, quemé ropas, pinté cuartos y barnicé muebles y estaban estas habitaciones como si por ellas hubiera pasado el famoso ciclón. Ya en Polanco toda mi gente, como no puedo alejarme mucho de mi herm^o^, voy los sábados y vuelvo los martes (como los canteros fuera de su hogar) hasta que en Agosto se decida mi herm^o^ a ir a Requejada, y me instale yo definitivamente en Polanco, donde he metido tambien la peste de albañiles y pintores, con el no se si desatentando propósito de bajar a la sala mi escritorio (¡ahora que no le necesito!). Ya verá V. cuando venga el lío en que me he metido. Pero por de pronto, imagínesele por un mom^o^ y vea si con él y con lo pasado y con verle yo a V. cerniéndo la mostaza en los Salones de Palacio y enjaretando *documentos* parlamentarios, aun sin contar la creencia en que vivo siempre de que no hay un mortal, *siquier* de pacotilla, que se apure por la falta de mis cartas, vea V. repito, si con todo esto no hay hasta sobrado para motivar y aun justificar mi silencio con V. sin necesidad de que exista pecado alg° de su parte que me haya inducido a la locura de castigarle... En fin, ya hablaremos si V. S. me lo permite. Entretanto, lo del abanico, y lo del plato... y todo lo de su casta, créame que ya me *giede* por envejecido y anticuado y fuera de sazón. Todo, menos lo del *sustipendio*, que aunque terminado felizmente en una larga serie de traslados, informes, etc. falta el *finiquito* que es la subasta, y el ministro se va a baños y la subasta no parece. Mis noticias son, y aun las he visto en una carta del ministro a Balaguer, que el camino será de los 1os que se rematen... Ergo, todavía le queda algo bueno que hacer en este asunto antes de venirse, si quiere hacerlo.

No se si podrá V. leer lo que antecede, porque por perder todas mis *facultades*, hasta he perdido la mecánica de escribir.

Conque hasta la vista, y spre suyo de corazón

J. M. de Pereda

Santander 7 de Julio/86.

* * *

Mi querido am°:

Por razones varias, que no le importarán a V. un rábano, me será imposible cumplir la palabra que le empeñé ahí de despedirme verbalmente de V. Lo siento en el alma, pero no lo puedo remediar.

Para que no me olvide en unos días después de su llegada a Madrid, le incluyo la filiación de un expediente que a la fecha debe andar por los laberintos de Gobernación, y le pido el favor encarecidísimo de que haga un esfuerzo para que se resuelva en el sentido que pretende este Ayuntamiento, con sobrada razón. Esto, sin perjuicio de que en cuanto llegué V. a Madrid me trabaje por lo fino lo del *sustipendio* consabido; es decir que se anuncie la subasta, autorizada ya, de esta carretera, con la advertencia (y es de suma importancia) de que al redactar el anuncio copien del expediente mismo el nombre de la carretera, que equivocaron al publicar el decreto de autorización. Segun éste, se trataba de un camino *de Requejada al barrio de la Iglesia de Polanco* (que es lo que está hecho ya por mi y recibido por el Estado) siendo así que se trata de lo que hay que hacer *desde el barrio de la Iglesia, de Polanco, a la Estación de Torrelavega*. En fin, lo que diga el libro.

Con ésto, y con recordarle a V. lo de las tres marinas (¿no fueron *tres*?) que me ofreció, y con un abrazo espiritual de despedida, le desea un buen viaje, su *camará* y amº del alma

J. M. de Pereda

Polanco 27 de Setᵉ/86.

* * *

Mi querido amº:

Tengo como un vago recuerdo de haberle escrito a V. desde Polanco antes de su salida de esta ciudad, y aun de haberle incluído en la carta una minuta de un expediente que *radica* en Gobernación, para que me lo recomendara eficazmente. Si la memoria no me engaña, confirmo la carta de punta a cabo, y añádole que «no bien me hube instalado en esta su casa» resolví con Pedraja la duda en que V. nos dejó sobre la moldura mas conveniente para la marina consabida, eligiendo una dorada de mucho relieve que le sienta a maravilla. El cuadrito, sin pizca de adulación, por la dulzura de sus tonos y otros muchos méritos que a la vista están, es una alhaja. Verdaderamente no contaba yo con tanto. despues de oirle a V. tantas veces, echar por los suelos la aptitud y los pinceles. ¡Cuantos se ganan la vida con ellos, y hasta con buena fama, que no son capaces de pintar eso! En fin, no es porque me dé otra tablita mas, pero Dios le aumente sus muchos talentos.

Si no le parece una enormidad la pretensión envíeme «dos rasgos cadmeos» sobre el tema que más rabia le dé, y añada otros pocos para enterarme del estado en que lleva su novela etc. etc.

El amigo Martínez consiguió lo que pretendía a fuerza de fuerzas, en la sucursal de Almeria. Y por cierto que si a correo vuelta no recibió V. una carta de gracias por lo hecho en su favor, yo tuve la culpa, pues le dije que *cumpliera* con los señores de mayor compromiso, que con V. ya me entendería yo. Conste así, aunque no sea necesario con hombres como V... Y antes que se me olvide: Lemus (1) tendrá muchísimo gusto en que V. acepte un ejemplar de su Cristo grabado. Conque si no se le ha enviado a V. a estas horas, reclámesele de mi parte, es decir, por indicación mía, pues es seguro, si no está ya en poder de V., que se lo han impedido escrúpulos de modestia.

Entretanto, por los puntos de esta pluma no pasa un alma, y el montoncito de cuartillas que me traje de Polanco, así se está tan guapamente sin apurarme gran cosa por ello. Dígole esto por no tener otra cosa de que hablarle.

Suyo sp^re^ de corazón

J. M. de Pereda

Santander 21 de Oct^e^/86.

* * *

¡Pero que país, mi señor D. Benito, y que administración! Llegó el expediente a que se refiere la carta de Correa a V. en el cual expediente se trata de si el allanamiento de la presa de un molino, perteneciente a un tal Pedro Díaz, ha de pagarle el Ayuntamiento de Polanco que le decretó por consejo de la junta local de Sanidad y a excitación del gobern^or^ de la provincia, o la diputación provincial. Este pleito es el que ha de fallarse en el Ministerio de la Gobernación. Y ¿a que cree V. que ha venido el expediente a esta sección de Fomento, al cabo de los meses que se ha pasado ahí durmiendo tan descuidado y tranquilo? Pues a que se ventilen y aclaren con la mayor escrupolosidad, no se que contradicciones de fechas que aparecen en los oficios cruzados entre este gobierno y el alcalde de Polanco al comunicar a éste el acuerdo que motivó su alzada. ¿Le parece a V.? Exactamente el caso del infeliz de marras que gemía en el fondo de un pozo. Acercóse un traseunte que lo oyó y comenzó a preguntarle quien era, que edad tenía y como y porqué se había caído.—«Hombre de Dios, clamó el de abajo, por de pronto, ayúdeme a salir de aquí, que es lo que importa; de lo demás, ya hablaremos afuera».

---

(1) Eugenio Lemus y Olmo, pintor natural de Torrelavega, nacido hacia 1845, discípulo de don Carlos Luis de Rivera; fue pintor de láminas publicadas en *El grabador al aguafuerte* (1876).

Manden VV. a presidio, señores de Madrid, al alcalde de Polanco, y ahorquen, si les parece, a estos funcionarios de Fomento; pero digan, sin perjuicio, quien debe, en justicia, indemnizar a Pedro Díaz si el Ayuntamt^o^. de Polanco o la Diputación Prov^al^, que es el fin que se persigue en esos autos.

Ahora bien, mi señor D. Benito, el expediente, «evacuado» el informe, y a gusto, naturalmente, del informante, que, por cierto, es una persona apreciabilísima, ha sido devuelto, tres días hace, a ese ministerio. Urge, por tanto, que me haga V. el nuevo favor de suplicar al Sr. Correa que le despachen pronto, y si cabe en ley, como resulta de los autos y particularmente de lo alegado por el alcalde de Polanco en su instancia al Ministerio de la Gobernación, condenar a esta Dip^on^ Prov^al^ a que indemnice al Pedro Díaz. No estará demas que interese V. también en el asunto a ese su amigo de la infancia. Crea V. que lo que se pide es no sólo acto de justicia, sino obra de caridad. Avíseme el resultado de sus primeras gestiones.

El recado que me daba V. para el arquitecto, le transmití a su herm^o^ Eduardo inmediatamente. Mande otra cosa... y a su tiempo, esos cuadros que me ofrece, y que tendrán para mi, como este que ya poseo, dos valores a cual mas inapreciables: el artístico, *per se*, y el de las ilustres manos que los pintaron. ¡Toma canela final!

Que está V. metido en un lío del cual no sabe como salir; tres tomos de lío. Eso, eso es lo que envidio yo; lío, mucho lío; precisamente por que lo que me mata y consume es todo lo contrario: una sequedad axfisiante: el no ver nada, no saber por donde encaminar la pluma: todo es negrura y silencio para mí. Y ríase de miedos a la caída, miedo que jamás tuve, porque nunca me juzgué levantado. ¡Moldes envidiables yo! Y esto me lo dice quien tiene en casa una fábrica de ellos! ¡Ay, compañero del alma, y como me hace dudar de la sinceridad de otros aplausos suyos menos ruidosos, cuando dice que envidia en mi prendas que no poseo!; y entienda que lo que ahora me desconsuela no es que no salga a mi gusto lo que intento, es que no sale ni bueno ni malo, que no anda la máquina; ¿lo quiere mas claro?

¿Ha leído V. la autobiografía de la Pardo Bazán que precede a su novela *Los pazos de Ulloa*? Anoche recibí el tomo, y hojeando hojeando, me pareció aquella mucha tela para engullida de pronto, y lo dejé para cuando tenga «más vagar».

Vengan luego unas letras con noticias del parto feliz a que está abocado, y eso servirá en parte de consuelo al hambre de este su envidioso am^{o}

J. M. de Pereda

Sant^{r} Nov^{e} 9/86.

* * *

Mi querido am^{o}:

Allá van, y de muy buena gana, los *rasgos* que desea; pero conste que los últimos cruzados entre ambos, si el correo no hizo otra de las suyas, fueron míos. Por consiguiente, y según todos los indicios «el culpable sois vos». De lo cual no me extrañaba mayormente, porque tras de ser el suceso maña vieja en V., considerábale braceando en el revuelto mar de cuartillas que han de devorar los 4 tomos de la novela en prensa. ¡Bendito sea el Señor! Unos ahogándose entre sobras de jugo creador, y otros pereciendo de secura, con el cerebro entre tinieblas espesas y sin esperanza de que apunte la aurora en él! Venga cuanto antes ese primer tomo, y déjese de recelos de que no haya lectores para los otros tres, pues demasiado sabe V. que eso no puede ocurrir.

Resolvióse, en efecto, el caso de Polanco en ese Ministerio de la Gobernación; y como yo me lo temía, al revés de lo que deseaba y le afirmó a V. el Sr Correa. Pretendía el pueblo, fundandose en razones que me parecían de algun peso, que indemnizara esta Diputación a P. Díaz por la ocupación de su molino; y el Sr. Correa resolvió que le indemnizara el Municipio, con el item mas, de una dura reprensión que le larga en tono pedagógico por no sé qué desconocimiento de pluma de aquellos rústicos ediles «a sus superiores gerárquicos» *(sic)* (¡puf!)... En fin, lo de siempre.

Los pazos (1) me han parecido la mejor novela de la Pardo, con capítulos de una belleza indiscutible, sin que parezca por toda la novela señal alguna de ese pujo de sectaria artificiosa del naturalismo convencional al uso, que tanto la perjudica en otras. Así se lo he dicho, o dado a entender, al escribirla. Lo que refuto por insoportable e indigerible es

(1) *Los Pazos de Ulloa*, de Emilia Pardo Bazán.

la autobiografía del principio; aquello, salvo la forma y el *argumento*, es de una cursilería semi estúpida que tumba de espaldas. Sobre estas páginas del libro no le he dicho ni una palabra, por temor a soltar una desvergüenza.

Sé por los periódicos que Armando esta ahí, con las alforjas atestadas de cuartillas. Déle un abrazo, y llore por mí la desventura de ser yo el único de la clase que pierde curso este año, y no por holganza, sino por incapacidad.

¿Sabe V. que al fin se anunció la subasta del caminuco mío?. El 25 de este mes se rematará en esa dirección de O. P.

Desde que no nos vemos, he tenido a los cinco hijos con sarampión, cuatro de ellos a un mismo tiempo. Una clínica completa. Dios me los sacó con bien, y en ello tuve la recompensa de los primeros sustos.

Suyo de todo corazón

J. M. de Pereda

Santander Feb^o 15/87.

* * *

Mi querido am^o:

Acaba de salir de esta su casa nuestro am^o el Dr. Vega (D. Ramón) el cual vino á verme con la pretensión de que yo me interese con V. para lo siguiente:

En el concurso celebrado en toda España para formar el cuerpo de Sanidad Marítima, o como se llame, ha sido clasificado dicho médico con el n.º 4 entre todos los concursantes. Desea, como es natural, que se le conserve y mantenga en la Dirección de este puesto la cual viene desempeñando hace 10 años; y aunque es de suponer que eso se haga con él y con cuantos como él tienen derecho á una dirección de 1ª clase, es decir, que se les confirme en la que han venido desempeñando hasta ahora, por lo que pueda tronar pretende que V. le recomiende en esa dirección general, y que, como ya le he dicho, le trasmita yo su pretensión con el mayor encarecimiento. Así lo hago, Sr. D. Benito, á sabiendas de que á V. le muelen estas cosas, y hasta pretendo que me conteste V. algo que yo pueda mostrar al interesado en testimonio no solamente de que le he servido, sino de que V. me ha servido á mí. Así está el mundo y no por culpa nuestra. Conque, un poquito de resignación y dígame de paso cuándo acaba de salir esa novela dichosa. Tengo sobre la mesa lo menos diez, recibidas en menos de 15 días. Entre ellas *Maximina*, de Armando Palacio, que es la última que ha llegado. Pásmese V.: aún no la he leido... ni tampoco las otras.

Le escribí a V. hace días respondiendo á su última carta. Vengan esos cuatro *rasgos* que me debe hasta por cortesía y mande a su amicísimo

J. M. de Pereda

Santander 11 de M^zo^/87.

* * *

Mi querido am^o^:

No se enfade más de lo que parece haberse enfadado conmigo, ni me riña por lo que voy á decirle porque yo no tengo la culpa de que las gentes le crean hoy á V. omnipotente, y á mí su niño mimado.

Sin haber tenido el gusto de recibir las cuatro letras que le pedí con encarecimiento para demostrar á Vega que le había servido yo, acercóseme ayer este Mariano Zumelzu con la pretensión de que le escribiera á V. recomendándole que *hiciera algo* en favor de su hijo Pepe, que se halla ahí haciendo oposición á una cátedra de lengua inglesa. Como estas pretensiones, no por lo que me molestan á mí, sino por lo que le cargan á V., me saben á rejalgar, para despachar mal la de Zumelzu, le conté el caso de Vega; insistió sin embargo, en su empeño; y por que no creyera otra cosa, accedí a dar una carta de presentación que le entregará en propia mano el opositor D. José Zumelzu, excelente chico por lo demás, y muy merecedor de la prebenda que se disputa ahí. Hágame pues el favor de recibirle con la bondad que acostumbra, y si después de oirle puede prestarle el auxilio que solicite, yo se lo agradeceré mucho y él mucho más. De todas maneras, perdone esta nueva incomodidad que le proporciono y que no está en mi mano evitarle, y téngame siempre por su ap^do^ am^o^

J. M. de Pereda

Santander 2 de Abril/87.

* * *

Mi querido am^{o}:

El que también lo es muy mio, D. José Zumelzu, que actualmente se halla ahí haciendo oposición á una Cátedra de Inglés, entregará á V. en propia mano esta carta, en la cual doy por reproducido cuanto dije á V. en la que habrá recibido por el correo, referente á la pretensión del Sr. Zumelzu, quien al tener el gusto de saludarle podrá facilitar á V. el trabajo que solicita, concretándole los puntos que más le interesen, y siempre en el supuesto de que sea compatible lo que él desea con lo que V. pueda.

Le anticipa las gr^{as}, y le envía un abrazo su amicísimo

J. M. de Pereda

Santander 2 de Abril/87.

* * *

Mi muy qued^{o} amigo:

Por un suelto de *El Imparcial* he visto que se han confirmado los temores que le preocupaban a V. al escribirme su última carta. Imaginándome sin gran dificultad y por una larga y triste experiencia de sucesos análogos, lo que habrá pasado y estará pasando por el ánimo de V., le pongo estos renglones para suplir de mala manera la falta de un apretadísimo abrazo que no puedo darle desde aquí, callándome de propio intento el impertinente fraseo del ritual al uso en casos tales.

Tenga la bondad de hacer extensiva á toda su familia, á cuya pesadumbre se asocia esta mía después de haber encomendado á Dios el alma de su Sra. Madre (q. e. g. e.) esta *muda* pero cordial expresión de sentimiento; y dejando para otro día la más risueña tarea de hablarle a V. de su última hermosa novela cuyo 2.º tomo estoy leyendo, queda deseándole tranquilidad de espíritu y salud completa su ap^{do} am^{o}

J. M. de Pereda

Sant^{r}. 3 de Mayo/87.

* * *

Queridísimo am^{o}:

Aquí estoy todavía y sin saber hasta cuando, porque lo de la viruela va poniéndose serio en Sant^{r}, y sería una temeridad mudarme allí de golpe con toda la chiquillería tan sana y tan contenta como la tengo. Para hacer más llevaderos los ratos mientras llueve y apriete el frio, matamos el cerdo anteayer; pero como hay más horas sobrantes que *chones* á la mano, hé resuelto un poco de obra de cantería *á subio*, y con esto y las tres chimeneas ardiendo en casa, iremos tirando hasta donde sea necesario. De todas maneras no nos hubiéramos ido de aquí hasta mediados de mes, porque yo necesito esos días para orear un poco la cabeza y entonar el cuerpo descuajaringado, después de la encerrona de dos meses que he tenido, con él inicuo propósito de escribir la novela por que V. me pregunta, haciéndole unos honores que no merece la muy condenada ¡Qué mala es!

Pero salió, que era mi empeño, y en Madrid debe de estar á estas horas. Mi propósito es que se publique en lo que falta de año.— Hará un tomo, pliego más ó meno, como el de *P. Sánchez* y consta de dos partes, á cual peor. La segunda puede resultar hasta cursi. Los siete primeros capítulos de la 1^{a}, escritos en enero en Sant^{r} arrastrando la pluma, aunque deshechos aquí y refundidos no han podido perder aquella insipidéz que les imprimió el disgusto con que fueron escritos. Son insufribles... y los siguientes, poco menos. En fín, V. lo verá; y quiera Dios que yo me equivoque. Lo cierto es que desde el chasco de *P. Sánchez* no me atrevo á perder completamente las esperanzas de que *pase* este libro sin costarme una silva *(sic)*.

El asunto ya le conoce V. Es, como si dijéramos, la vida y milagros de una señorona de copete; asunto digno de la maravilllosa pluma que pintó a *Fortunata*, y echado á perder por esta mala estaca con que le escribo los cortos y confusos renglones que va leyendo.

Ahora comienzo á vivir y a enterarme de lo que ha pasado por el mundo desde el 15 de Agt^{o} al 25 de Oct^{e} y sé que *Clarín* publicó el folleto de que V. me habla, pero no le he visto, ni le tengo siquiera. Pienso encargarle.

Siento que se haye V. todavía sin *salir de su cuidado* de *Noviembre*

¿Por qué no utiliza el asunto aquel tan donoso de *La Funeraria*, de que V. me habló en Sant[r]?. Considere que es V. irremplazable de el libro de L. Alfonso (1), y decidáse, cerrando los ojos y *á lo que salga*. Eso hice yo.

Dígame algo de sus proyectos literarios para este invierno y de los que conozca de los amigos noveleros; aunque ni estos ni yo, si tuviéramos vergüenza, debiéramos escribir cosa que á novela se pareciera después de haber leído la última... y las anteriores de V. Sabe que le quiere tanto como le admira, que ya es querer, su am[o]

J. M. de Pereda

Polanco 6 de Nov[e]—/87.

* * *

¡Qué he de estar en Santander mi señor don Benito!. Bueno está aquello para pensar en semejante cosa. Quince días hace tuve preparado el viaje; pero saltó un caso de viruelas en mi misma escalera, en la criada del cuarto piso, que, por cierto es de Polanco y aquí está convaleciendo tres días hace... y vaya V. a saber cuando estará la *Casa* en disposición de que volvamos allá sin grandes riesgos. Aqui continuamos y no nos dé Dios mayores pesadumbres que sufrir.

Viniendo al asunto de su carta, muy estimada del 25 dígole que V. y Marañón son muy dueños de hacer mangas y capirotes de *La Montalvez*, cuanto más de públicar capítulos suyos en esos periódicos; y que en anticiparse V. á ofrecer uno al Sr. Mellado, no ha hecho V. más que disponer de lo que le pertenece en absoluto, honrándome en ello demasiado. En cuanto á la elección, que dejan á mi cuidado, no sé qué resolver. Los capítulos que no quitan ni ponen á la novela y que mejor pueden leerse separados de ella, me parecen todos de una insipidez inaguantable; y los restantes, que son pocos, aclaran demasiado las cosas y desfloran el escaso interes que ha de hallar el lector del libro. Por esta razon no les aconsejo que publiquen el 1[r] capítulo de la 2[a] parte, único que daría

(1) Se refiere al relato de Galdós, *Celín*, subtitulado *Noviembre*, y publicado luego en 1889 en un libro que con el rótulo *Los meses* publicó la casa Heinrich de Barcelona. Galdós recogió luego Celín en *La Sombra*. En la publicación de Heinrich esto está fechado en «Madrid, Noviembre de 1887», por tanto el mismo mes de esta carta; sin embargo, debió antedatarlo porque en diciembre Pereda insiste sobre ello de nuevo.

algun juego ahí. Por ser algo *picante* y ligero y no resolver grandes cosas me decido á recomendarles el 9.º de la 1ª parte; y me permito recomendarles que sea de esta misma parte de la novela el otro que elijan V. V. de los pliegos sueltos que va recogiendo Marañón... en fín, hagan V. V. lo que les dé la gana, menos leer V. el libro á retazos; esto se lo pido con gran encarecimiento, porque, créamelo, es insufrible la pesadez y la insustancialidad y hasta la inocencia de la mayor parte de él. Supongo que la publicación de esos capítulos, íntegros por descontado (condición inquebrantable) coincidirá con la aparición del libro. Una advertencia para su gobierno: tengo comprometido en *El Atlántico* el 1r capítulo de la novela ¡Buena ocasión han elegido los periódicos, ó los amigos, para exhibir *muestras*!

No me es tan fácil acceder a la 2ª petición del Sr. Mellado; no por falta de deseo, sino de fuerzas y de humor para cumplir lo que le ofreciera. Quédese, pues, el asunto en *veremos;* y si algún día sopla la musa, que ya me va abandonando: *veremos*.

Enteré á Aurelio del recado que me daba V. para él.

Bueno que descanse V. todavía del parto colosal de *Fortunata* antes de meterse en otro por el estilo, y por lujo de higiene, pues, en rigor, á V. no le quebrantan esos *sacudimientos* de su *naturaleza literaria;* pero el *Noviembre* de *Alfonso* ¿por qué no le despacha, indolente de Satanás?. Póngase á ello y saque á ese pobre de la agonía en que debe tenerle.

Ya sé que está ahí *otra vez* nuestra amiga coruñesa. Que sea enhorabuena.

¡Si viera V. que bien me saben en esta soledad las cartas de los buenos amigos perezosos! No lo digo por obligarle á V. á que me escriba; pero bueno es que sepa que con alegrarme tanto en todas partes la vista de la letra de V., aquí me sabe á gloria.

Esta vez me tocará *aguantar* aquí la aparición del libro. Tanto mejor para no sentir los desaires que le esperan á la pobre señora; porque por bien que vaya la cosa en Santander, no es posible que se barra la peste en todo este mes. Sírvale de gobierno por si tiene la bondad de dedicarme algunos *rasgos cadmeos*.

Y con esto no cansa más su apdº amº

J. M. de Pereda

Polanco 5 de Dice/87.

* * *

Querídisimo am°:

Por fin y si *lo* de Santander no da un nuevo salto atrás, el próximo miercoles 11 levantaré este campo y me trasladaré con la familia á mis cuarteles de invierno; con lo cual queda advertido que su carta de V. del 19 de Dic^e aún fué recibida en esta soledad con los debidos honores.

Por ella sé que *al fín (bis)* había V. *alumbrado* Noviembre con lo cual, tras de lo que gana el libro de Alfonso, le evita á este el *alumbramiento* del propio retoño que con todas sus adherencias hubiera volado por los aires al estallar el pobre amigo de pura ansiedad. Sobre el valor de la obra... «á tu abuela» con lo que me cuentas de él.

Lo que no tiene cura y va á parar en algo malo si Dios no lo remedia pronto, es esta zozobra mía que se siente (1) aumentada con la inesperada dificultad que le ha saltado á Tello para echar á la calle á la señorona. Resulta ahora que los últimos pliegos impresos no acaban de secar y esto imposibilita la encuadernación de los ejemp^rs. A mi me mandó 4, secados al *brasero*, por regalo de fin de año. Tres estan en poder de esta gente de casa y el 4° se le envié á *Clarín*, que a estas horas estará leyéndole ¡Los pelos se me ponen de punta al considerarlo! Ya le hé dicho que si halla algo plausible ó disculpable siquiera, eché el párrafo en caliente; porque esta vez hasta me falla O. Munilla.

Hombre, y á proposito de este, y en mucha confianza, la Doña Emilia ha llegado al paroxismo de la *publicidad.* Yo me la imagino en sus *funciones* de cronista de la romeria... y vamos llega á darme hasta compasión. Eso es ya el *guiso casero* del arte, hasta para un hombre, cuanto más para una dama y con humos de encopetada. No me asombraría ya la noticia impresa de que se la había visto, como la Espartacus de Sauvestre, discurseando sobre la novela china desde el pilón de la Puerta del Sol.

Y aquí lo dejo para que no me llame V. maldiciente.

Aunque un poco tardías, vayan las indispensables y reglamentarias felicitaciones pascuales y de *entradas* y *salidas de año;* es decir, délas por

---

(1) «Siente», de lectura dudosa.

declaradas aqui, pues ni siquiera sé como se plumean *finamente* esas cosas; y ahora, quédese con Dios, y cúmplame la palabra que dá al fin de su carta última de volver á escribir pronto á este su *fino* am°

J. M. de Pereda

Polanco 7 Enr°/88.

* * *

Queridísimo am°:

Quedaba V. el 9 de éste en el 8° capítulo de *La Montalvez;* estamos á 30 y aún no se si ha concluido de leer el libraco, ó si es tan mala la impresión que le ha dejado la lectura, que no se atreve á escribirme. Hace mal en ser tan reservado conmigo, que ya soy viejo, y nunca me prometí de nadie un aplauso para ese fárrago de psicologia pedestre, y ramplona. Créame, compañero, me tiene como espantado, no el silencio de la prensa, porque ya sé como las gasta esa grandísima puerca, sino el de los amigos que *deben* haber leído el correspondiente ejemplar. Ni una palabra sé de ninguno de ellos. Concédame que hay para temer algo peor que el *aprobado por empeños*, con que ya contaba yo. Para ayuda de males Ortega no ha estado en Madrid en el momto oportuno, y *Clarín* va á escribir, no se en que tono, en *La Justicia*, periódico sin lectores.

Díjome, no se quien, que *acaso* publicaría V. algo anónimo en *El Correo*. Si le pasó tal idea por la cabeza antes de leer el libro, dudo, temo, mucho, que después de leerle persista en ella. Hábleme, pues, en un par de *rasgos* y hábleme *en verdad*, siquiera para que se rompa el encanto de este impenetrable y negro misterio.

En cambio aquí se ha hablado con exceso. Cayó el libro como yo no lo esperaba; y a los 300 y pico de ejmrs despachados dieron en decir cuatro gazmoños, no de sotana, pues los que las gastan le han tomado como libro *ejemplar*, y hasta le recomiendan, sino de la clase de *gomosos*, que era *inmoral*... y a Dios con la cobrada (1)! Cundió la especie de casa en casa, alarmándose las señoras, y pusieron á la obra en entredicho. En esto acabó de leerla el P. Coloma, gran fustigador del gran

(1) De lectura dudosa.

mundo, escribióme poniendo el libro en las nubes hasta como *edificante;* consideré la carta como llovida del cielo y, con la debida autorización, eché á la calle lo más contundente de ella en lo relativo á la moralidad... y santo remedio. Si le dijera á V. que al frente de esta falange de fariseos estaba Amos Escalante (1), que hasta me asaltó en la calle de la manera más brutal y descompuesta, ni lo creería V. Pues es la pura verdad... Y quizás por eso sólo publique la opinión del P. Coloma.

Y basta de estas chapurrerías. Vengan esos dos renglones sobre lo consabido; y si me da por añadidura media docenita de ellos para contarme qué escribe ó qué proyecta, eso más tendrá que agradecerle su apd^{o}

J. M. de Pereda

Sant^{r} 30 de En^{o}/88.

Cuando vea V. á Mellado (2) déle las gr^{as} por su *imparcialidad* y fina cortesía con V. y conmigo. ¡Qué madera de hombres!.

* * *

Plaga por plaga, mi señor D. Benito, no sé si, puesto á elegir, me quedaría con el lumbago que se ha rascado (3) V., ó con el trancazo que me ha tenido á mí dos días en la cama y otros tantos gateando fuera de ella y escarbando para echarme. Hoy me levanto; y con mal pulso y la cabeza hueca, quiero dedicar cuatro rasgos de consideración y respeto a los que V. consagra, aunque sacados á tenaza, á mi malaventurada *Montalvez*.

Recordará V. lo que le dije antes de públicarla. Me había metido en honduras extrañas y en atrevimientos insensatos, y temía que resultara insoportable lo primero y cursi lo 2.º y esto se lo repito no como comprobante de lo fundado de mis temores, sino como observación á su dictamen terminante de que mi novela «es obra de tesis». Podrá haber resultado así, pero yo puedo jurarle á V., que no fué esa mi intención. La obra, créame V. o no me crea, no es más que un alarde más ó menos tonto de saber hacer algo que no había hecho jamás y que los sabios de la crítica me habían pedido algunas veces: análisis psicológico y *movimiento de*

(1) Amós Escalante y Prieto (1831-1902), literato montañés.
(2) Andrés Mellado (1846-1913), periodista y político español.
(3) «Rascado» de lectura dudosa.

afectos y pasiones. Yo quise dar por añadidura algo que siempre me ha sido insorpotable en el género *fino*, y dí el idilio de Luz, extremando de propio intento su naturaleza medio divina para hacer mayores las dificultades de sacarle adelante sin detrimento de la salud del lector. Esto sólo me propuse, y cuanto aparece en el libro hasta llegar á mis fines, lo he ido pescando en el camino tal como lo veía según iba andando por él, libre de toda traba y de todo *prejuicio*, como ahora se dice. Resultará, pues, de ésta sincera confesión, que también en esto me há salido la *burra capada*, pero creo tener en ella una razón para pedirle á V. que deje mis intenciones a salvo de ese anatema.

Y ahora dígame, y se lo agradeceré mucho ¿cual es el final que V. hubiera preferido, y la ocasión en que me vió a pique de caer en él?. Entre tanto, pónganse de acuerdo sobre el particular V., *Clarín* y Marcelino. Según este, el idilio es un asombro, es decir, lo sería si Luz no pidiera cuentas de sus pecados á su madre, después que ya los conoce por el anónimo de Leticia, con lo cual, á mi entender, perdería el guiso toda la sustancia, y el cuadro todo su color trágico. Según Clarín, el idilio es lo mejor del libro el cual es «todo luz y color» «desde que Luz aparece y se enamora». En fin, habría para volverse loco el hombre más cuerdo, con el empeño de complacer á todos por igual, a no empeñarse en repartir onzas de oro. De todas maneras, yo me felicito de esas discrepancias expuestas con tan cariñosa sinceridad, porque con ellas me atrevo á creer que puede no haber resultado cursi del todo el atrevimiento; y del mal el menos. Lo del final de la 1ª parte, me gusta verlo aplaudido por V., porque me había permitido exceptuarlo de la condenación que había hecho yo de todo cuanto le precede en el libro. Tiene indudablemente algo que no merece el *altivo* desdén de los *maestros* de la gacetilla madrileña con que se han dignado castigar mis atrevimientos de provinciano: da gloria ver á esos pseudo gomosos de la vía pública, atiborrados de las novelas de *López Bago* (1) y de la Biblioteca del *demi-monde* llamarse de pronto á las faldas de las señoronas encopetadas cuyos vicios conozco yo por las relaciones de ellos, y hacerse o hacer ascos á mi novela. Hay que renegar de ser hombre en ver que también lo son esos caballeros.

---

(1) Eduardo López Bago, novelista conocido por su exageración de los procedimientos fotográficos del naturalismo y su pésimo gusto. Puso a sus novelas el subtítulo de «Estudios médico-sociales».

Débole á V. en conciencia otra confesión que también abona lo que le he dicho sobre mi falta de intención de escribir una obra de tésis. Cuando corregía las pruebas de la *Montalvez*, caí en la cuenta de que resultaba *todo* el gran mundo de un mismo color; y aunque no es mucho lo bueno en él que yo concedo, la omisión de ello en el cuadro quitaba lealtad a la pintura. El reparo de V. confirma mis temores de entonces; pero ya no era ocasión de subsanar el inconveniente... ni en rigor de justicia valía la pena... ¡Es tan poco lo que no es podredumbre ó, cuando menos ridiculez!...

Mucho siento que haya V. renunciado á su proposito de públicar ahora lo que escribe para America referente al libro. Cierto que es tentadora la oferta de publicar más tarde toda la carta; pero ya verá V., como al fin, no hay carta mañana ni fragmento de ella hoy. Hay libros desgraciados y el de marras es uno de ellos.

Clarín, comenzaba, 21 días hace, á escribir un *largo artículo* sobre *La Montalvez*, para *La Justicia*. Esta es la hora en que no tengo noticias de que se haya públicado... ni de que se haya escrito. ¡El único con que contaba!

Gracias á que la venta es buena, y con ello se demuestra que el público sencillote va tragando el libro; que sino era cosa de colgar la pluma y echar á la m... el oficio...

Hasta aquí pude llegar esta mañana, con grandes trabajos, porque se me *iba la vista*. Dejélo en tal estado sin otro perjuicio que perder el correo de hoy, que poco importa y vuelvo a tomar la pluma esta noche para pedirle perdon por él *sólo* montalvesco que le he dado sin poderlo remediar, porque estos rasgos de *mala crianza* son gajes del oficio en *temperaturas* como la mía; decírle que se murió Dehesa á las cuatro de la mañana despues de una agonía de ocho días; que le hé comprado dos paisajes á Riancho (1) y encargado dos marinas a Campuzano (2); que es posible que el 1.º de marzo vaya (yo) a Miranda de Ebro á comprar tres mulas que necesito para sustitución de las que tengo ahora y ya no corren á mi gusto; que estoy estudiando en los Hijos de Corcho el modo de elevar el agua al depósito de mi pozo de Polanco sin la bomba ramplona «aspirante e impelente» de nuestros abuelos único sistema corriente aún,

---

(1) Agustín Riancho Mora, pintor montañés.
(2) Tomás Campuzano y Aguirre, pintor y grabador montañés.

y que me ha consumido la sangre y el bolsillo durante la última larguísima temporada; y preguntarle á V. si le parece que con aquellas ocupaciones y estos *problemas* en el majín estaré yo para pensar en *La Puchera*, ni en la pluma con que se escriben esas cosas, ni en el arrastrado oficio de *novelador* en el que á la hora presente me c. si no me le hiciera V. tan sagrado. En fin viva Cuba libre! y escriba aunque sea para mandar a la carcel á su amicísimo

Pereda

Santander 9 de Fb°/88.

* * *

Mi querido D. Benito:

Siento en el alma que me haya tomado la delantera con su grata del 28 y recordado en ella que le debo contestación á otra más larga, cuando ya estaba yo empuñando el *cálamo* para cumplir esa gratísima obligación (¡Canario, y qué *fino* me salió esto!).

Pues sépase V. que toda la tardanza, ó casi toda ella, ha consistido en que no daba yo con el modo de contestarle sin mencionar siquiera á *La Montalvez*, nombre que tengo atravesado en el gaznate desde mucho antes que ciertas cosas me le hicieran aborrecible; pero que desde un mes acá es cosa de ahogarse con él. Bueno, pues ahora resulta que me anuncia V. la publicación de su carta respectiva al caso; y precisamente pensaba comenzar yo la mia diciéndole á V, que fuera de esa mención, que por ser de V. vale tanto como una ejecutoria, y que yo aguardo con lícita vanidad, aunque me ponga á la obra de oro y azul, cada artículo trasnochado y de compromiso que sale á luz acerca de mi libro, ó cada noticia que me dan de estar otro en preparación, me produce escalofríos. Mi amigo Marañón no se persuade bastante de esto, y no sabe él cuanto me contraría de ese modo. En los primeros días, todo aprovecha á un libro que aparece; meses andando, los bombos desautorizados, perjudican: son como limosnas de pordiosero. Esto pensaba decirle á V. y además, que me dejaron más satisfechos los refranes oportunísimos y y espontaneos de su prim^a^ carta, que las atenuaciones que les pone V. en la 2^a^; señal de que pudo V. imaginarse que no me sentara bien aquel juicio, tan de mi gusto, por lo mismo que me le mostraba V. por las dos caras, única vez que V. lo ha hecho conmigo y que me ha dejado completamente satisfecho. Puedo jurárselo. Lo que yo le dije al responderle, no era más que enseñarle el fondo de mis intenciones al escribir el libro; y en cuanto á la pregunta sobre el desenlace que á V. se le había ocurrido, tampoco llevaba otro alcance que el deseo sencillisimo de convencerle. Por cierto que no ha querido V. satisfacer mi curiosidad, y lo siento mucho.

Para concluir de una vez este empalagoso asunto: leí la *cosa de* Munilla (1) á que V. se refería en postdata, sin haberla leido todavía. Acá para internos, mi señor D. Benito, si aquello no es una estupidez, es una canallada; y casi me inclino á lo último, porque no dan de si deducción más honrada lo de mis aficiones á la «groseria» de los chistes y á la *barbarie* de mis convecinos, y lo de las «sandeces» de que están plagadas mis *Escenas Montañesas*, con motivo de haber mencionado el título de un libro mio en el cual se trata del gran mundo madrileño. Ha querido jugar por tablas sin duda alguna, el grandisimo... En fin, punto redondo, pero no se asombre V. cuando me oiga insistir en que ese Madrid tiene *ciertas cosas* que me le hacen insoportable.

Supongo que no tendrá V. inconveniente en que *El Atlántico* reproduzca la carta de V. Dígolo, porque cuento con que ha de hacerlo tan pronto como la atisve *(sic)*.

Aurelio quedó enterado de lo que para él me decía V. y reconocido á su *fineza*.

Creo haberle dicho á V. en alguna de mis últimas cartas, que pensaba ir á la feria de Miranda, a comprar tres mulas. Pues no pude ir, porque lo impidieron los temporales que hemos corrido, y aun colean; pero fué mi cochero, bien recomendado á un señor de alla, y las compró. No son lo que yo había soñado, pero son cosa buena, y serán mucho mejor cuando llegue la época en que pueda V. comprobarlo sobre el terreno. No tienen más que tres años y son rojas.

Le hablo á V. de estas cosas, porque son las que ahora me preocupan, con el item más de unas marinas que me está pintando Campuzano y los preparativos de la instalación que prepara La... (2) para la exposición de Barcelona. Y así se va viviendo tan guapamente, salvo el achaque de acá y de alla, que no tiene enmienda.

(1) Se refiere a José Ortega Munilla.
(2) Ilegible.

Y ahora, dígame: ¿púso ya la quilla á la novela del año?. ¿Sabe algo del que pensaba dar á luz el amº Alfonso? ¿O resulta que después de ahogar con apreturas á los colaboradores, es él quien se há quedado atrás?.

Hace muy pocos días recibí un ejemplar de *L'ami Manso* regalado por el traductor, Mr. Lugol (1). Se le agradecí mucho.

Déme noticias de sus trabajos *cadmeos*; acabe de matarme á Cassola, eché pronto á la calle la epístola argentina que está corrigiendo, escríbame, y mande á su apdº

J. M. de Pereda

Sant[r] 30 de Mzº/88.

* * *

Mi querido amigo:

También esta vez me ha tomado V. la delantera, y dígo «también» porque debe V. haber recibido otra carta mía en la que yo le decía que estaba pluma en ristre para escribirle cuando me recordó V. que le debía una respuesta. Si ayer no hubiera estado yo en Torrelavega, ayer mismo le hubiera escrito á V. *motu proprio*, lo que hoy ha de parecer respuesta a la pregunta que me hace V. en su carta del 2, que recibía anoche; y las cosas no suenan igualmente de un modo que de otro. Conste, pues, que lo que ahora le diga deprisa y corriendo, es lo mismo que le hubiera dicho ayer mañana, sin conocer los apuros escrupulosos en que se haya V. metido, después de ver impresa en *El Correo* su carta ultramarina. Mi novela última no merece la mitad de lo que V. dice de ella en son de elogio; y en cuanto á las híperboles dedicadas á su autor, Dios le pedirá cuenta de ellas, *en su día*, y entonces veremos en que razón de justicia las ha fundado V. y como se las compone para sacar á flote la conciencia; fuera de todo esto que es como digo, no es de mi jurisdicción, hay todavía en la carta algo que, a mis ojos, vale mucho más que ello y que yo acepto *de plano:* el áura cariñosa que corre entre líneas, y la declarada amistad inquebrantable del egregio novelista á este oscuro aficionado que tanto le quiere como le admira. Créame, D. Benito, siquiera porque

(1) *L'Ami Manso*, traducción por Julien Lugol, París 1888.

ya no estoy en edad de mentir en negocios de esta especie: más que como autor de libros elogiados, me alaga ser conocido por hombre digno de merecer la fraternal amistad de un novelista como V. Esta leal declaración, que nada tiene de *fineza*, aunque lo aparente, le dará á V. la medida exacta de mi juicio sobre su carta que aquí ha gustado extraordinariamente, a propios y á extraños, y fué *apandada* por *El Atlántico* y publicada en cuanto llegó sin pedirme siquiera el permiso con que yo contaba. Conque Dios se lo pague y vaya convenciéndose de que es materia imposible que, puesto V. á hacer algo, aunque sean *marinas* ó casucas de papel, le salga mal hecho.

Ahora, como noticia curiosa, por no acabar aquí en seco y hasta como nuevo dato de que es absurdo incongruente y raro todo lo que se relaciona con el *éxito* de *La Montalvez*, le diré que por el mismo correo que la carta de V. recibí otra de Marañón suplicándome, rogándomelo por todos los Santos de la corte celestial, de parte de Escobar (1), que le permitiera publicar aquella novela en el folletín de *La Epoca* —Excusado creo decirle á V. que voy á contestar con una negativa; pero ¿se comprende que sea el periódico tradicional de los *Asmodeos* y *Almavivas* (2), el que pretenda eso tratándose de una novela tan desdeñada ahí por calumniadora de la «buena sociedad»?

Escríbame y mande á su apd°

J. M. de Pereda

Santander, 5 de Abril/88.

* * *

Queridísimo am°:

Días hace ya que le escribí, no se qué, supongo que recibiría V. esa carta. Pero no se trata de eso ahora sino de que me diga y pronto, lo que sepa de ese Sr. D. Andrés Ruiz Cobos (Jardines 15, 2.°), que trae entre manos la (dice él) publicación de unas bibliografías de lo mejor. Como

---

(1) Alfredo Escobar y Ramírez, Marqués de Valdeiglesias, periodista y político, director de *La Epoca*, en 1887.

(2) Asmodeo era el cronista de salones Ramón de Navarrete (véase nota pág. 95). Almaviva era el seudónimo que usó Escobar, como revistero de salones, en *El Imparcial*.

parece ser que yo toco en esa orquesta mi pito correspondiente pidióme una fotografía y se la mandé; pero anda muy empeñado en que le mande también una cuartilla autógrafa; y esto ya me parece harina de otro costal. Quíse meter la sonda en la formalidad que pueda tener esa empresa y no fué cosa mayor la hondura que hallé. Ultimamente me ha dicho que va V. á salir el 1.º, pintado por Clarín; que enseguida saldrá Campoamor, biografiado por *Nakens*, y yo enseguida de este, pintado y comentado..., no sabe aun por quien. Como resulta de los autos que V. debe estar más enterado que yo de lo que hay aquí de serio, y lo que yo sé es, como le he dicho, muy poco ó nada, á V. acudo para que me saque de la duda. De lo que me diga depende, que yo consteste o no la última carta de el Sr. Ruiz Cobos, que insiste en lo de la cuartilla autógrafa.

Otra cosa más: Fernando Velasco se casa, y se casa pronto; y teniendo yo que regalarle algo, pero algo que se ajuste á los gustos artísticos del regalado, biblíomano empedernido y que se perece por los cachivaches de antaño, me haría V. el señaladísimo favor en dar un vistazo á esas tiendas de antiguedades, más ó menos auténticas, y ver si hallaba algún muñeco ó trapajo, que, sin costarme un sentido, llenara bien el objeto que me propongo. No le hablo de libros viejos, porque me expongo á darle algo que ya tenga. Bronces, porcelanas, etc., son preferibles para esto. Haga, pues, la excursión, tantee la cosa, y dígame los precios al respective.

El caso es urgente; no se me duerma, y escriba pronto á su amicísimo

J. M. de Pereda

Sant^r, 26 de Abril/88.

* * *

Mi querido D. Benito:

Me había fijado yo en antiguallas por acomodarme en lo posible en los gustos artístiscos ó mejor dicho, *aficiones*, del beneficiado; y el encargo era en el supuesto de que topara V. con algo de poco bulto y mucho color, de ranciedad que sirviera para el caso, sin costarme un sentido. Ahora, en virtud de lo que V. me dice en la suya, fecha del aniversario de nuestra salida á Portugal (1885), le autorizo para que opte por lo que mejor le parezca entre antaño y ogaño inclinándose, en la duda, á lo primero, por la indicada razón, y teniendo presente que no soy un *Manolo Santoña* ni de los más obligados á *correrme* en el presente lance. Quiere decirse, ¿me entiende usté *(sic)*?, que yo puedo despacharme corrientemente con 20, con 25, con 30..., ú con 40 pesos, es un suponer (motivao *(sic)* a lo que yo pedía trapo ú monigote de mucho *dejo* y poco bulto); pero que si, pinto el caso, llegara V. al resultante de que por uno, ó dos ó medio arriba ó abajo, ¿está V.?, la cosa me llenara el ojo..., golpe á la cosa sin reparar mayormente en el pico. —El casorío será en junio.

Y ahora, con estas instrucciones, hágame el favor de despachar el encargo cuanto antes pueda..., y conste que se le olvidó darme los informes que le pedí sobre la formalidad ó *seriedad* de un editor de ahí llamado Ruiz Cobos.

Respetive á la novela *Miau* (así lo he leído en su carta) cuyas pruebas corrige *á la sazón* ya se á que atenerme, con saber qué manos la han hilado y no por las noticias qué de ella me dá V. Siempre nos parece lo más malo lo último que escribímos, y luego resulta (cuando no se trata de mí), que al público se le antoja todo lo contrario. —Echela para acá cuantimás antes, y Dios le conserve luengos años la fecundidad y el ingenio de que tan rumbosamente le dotó.

Y con esto y un recadito á Cassola, se despide por hoy su amicísimo

J. M. de Pereda

Santander, 9 de Mayo/88.

* * *

Carísimo D. Benito:

Ha hecho perfectísimamente Marcelino en presentar á la Academia la candidatura de V. para la vacante de Villahermosa; mejor que los académicos de la cuerda de V. en no echar el resto para sacarla triunfante. Son unos tumbones, y esta es la segunda vez que lo demuestran. La 1ª fué en un tanteo que, de acuerdo conmigo, hizo Marcelino entre aquellos señores inmortales. Creo que hemos hablado V. y yo de esto en alguna ocasión. En la presente, puede haber influido contra usted, saguntino *for ever*, la enemiga de los conservadores, desde las silbas de marras, a todo lo que huela á fusionista, más que los compromisos adquiridos con el *humanista* Comeleran *(sic)* (1), muy Sr. mío, y que la indolencia de los afines de V. en aquella santa casa. Sea como fuere, ya ha llegado V. á sus puertas; y para la primera vacante que ocurra, si no *triunfamos* en esta todavía, no habrá disculpa racional con que desairarle á V.; y entrará al cabo. Porque es de necesidad que usted entre ahí aunque no quiera. Dígame, entretanto, lo que ocurra sobre la elección pendiente, pues no tengo otras noticias de ella que las incompletas que dan los periódicos.

Por lo tocante á la Musa, no creo que se atreva á pasarse el invierno sin soplarle algo *novelable*. En último caso, ya sabrá V. echar una capa á la desdeñosa y traerla al terreno.

Respetive á *La Puchera*, hoy devuelvo corregido el pliego 10.º; tendrá 31; y contando con que Tello me mande uno cada día, calculo que aparecerá el libro en las dos primeras semanas de Enero..., demasiado pronto para la castaña que voy a dar á los contados lectores que esperen el libro.

Juan Man[l] saldrá de aquí de hoy en ocho días, y bien advertido de lo que debe recibir de V. para traérmelo.

¿Y lo del manuscrito? Ni V. ni Marañón me han dicho nada de ese pleito. Cuando se vean y le fallen, díganmelo para mi gobierno, ya que tienen el mal gusto de desear ese mamotreto *disinificante*.

Quedo pidiendo á Dios que no se arrepienta Sagasta de la gofetá *(sic)* que largó anteayer á Martos y á Cassola en el Congreso; y de V. siempre app[do] am[o] que le abraza

J. M. de Pereda

Santander, 3 de Dic[e]/88.

* * *

¡Sea todo, mi señor D. Benito, en alabanza de Dios providente y justiciero! Su carta última de V. y lo que se trasluce por *fuera*, me dan á entender que las cosas se inclinan ya del lado á que deben inclinarse

---

(1) Francisco Commeleran y Gómez (n. 1848), catedrático de Latín, elegido académico de la Lengua en enero de 1889. El escándalo de su elección fue enorme e hizo decir a Menéndez Pelayo que en la Academia no se entraba por méritos, sino por votos. Don Juan Valera contestó a su discurso de ingreso, metiéndose con él (T. II, O. C.—«Sobre el diccionario de la Real Academia Española»).

por su propio peso, y que al fin nos saldremos con la *nuestra*. Era justo, y no podía fallar. Ayer he visto en *El Correo* que ha sido presentada la candidatura á La Academia, pero que no será votada hasta después de Navidad. No se que decirle de este plazo tan largo, pues me parece ventajoso y desventajoso, según el lado por donde lo miro. ¿O es que el enemigo renuncia á la batalla por esta vez? Dígame sobre esto lo que sepa. Por lo demás, todo lo que V. me dice de Cañete (1), me lo había imaginado yo al pie de la letra, y dos días antes se lo había contado yo, dándolo por hecho, á estos amigos y admiradores de V. Lo de Catalina (2) me sorprende un poco más: no le hacía tan tesonudo, y sobre todo contra Marcelino cuyos dictámenes tiene sp^re^ en mucho, y por lo que toca á mi insigne paisano, todo cuanto V. me diga me parece poco. Es mozo que tarda en saltar, pero en saltando, no se detiene por nada. Mucho, pero muchísimo me halaga, por montañes y por amigo, verle llevar en esta ocasión el pendón de guerra á favor de V. Es acto que le honra y que nos honra. ¡Cuanto siento no estar á su lado y no poder algo en aquella casa, para romper siquiera una caña en tan honrosa lid!

El viaje de Juan Ma^nl^, ha tenido que aplazarse para Dios sabe cuando. Su tía Dolores Revilla, V^da^ de Casaña, está con una pulmonía desde el Domingo, y en estado muy grave por su complicación con una enfermedad cardíaca que también padece. De manera qué, por bien que libre la pobre señora, se pasarán bastantes días hasta que su sobrino carnal y mentor de Juan Ma^nl^ en el proyectado viaje, Javier Revilla, crea prudente y *decente* alejarse de aquí. Sea todo por Dios. ¡Y ahora que le han hecho á V. poco menos que alcalde de barrio del interior del Congreso, y podía darle V. los caramelos á celemines y papeletas para el mismo sitial del presidente...! Pero hombre ¡que crísis..., y que solución, ahora que me acuerdo!

Suyo de corazón,

J. M. de Pereda

Sant^r^, 11 de Dic^e^/88.

* * *

(1) Manuel Cañete (1822-1891), literato y crítico, elegido académico en 1857 y nombrado censor de la Academia Española desde 1878.

(2) Mariano Catalina y Cobo, nacido en 1842, literato, arqueólogo y político. Elegido académico en 1878, fue secretario perpetuo de la Academia de la Lengua.

Mi querido amigo:

He visto hace pocas horas en los despachos del Atlántico el resultado de la votación de anoche en la Academia. Le esperaba así, y aun con Molins (1), y Silvela (2), de menos, desde la desatinada ocurrencia del Liberal, amparada por *La Iberia*, de amenazar á la Academia con su disolución si no le votaban á Vd. Yo sabía por Marcelino, que por otra progresistada semejante se había emberrenchinado Cánovas (3), muy dispuesto ya á volverse hacia V. ó á consentir en que se volviera su falange. En cuanto me enteré de la amenaza le encargué á Marcelino que influyeran VV. cuanto pudieran para evitar otras parecidas en la prensa; porque aun había tiempo de enderezar el asunto con un poco de diplomacia bien dirigida. Solo siendo un adoquín cada académico, podía concebirse que se prestaran á complacer al *Liberal* y á *La Iberia* en sus *mandatos*.

Insisto en esto porque tengo casi la seguridad de que sin el incidente que á mi me puso nervioso y hasta indignado contra esos mantecatos, *hubiéramos* triunfado á última hora. Triunfado hemos, no obstante por la calidad de los votos que ha tenido V. y por ello le felicito; pero se ha llevado el sillón el enemigo, y esto me há dado muy mal rato esta mañana y me lo está dando todavía.

Aunque V. me responda como me responderá, que primero le tuestan que tal haga, quiero que conste mi deseo ardentísimo de que vuelva á presentarse la candidatura de V. en la primera vacante, porque hay que dar á Catalina, y a Cañete, verdaderos mantenedores de la lucha contra V., el disgusto de verle á V. dentro de la casa.

Entre tanto, cúrese la prevista descalabradura con el consuelo de que el *país*, como dice el cuarto poder, le há votado á V. en masa y lo

---

(1) Mariano Roca de Togores y Carrasco, Marqués de Molins, hombre de letras, político y diplomático y director de la Academia Española.

(2) Francisco Silvela y de Le Vielleuze (1845-1905), político, jurisconsulto y literato español, miembro de la Academia Española.

(3) Antonio Cánovas del Castillo (1828-1897), el famoso hombre de Estado, literato e historiador eminente, miembro de la Academa Española.

mejorcito de la Academia le há abierto las puertas de par en par. Y esta manifestación honrosa hemos salido ganando, que no es poco.

Cuénteme sus impresiones en dos *rasgos cádmeos*, y reciba un abrazo de su amicísimo

J. M. de Pereda

Santander, 18 Enero 1889.

* * *

Queridísimo D. Benito:

Antes de hoy hubiera contestado á su *curioso relato* del 21, á no haber andado de la Ceca á la Meca, una semana hace, para traer á María del colegio, extraerle una muela que la atormentaba, y orificarle otras dos. Hoy se encarga su madre sola de acompañarla á la última *sesión* del amigo Benet (1), y aprovecho yo la calva para poner a V. estos cuatro renglones que me alegraré que le hallen con la mas cabal salud que yo para mí deseo. Nada me dice V. que me maraville. Conocía por Marcelino el estado de ciertos ánimos, y todo lo sucedido resulta lógico. Al decirle á V. que el vocingleo imprudente de ciertos periódicos le había perdido a V. el pleito, quizás no me expliqué bastante ó no me comprendió V. bien. Las comparaciones de candidato con candidato, la enumeración encomiástica de los merecimientos indiscutibles de V., etc., etc., todo esto era natural, necesario y plausible; pero las burlas crueles del otro, los dicterios á los que lo apadrinaban y á la *institución* Academia (contradictorio con el empeño en llevarle á V. á ella) las amenazas de disolución, etc.; esto fué una solemne barbaridad y á ello solo me referí. Yo sabía por Marcelino que Cánovas, en cuanto tuvo noticia de la candidatura de V. hizo cuanto pudo por desligarse de anteriores compromisos a favor de Comelerán *(sic)*; que en esto dió en decir la prensa que quería vengar en V. las silbas de marras; y que con ello se encolerizó. Contaba yo con que el horno se iría templando poco á poco, con un poco de prudencia de parte de los apasionados de V., y cátale que sucede todo lo contrario. Pongámonos, compañero, en lugar de Cánovas y los

(1) Don Gregorio Benet, el primer médico que ejerció de odontólogo en Santander y que en el año 1891 tenía su consulta en la calle de Atarazanas, y después en los Arcos de Doriga y en el Paseo de Pereda. Fue muy conocido en la ciudad.

suyos. Insisto, pues, en que *nos* han jeringado los amigos imprudentes; y añado, despues de ver, con gusto, que queda V. entregado *para el día de mañana* al *Conseio de los* 10, que si la futura batalla há de dar los frutos apetecidos, es de necesidad que tengamos todos «un poquito de concupiscencia» como decía el portero de la Comedia; que apaguemos los fuegos, que nos hagamos los tontos, y que quitemos todo pretexto racional para nuevas resistencias obstinadas al elemento canovista de la Santa Casa, en la cual *hemos* de meterle á V. aunque sea por la buhardilla.

Entre tanto, muchísimas gracias por su recomendación de la novela en *El Correo*. Conocí las manos ilustres que habían andado en la cabeza del capítulo copiado, antes que su autor me lo declarara. Ahora, quiera el cielo que en pago de ese favor, no le cause un empacho el potaje recomendado.

Juan Manuel tuvo que salir precipitadamente de Madrid, porque se murió aquí un tío de Javier, de la noche á la mañana, Alejandro Aguirre (a) *Alejandrito* á quien V. debió conocer. Con este motivo, no pudo ir á despedirse de V. ni recoger las fotografías; y como no quiero quedarme sin ellas, hágame el obsequio de enviárselas á Marañón, en cuya casa las recogerá, con otros encargos, un conductor que ha de traérmelas.

Y ahora que está V. desenredado de pleitos y quimeras ¿no pone la quilla de *algo* en sus astilleros? ¡Cáspita, qué metáfora! He visto en los anuncios de *La Nueva España* (1), revista que me ha costado ya medio dolor de cabeza con doña Emilia, ferviente protectora del editor que, por las trazas, debe ser un señor muy cursi; he visto, digo, que va V. á publicar en el segundo cuaderno una novela inédita. ¿Es cierto *ú* no lo es?

Cuando no tenga V. nada que hacer y como ganas de hacer algo, acuérdese de aquel proyecto de carta al *Atlántico* sobre embellecimiento de los nuevos muelles. Estos días atrás se ha hablado algo de no sé qué intentos en ese sentido en la Junta de Obras, y convendría ilustrar un poco estas molleras de las cuales hay que temerlo todo. *El país* se lo agradecerá á V. mucho..., y el *Atlántico* mucho más.

(1) Pereda debe referirse aquí a la revista *La España Moderna*, citada después en la carta del 6-III-1889, que empezaba a publicar entonces J. Lázaro Galdéano, en cuyos números 1 y 2 (febrero y marzo de 1889) salió «Torquemada en la Hoguera».

De la novela, es decir, de su venta, tengo excelentes noticias; y esto es todo lo que podemos obtener los del oficio en esta «tierra clásica de los caballeros» en que se estima un libro, por la prensa, en mucho menos que un rigodón bien bailado en casa de una señorona.

Escríbame, y mande á su ap^{do}

J. M. de Pereda

Santander, 29 de En°/89.

* * *

Queridísimo D. Benito:

Por si le presentaban á V. nuevamente los diez de marras con motivo de la vacante que deja en la Academia la muerte de Arnao (1), al escribir días atrás á Marcelino, le encargué mucho que procurara V. reprimir las intemperancias de la prensa amiga, convencidísimo de que si volvía á lo de *nulidades, borricos, venganza de silbas*, etc., tampoco esta vez entraría V.; pero pensando «para mí» que lo mas cuerdo y hasta decente, sería dejar pasar esta ocasión, tan cercana á la otra, por las mismas, mismísimas razones que V. me dá en su carta del 6 para pensar como piensa; que es lo mismo que yo pienso. En los periódicos llegados anoche he visto que han cortado VV. por esa señal, y por ello le felicito. Hay que ponerse en ocasión, ya que se puede, de entrar en la casa por *derecho propio* y pisando recio; y á eso se llega por el camino adoptado.

Hoy mismo sale el conductor de Correos que va á recoger en casa de Marañón las fotografías de V., con otros encargos del am.°, que le entregará, si ya no le ha entregado, un retrato de Juan Manuel, de los que, á la salida de este, quedaron en poder de Debas (2).

Mucho celebro que se halle V. metido en harina. Sobre lo que ha de salir, no me apuro, porque de buen troquel no puede resultar obra mala; ni tampoco me maravilla que á estas fechas ignore V. si saldrá con barbas ó la Purísima Concepción, porque la experiencia, aunque en pequeño, del arrastrado oficio, me va demostrando que cuanto mas se trabaja en él, menos claro se ve y mayores son las desconfianzas por el *resultante en finiquito*.

(1) Antonio Arnao (1828-1889), poeta español, miembro de la Academia Española.
(2) Don Fernando Debas, fotógrafo establecido en Madrid en la calle de Alcalá número 31.

¡Recongrio, y que gordas han sido las mías esta última vez! Le digo á V., mi señor D. Benito, que con el silencio aterrador de la prensa cochina, la poca cortesía de la mayor parte de los *regalados*, que ni el recibo del libro me han acusado hasta la hora presente; la sequedad de los que cumplieron con ese *deber penoso*, del que pienso librarles en adelante, y otros síntomas parecidos, era cosa de tiritar de frío; hasta que la efervescencia de este público, y una carta de Clarín, y otra, sobre todo, de Suárez, dándome cuenta de la repetición de pedidos de acá y allá, fueron convenciéndome de que si no había hecho un P. *Lachaise*, como decía él señor *fino* que yo conocí, tampoco una abominación; y esto ya me tranquilizó algo. Posteriormente sé que aquí van vendidos 450 y tantos ejemp[s] y mas de 3.000 por Suárez; y esta es la única «oleada» que hasta mí há llegado de ese «exitazo» á que V. se refiere, con esa *perniciosa* bondad que es causa de que nunca me atreva yo á sumar el aplauso de V. con los del público enemigo ó siquiera desapasionado.

En cuanto al artículo de Marcelino, tome V. una silla y aguárdele para la Pascua ó para la Trinidad. Somos así, D. Benito de mi alma; somos así en esta «tierra proverbial de los caballeros». Un libro nuevo tiene menos importancia, hasta para los literatos de profesión, que un cambio de gobernadores ó una cuchufleta de Romero Robledo. ¡Coles, qué tropa!

Tengo grandísimo interés en que le diga V. á nuestra amiga D.ª Emilia que uno de los primeros pliegos que firmé, fué el del ejemplar destinado á ella, con encargo á Marañón de que se le mandara al Hotel de Rusia. Conste así, y cargue cada cual con los pecados que le correspondan; pero dispénseme el favor de hacerla una visita de mi parte con este solo objeto.

He recibido el 1.[r] número de *La Nueva España* (1), y aún no he hecho más que hojearle; pero ya verá V. como tampoco *resulta*.

Mucho se alegrará el *Atlántico* de que dedique parte del ratuco que me ofrece para arañar algo para la carta consabida; porque sabe que la vena está somera y es abundante, como lo sabe este su spr[e] amigo *de verdá* (sic)

J. M. de Pereda

---

(1) Véase nota carta del 29-I-1889, página 136.

¿Y qué es de Armando?

Hombre, y ahora que me acuerdo ¿cree V. que no resultará castaña lo de Peral? A mí me tiene con mucho cuidado desde que ese infeliz y benemérito marino ha caído en manos de los periodistas que parece que andan buscando en ese suceso otro agosto como el que hicieron con lo de la calle de Fuencarral.

Santander, 9 de Febº/89.

* * *

En la prisa con que le escribí á V. ayer, ¡oh queridísimo D. Benito!, se me olvidó lo más importante, como era el decirle á V. que no hay tal pérdida del *Marianela*, hoy en viaje de San Sebastián á Bilbao, ó viceversa. El vapor perdido junto á Santoña fué *un tal Desierto*. Tranquilícese V. pues, que hasta la fecha continua buena y sana aquella apreciable *señorita*, miembro de la ilustre familia literaria de V.

Para esto y nada más le escribe la presente su amicísimo

J. M. de Pereda

Hoy, domingo 10 de Febº.

NOTA.—El original en papel timbrado: J. M. de Pereda. No lleva fecha de año, pero en la ordenación de Galdós ha aparecido en este lugar.

* * *

Hace ya días, ¡oh D. Benito de mi alma!, que tengo en mi poder las tres vistas de su egregio despacho, ó si se quiere, estudio, y un retratico muy mono y muy *pillín* de V. pero que no es el prometido y sigue V. debiéndome. Las vistas ya pegadas *en sendas* cartulinas, con el respectivo letrero bien impreso al pie, el cual dice *Estudio de D. Benito Pérez Galdós;* pero me he detenido aquí, quiero decir en este trámite, porque no sé, ni aquí hay quien me lo enseñe, de que manera encuadrarlas para que ocupen el lugar que las destino en mi pobre laboratorio. Tenga V., que entiende tanto en estas cosas, la bondad de sacarme del apuro, en la inteligencia de que, si aquí no hubiese lo que se necesite según el dictamen de V., estoy resuelto á pedirlo á la misma Finchaufefa *(sic)*, porque la cosa lo merece. De estos particulares pensaba tratar con V. en una carta que tenía en proyecto, cuando llegó su gratísima del 2, dejándome turulato con la noticia de que estima V. en algo aquella gota mísera del raudal que yo hubiera soltado a tener sospecha siquiera de que el traidor Clarín había de insertar íntegro lo que yo le respondía a vuela pluma en una carta breve, para que lo glosara á su antojo. Hasta por deber de gratitud estaba yo obligado á ser más explícito y minucioso en esa primera ocasión que se me presentaba de decir á gritos en mitad de la vía pública cuanto yo siento y pienso de V., que es mucho más de lo que el público y V. pueden haberse figurado, el uno en sus injusticias ingénitas y el otro en su modestia descomedida. Tómeme, pues, a buena cuenta la intención, y crea que no quisiera morirme sin dejarla saldada *al céntimo*.

A todo esto, no hay asomo por acá de esos folletos que se anuncian ahí a la venta; por lo cual ha encargado Luciano unos cuantos ejemplares.

Gran noticia me dá en la de que el sucio borrador de *La Puchera* es ya de la pertenencia de V. De veras que es honra no soñada para los papelotes esos el precio á que V. los ha pagado. ¡Y vaya si el amigo Marañon sabe aprovechar las ocasiones de sacar jugo á un negocio! Ahora corre de mi cuenta hacer llegar el mamotreto á manos de V. que será tan pronto como el susodicho amigo me avise si están en su poder unos encargos que le tengo hechos.

Lo de la Academia se va poniendo de tal color con el patrocinio y las aspiraciones e intriguillas de ciertos candidatos..., y *candidatas*, que toca ya en los linderos de lo bufo; y de seguir así las cosas, no solamente aplaudo la actitud en que V. se halla hoy, sino que le aconsejo que no entre en aquella casa jamás, ni aunque salgan todos sus habitantes á recibirle con palio. Eso es ya una completa mamarrachada.

Y vamos á otra cosa, bien distinta de estas otras y bien rara, por cierto, y de la cual se me ha olvidado hablarle á V. en otras cartas (y vaya V. contando *otras*). Desde fines de Noviembre tengo una larga y rimbombante epístola de un medio compariente y protegido de V., llamado D. Antonio de Ciria y Vinent, que desde Puerto Rico se dirige á mi suplicándome que interponga todo mi «valimiento» con V. para que haga algo por el suplicante en el sentido que indica el papelejo que acompañaba á la carta. Yo no conozco al *recurrente*, ni siquiera de vista; pero los títulos que invoca de hermano de la señora del brigadier, me mueven á dar curso á su instancia, para que en todo siempre conste, que, aunque no con mucha puntualidad, le dí a V. traslado del documento.

Y con esto no cansa más, y se despide por hoy su amigo

J. M. de Pereda

No he recibido el 2.º núm. de *La España moderna* (1), que debe traer la novela de V. Esto puede consistir en que no se haya publicado, ó en que el editor y propietario crea que se ha despilfarrado bastante con el regalo del primer número. ¡Para lo que él valía!

Santander, 6 de Mzº/89.

* * *

Queridísimo amigo:

Ayer envié á Marañón el original del 10.º tomo de mis *Obras (El sabor de la tierruca)* y escribí á Tello encargándole que le mande á V. las pruebas de la semblanza que precede á esta novela, para que las corrija usted á su gusto como autor que es de ella. Sírvale de gobierno, y perdone la molestia en gracia á la buena intención.

El autógrafo de *La Puchera* irá dentro de unos días: tan pronto como vuelva el conductor que llevó aquel encargo. No mandé el mamotreto por él, porque se me presentó momentos antes de la salida del correo, y yo no lo tenía empaquetado.

Recibí su carta del 12. Ya que no me saca de dudas en lo referente á las fotografías las pondré, cada una, entre cuatro vaquetones negros ó dorados, con cristal, pero cruzados en esta forma #

¿Qué le parece?

Envíe V. en seguida el retrato que me ofrece a casa de Marañón para que me le traiga Varela con otro encargo que ha de darle aquel amº. El mío, es decir, mi retrato, se le enviaré en cuanto me resuelva

(1) Véase nota carta del 29-I-1889, página 136.

á que Zenón (1), me tome el frontispicio. Los (retratos) que me quedan, tras de ser malos ejemplares, son de los viejos, de uno de los cuales está tomado el grabado que V. tiene. Mándeme firmado *por delante*, el suyo.

No he podido resistir la tentación y leí la primera parte de *Torquemada;* pero ¡justo castigo á mi curiosidad!, me quedé con un palmo de lengua fuera, como dicen. ¡Hombre que resalado se va poniendo aquello! Y diga ¿pertenece á la continuación el fragmento que publica *Los Madriles*? ¿ó es que aún hemos de ver á Los *Torquemadas* esos en otra novela *quizaes (sic)*, en la que tiene V. entre manos? ¡Recongrio, como salen esos personajes al aquel de toda su casta!

Se me olvidaba decirle que hé pedido prestada la Revista para leer lo de V. porque esos señores que mandan en ella me la han rehusado «con indignación» al saber que no me comprometía solemnemente á escribir en ella, tras de habérseme amenazado con el *castigo* de no mencionar obra mía, sino me declaraba colaborador. ¡Cosa más estúpidamente ridícula que esa no la he visto sino son los bombos que los alabarderos le dan en los periódicos!

Ya le dije á V. porque le mandaba el volante del Sr. Ciria, á quien no conozco; y ahora, en vista de lo que V. me dice, le daré la callada por respuesta.

Me metí á escribir á V. en este papel majo que rara vez uso, y ahora me pesa, porque, de puro fino que es, se me escapa la pluma, y no se entiende lo que escribo. Quédese aquí el asunto por hoy, y hasta otra se despide suyo cordialísimo

J. M. de Pereda

(Teléfono núm. 36)

Santander, 21 de Mzº/89.

NOTA.—En papel timbrado: J. M. de Pereda.

* * *

(1) Zenón, fotógrafo instalado entonces en Santander en la calle de la Blanca, 28.

Queridísimo amigo:

Llegaron las fotografías que han sido distribuidas como V. mandaba en su volantito; y por la que á mi me corresponde, un celemín de gracias, con el descuento de los piropos autógrafos de que dará cuenta á Dios. Aun no me he resuelto á salir *al paso* de Zenón; pero me arriesgaré el día menos pensado y entonces *corresponderé* fotográficamente á su fineza de V.

Días hace está en manos de Marañón el autógrafo, para V., de *La Puchera*. Se lo aviso para su gobierno.

Mientras llegan esos *rasgos* que me anuncia en su volante, con las impresiones recibidas en el juicio oral de ese crimen archifamoso que ya ha caido dentro de los límites de lo bufo, oiga una palabra, y perdone.

A este buen Juan el guantero le pescaron los sabuesos de la Tabacalera, con regular acopio de tabacos y de cigarrillos; y aunque los unos y los otros estaban debidamente precintados y no se le probó claramente que los vendiera, el fisco se apoderó de todo, y el tribunal formado para entender el asunto, y á reserva de lo que dispongan el juzgado de 1.ª instancia y el Ministerio de Hacienda, condenaron al pobre hombre al pago triple del valor de lo apandado, amén de perderlo..., y á no se que más barbaridades. El expediente de alzada está ya en Madrid; y enterados de ello esos diputados por esta provincia y varios particulares, dispuestos todos á interceder por el buen Juan, cuya delincuencia no está demostrada, ni mucho menos. Hágame, pues, el obsequio, mi señor don Benito, de acercarse á Alvear, Aparicio ó cualquiera de esos *pudientes*, y después de ponerse de acuerdo con ellos, arrimar el hombro al asunto y hacer un esfuerzo heroico para sacar avante á este bendito de Dios, que enflaquece de día en día y temo que pague con la pelleja el bromazo de los tabacaleros. No insisto en la recomendación, porque conocido de V. el sujeto y el conflicto en que se vé, todo comentario huelga como decimos los académicos...

A propósito de estos señores: ya hay otra plaza vacante y sin estar aun provista la otra. Dígame si piensan VV. intentar algo ahora.

En estos días he leído la 2.ª y última parte de *Torquemada en la ho-*

guera. Es algo como biografía, de lo más donoso, original y fresco que ha hecho V. en su vida. Y con ello acabaron los jugos de la *(sic)* de *La España Moderna*, destinada á morir si V. y otros tales no la amparan, de la cursilería más empalagosa que han visto los mortales. ¿Cómo va la novela comenzada? No conozco aun *Insolación*. Ni aquí se vende, ni la autora me la ha enviado.

¿Continúa ahí Armando y viviendo en la Plaza de la Independencia, 9? Hasta hace pocos días no he podido leer su novela, y tengo que escribirle. Hága el favor de responder á la anterior pregunta, y algo que yo pueda leer al guantero para su tranquilidad y en muestra de que hice su encargo.

Le abraza su apd.º

J. M. de Pereda

Santander, 15 de Abril/89.

* * *

Tenga la bondad, mi querido D. Benito, de mandarme por el inmediato correo, cuatro *rasgos* que yo pueda leer á este *ventuarao* guantero en demostración de que yo le recomendé á V. el asunto de su contrabando, y de que se haya V. decidido á sacarle avante aunque sea por encima del tupé de Sagasta. Todos los recomendantes le han enseñado ya respuestas de sus respectivos *personajes*, menos yo; y sospecho que ya le voy siendo *sospechoso*. Conque dígame algo aunque sea de mentirucas.

Pásmese ahora: mañana, *Deo volente*, saldré para la feria de Miranda de Ebro, para acabar de aviarme de mulas á mi gusto. Estaré de vuelta el viernes.

¿Qué hay de novela? ¿Qué hay de Academia..., y cuando vienen esas impresiones que me prometió sobre los juicios públicos de esa causa, que toca ya en lo bufo y es la ignominia de los tribunales españoles? A propósito: *El Atlántico* ha publicado los muñecos de ese desfile de canallas de todas especies, con una sola excepción, que es la de «Pérez Galdós dibujando». En cambio le injurió á V. el dibujante, por vengarse sin duda de la lección que V. le dió con el croquis de la Valaguer *(sic)* (1),

(1) Se refiere a Higinia Balaguer, la autora del famoso crimen de la calle de Fuencarral.

única figura que hay con arte y con gracia en aquella procesión de mamarrachos. Y no lo digo para lavarle á V. la cara, pues ya sabe que me sobra franqueza para haberle dicho una fresca si la hubiera merecido.

Escribí á Armando á su casa en la Plaza de la Independencia, en vista de que V. no me mandaba las señas que le pedí; por si se había mudado de domicilio ó de pueblo.

¡Congrio con la puntualidad de los señoritos de Madrid para un apuro!

Y adiós: que está muy de prisa su ap^{do}

J. M. de Pereda

Santander, 29 de Abril/89.

* * *

Al fín le tenemos ya de patitas en la Casona de los inmortales, y por la puerta grande y á tambor batiente, como era de justicia. Que sea para bien, mi señor D. Benito; y que Dios no le desampare en las negras horas de perjeñar ese p... discurso con *vuelillos* que tiene que leer en alabanza del difunto y salutación por lo fino a los señores de la casa. ¡Ah, compañero del alma, cómo has de sudar el quilo en esos trances, que no son para todos los estómagos ni para todos los tinteros! Ya verá *(sic)*, ya verás como no basta haber escrito 40 tomos de novelas de primera, para saber emperejilar un discurso de *recipiendario*, con sus perfiles, sutilezas, erudiciones, planchaduras y discreteos de carácter... Ya verás, ya verás la que te espera. Afortunadamente, siempre queda el recurso de no dejarse recibir en los días de la vida, ó de encargárselo á Cañete ó á cualquier otro académico de raza, que hacen por debajo de la pata esos documentos de taracea. *Espero* no se amilane más de lo que ya estará por estas cosas que le digo que «á las veces el menos perspicuo en esos empeños árduos, es el que mejor triunfa de escollos y obstáculos, por modo maravilloso». Y chúpate esa, y si á mano viene, apúntala para el día del gran susto.

Tengo una carta de V. de época en que aún era simple mortal (3 de Mayo) en la que me promete ayudar al guantero cuando llegue el caso, y me da la desagradable noticia de haber renunciado á terminar la novela que tiene en el telar, antes de venirse por acá. Despues há llovido lo de Martos y comp.ª y sabe Dios como andará á estas horas de proyectos de veraneo. Dígame algo de ellos en finiquito, para saber á que atenerme.

El estado delicadísimo y peligroso de mi suegra há trastornado también los planes veraniegos de esta fma.[a] Por ahora no puedo pensar en moverme de aquí.

Afortunadamente la temperatura no hace desear gran cosa el campo, ni yo siento en la mollera la más vaga ideas novelable que me despierte el deso de encerrarme en los talleres de Polanco. ¡Qué bien se vive así! Digo sin ideas, no en la ciudad. Véngase cuanto antes para hacérmela más llevadera.

Y de todas maneras, escríbame siquiera para que no piense yo que se da mucho tono desde lo de la otra noche en la calle de Valverde.

Reciba, fuera de bromas, la enhorabuena más de verdad y un abrazo de su apd[o]

J. M. de Pereda

Hombre ¡le entregaron al fin el manuscrito de *La Puchera!*

Santander 17 de Junio/89,

NOTA.—Hay un borrón en el original en la parte superior de la carilla con la siguiente observación debajo del mismo:

«Este borrón le pesqué al volver la hoja. Con su permiso de V. le dejo tal como salió *de por sí.*»

* * *

Con la salud que para mi deseo le hallen estas cartas y desconcertadas letras ¡oh mi querido D. Benito! y quiera Dios que el motivo de ellas no le haga renegar *otra vez más*, de haberme conocido. Es, pues, el caso que un amigo mío, persona á quien yo no puedo despachar con un «veremos» o con una elocuente callada, en carta que me escribe anteayer me dice lo siguiente.

«Necesito que me haga V. el obsequio de rogar á su am[o] D. B. Pérez Galdós, que escriba á su sobrino D. José Hurtado de Mendoza, profesor de Análisis Químico en la Escuela de Ingenieros Agrónomos, recomendándole que atienda con especial interés al alumno D. José Miguel D. de Ulzúrrun, que se examinará este mes.»

Tal es el caso, mi buenísimo D. Benito; y si es *viable*, le suplico que me lo diga en términos que yo pueda trascribir al recomendante para su satisfacción y la mía. De todas maneras escríbame y pronto para demostrar yo con la respuesta, que no hé echado la pretensión en saco roto.

Ayer tuve á comer conmigo «esos chicos», casi todos los que componían la mesa del Suizo al anochecer de los últimos días de mi estancia ahí. Entre ellos vino Zahonero. Les quedé á deber un día delicioso, aunque le despellejamos á V. vivo en más de dos ocasiones. No me atrevo á rogarle que venga á la hora menos pensada á pedirme cuentas del ultraje, porque hace ya años que no me caen á mí tales gangas, por más que las imploro.

Corriente ¿y á cuantos estamos de esa *Incógnita*? Quiero decir ¿cuándo sale á la venta?

Respetive á mi, con la estancia en las Caldas y otros *timenejes* en que me hé visto desde que nos despedimos, se llevó el diablo el hilillo que había pescado para guiarme en la obscuridad de la obra de este verano. Anteayer, más en reposo, creí palpar á ciegas un poco del espinazo del asunto; motivao *(sic)* a lo cual, *tracé mi ángulo*, quiero decir, preparé un montoncito de cuartillas... y así están, las inocentes de Dios, blancas y puras, como el día en que salieron del trapo materno, esperando á que á mi se me ocurra la primera palabra del 1r capítulo, para empezar á mancharlas.

Dícenme que anda ya con el pié en la escala para largarse á Inglaterra ¡Correntón! Lo peor sea que esta carta me le alcance en esa su morada Eiffel.

Si llega á tiempo, como lo espero, mándeme en seguida la respuesta, buen viaje, la mía rimembranza cordiale á la Regina d'Inguilterra *(sic)*, y vuelva pronto para que cuanto antes le dé un abrazo su amicísimo

J. M. de Pereda

¡Hombre, y que ocasión esta para traerme esos dos grabados de 1a, o para dejarles de modo que me les trajeran con marco y todo en ocasión oportuna!

Si el próximo lunes alrededor del medio dia, *áporta* V. p[r] la guantería es posible que echemos un párrafo.

Polanco 6 de Set[e]/89.

* * *

Queridísimo am[o]:

Me disponía á dar á V. las gracias en nombre mío y en el de mi mujer y toda mi familia, por el pésame que me daba V. en su carta del 11 de Dic[e] y á decirle cuatro palabras sobre *Realidad*, que acababa de leer, cuando cayó mi hermano con una calenturilla, que parecía insignificante y aletargándose por instantes, dió su alma á Dios el subsiguiente día.

Con este triste motivo, hé pasado una semana de prueba en todos sentidos; y hoy que me hallo relativamente desocupado y con la cabeza algo más firme y en caja, le pongo á V. estas cuatro letras con unos borroncitos y todo, para darle fé de mi vida, las gracias por su otra carta del 3, y mí condensada opinión sobre *Realidad*, ó, mejor dicho sobre lo que me faltaba conocer de ella, lo más interesante y *á fondo*, del libro.

Creo que ha hecho V. cuanto se puede hacer en la forma que ha querido dar á la novela; y continuo creyendo lo que aquí le dije acerca de lo que me era conocido ya: que el género ese resulta deficiente, como la mejor de las comedias, leído: falta la encarnación de la idea: lo que dá, para complemento de la ilusión, el actor en el teatro, ó el narrador en el libro, sin contar la salsilla estimulante y sabrosa de la genialidad y estilo de novelista, que en obras como *Realidad*, no puede haber. No sé si explico bien lo que deseo decir. Ello es que, con ser interesante y estar magistralmente hablado y dispuesto, a mí se me figura que narrado todo ello como en el primer tomo, habría resultado mucho más interesante. Pero V. dirá que en un autor que tantos libros há producido es conveniente que haya de todo y para todos gustos, dentro de lo bueno, y en tal concepto voto con V. y le aplaudo la ocurrencia.

Supongo que habrá V. recibido el correspondiente ejemplar de *Los Meses*, porque yo le recibí uno de estos días. Excuso decirle que lo primero que leí fué el mes de Nov[e]; vaya una historia resaladísima y original! ¡Y cómo se destaca y crece en medio de aquel erial de insustancialidades *egregias*! Haría aquí un par, ó quizá tres excepciones en *verso*, pero fuera de las de Campoamor, lo mismo pegan allí que en una esquina de la Puerta del Sol. En fín, no quiero murmurar del numen de *nuestros primeros ingenios*. Y para colmo de donaires, en una edición verdaderamente monumental, cromos, y cromos malos, y á cien leguas de la verdad á que *quieren* referirse. ¡Mire V. que las gentes y las cosas de esta tierruca tienen que ver allí!

De V. y de los contados buenos amigos que en esa corte viven, me acuerdo continuamente con motivo del temporal de pestes que están corriendo. No se há visto otra como ella, ni jamás creí que hubiera epidemias de pulmonías.

Aquí las tenemos tambien tiempo hace, y á lo tonto á lo tonto, van causando sus correspondientes desastres. De catarros, más o menos leves, no hay que hablar, porque todo el monte es orégano. Dios nos ampare á todos, y enderece este año pícaro que tan arrastradamente comienza.

¿Le há hablado á V. Suarez sobre *nuestros* intereses en Buenos Aires? Me han reimpreso allí *La Puchera*, y con este motivo está el pobre hombre apajuelado. Su corresposal de allá, le proponía no sé que estratajema *(sic)*, para defenderse de la rapacidad de aquellos caballeros, estratajema que á mí me parecía un poco peligrosa para mis derechos efectivos de autor; y como Suarez era de distinta opinión y creía que V. opinaría como él y adoptaría el insinuado recurso, díjele que lo que V. acordara daba por bien acordado... y así estoy en espera de lo que V. resuelva para hacer yo lo mismo. ¿Por qué no campanean un poco esos periódicos esa importante cuestión? Ya que no consigamos el tratado que falta, que nos quede el consuelo de llamar ladrones á esos editores de allá; porque no todo lo que es legal es justo; y reimprimir libros de esa manera, es un robo como el de la camisa ó el reló *(sic)*.

Hábleme algo de esto cuando me escriba, y que sea pronto.

Desde Oviedo me escribió Armando anunciándome su salida para Madrid. Si le vé V. dígale que le escribiré un día de estos.

Entretanto, consérvele Dios la salud en medio de tantos peligros de perderla, y reciba V. un abrazo ideal de su ap^{do}

J. M. de Pereda

Santander 8 de En^{er}/90.

NOTA.—El original en papel de luto.

* * *

Queridísimo amº:

La negra serie no acabó en la muerte de mi hermº Man[l], pues siguió á esta, y muy de cerca, la de mi cuñado Calderón. Estos acontecimientos, tan tristes y tan eslabonados, me han dejado el espíritu medio á oscuras y el cuerpo consumido, porque me han dado tanto que sentir como que hacer. Por estas razones he dejado sin respuesta tanto tiempo la carta de V. del 21 de Enº; y estos renglones que ahora le dirijo van como fé de mi vida más bien que como respuesta á los particulares de su mencionada carta, la mayor parte de los cuales han perdido ya su oportunidad.

Nada hago, nada pienso ni a nada aspiro, por ahora, sino es á que venga Mayo algo risueño para largarme á Polanco para tomar un hartazgo de aire, de luz... y de verde, como las bestias más bestias; y quizás no alcance todo ello á despejar las nieblas de mi ánimo y á templar un poco la *jarcia* de mis nervios. Entretanto me c... en Cánovas y en Sagasta y en Cheste (1) y en el duque de Orleans y en el *Cazar (sic)* de todas las Rusias... y no sigo la lista de las gentonas ensuciables, porque no diga V. que abuso de mis fuerzas *depresivas*, creadas al temple de la arrastrada atmósfera que me envuelve y nos envuelve desde «los comienzos» del facineroso 90.

Por entonces había llegado yo al cap. XIV de un libraco sin pies ni cabeza; *mismamente* desde entonces no hé vuelto á *coger* la pluma, ni sé de que se trataban las cuartillas, ni lo que ha sido de ellas. ¡Dichoso V. que está «tramando algo»! Usted ganará curso, por lo mismo que me afirma que teme perderle, y hasta entrará en la Academia, si á mano viene.

Por aquí pasó como un relámpago el «Doctorcillo» Tolosa (2). Le dí un abrazo para V., y supongo que no se habrá quedado con él, porque le tengo por mozo muy honrado.

---

(1) Juan de la Pezuela y Ceballos, general y escritor español, primer Conde de Cheste (n. en Lima, 1809-m. en Madrid, 1906), académico y director de la Academia Española hasta su muerte.

(2) El Dr. Manuel Tolosa Latour, famoso médico y escritor madrileño (1857-1919).

Me interesa saber si al fín há llegado a Madrid Armando Palacio. ¿Sería V. capaz de decírmelo pronto?. Lo dudo algo porque la misma pregunta le hice en mi anterior, y aún estoy esperando la respuesta.
Suyo sp[e] con alma y vida

J. M. de Pereda

Santander 26 Feb[o]/90.

* * *

D. Benito queridísimo:

No le riño por su mal comportamiento, entre otras razones, porque sería tiempo perdido: ya sabe V. que tengo la manía de que eso lo dá Madrid. Además, el que V. no me haya escrito, no es razón bastante para que yo haya dejado de escribirle á V.; pero la condenada pereza tiene ese encanto especial: le va sorbiendo sorbiendo á uno, poco á poco, hasta que ya no hay hombre á lo mejor.

Mucho celebro que venga tan pronto por la tierruca: lo peor es que venga con necesidad de los baños sulfurosos, lo cual revela que viene con poca salud. ¡Qué lástima que en la necesidad de tomar baños, no fueran los de las Caldas! porque entonces iríamos juntos.

Así, como quien no ha hecho nada, se viene V. con más de un tomo de novela en la maleta, y ademas un lio en el meollo, que es mucho mas de otro tanto, por poco que sea. Así van las cosas de este mundo, unos pecando por carta de más, y otros por carta de menos.

Con las desdichas y calamidades de este invierno, abandoné, á la mitad, en Enero la obreja por la cual me pregunta. Andando en estas holganzas y muy bien hallado con ellas, vínoseme el amigo Ixart (1) con la pretensión de que escribiera una novela para los Sucesores de Ramirez, pretensión, que como V. recordará tuvo tambien Luis Alfonso p[a] los mismos señores. Respondí á Ixart lo que había respondido al otro, exponiéndole las mismas repugnancias y las propias razones; me replicó él pintando las diferencias que había de ofertas á ofertas y de tiempos á tiempos, demostrándolo con la bolsa abierta para que metiera la mano hasta donde quisiera; intervino la casa misma entonces, reblandecíme

(1) José Ixart y Maragas, crítico y literato catalán (1852-1895).

al cabo, no por el *cuanto*, sino porque si yo nazco mujer y guapa, hubiera dado que hablar por pródiga; y caí. Ya caído, solo traté de salir avante del compromiso cuanto antes; y con este propósito, púseme al yunque quince ó veinte dias hace; y golpe va, golpe viene, llevo la mitad de la obra despachada; obra que, por las trazas que va tomando, va á ser el gran timo de la época para los infelices editores. Si despues de acabada (cosa de tres semanas, por mi cálculo) me queda respiración, intentaré continuar la suspendida en Enero para terminarla aquí. Esto le cuento en respuesta á una pregunta de V., y por que no tengo otra cosa más importante que contarle.

Si nos vemos en Sant[r] (pienso ir muy pocas veces allá: aún no hé ido ninguna) o acá, viniendo V., hablaremos. De todas suertes, buen viaje por anticipado, buena salud, y lo que quiera de su invariable

J. M. de Pereda

Polanco 12 de Junio/90.

* * *

Renunciando ya, mi arrastrado D. Ben[ito] á la esperanza de verle por acá en lo que resta de siglo, terminado el panteon y apremiado por el contratista para que le dé las inscripciones que han de grabarse en las tres lápidas ya cortadas y dispuestas, le pido el favor de que, a vuelta de correo, me mande en un papelejo cualquiera alguna de las que tiene V. apuntadas en castellano y otras tantas en latín, por si son estas más al caso que las que yo he tomado de un libraco que me prestó este Sr. Cura, y hay entre aquellas una que me satisfaga, para ponerla entre las otras dos. En la lápida de la puerta y bajo una cruz bizantina esculpida en el copete, no irá mas que esta inscripción:

Propiedad
de la familia
de
D. J. M. de P...
1891

He elegido la letra gótica para las inscripciones. ¿Qué le parece?

Y por lo que toca á cada inscripción, ¿las dejare solas en el centro de la lápida que es,

plus minusve, como el *grabado* este, ó les pondré la crucecita que va señalada encima?

Ilústreme algo en esta materia, porque, rapado *(sic)* a navaja en ella, no quisiera hacer una *jandalada* imposible de enmendar después.

El lunes por la tarde, es decir, pasado mañana, volverá á Santander el contratista, y trato de que se lleve, como desea, los originales de las inscripciones, que pueden estar en mi poder el mismo día por la mañana si V. es hombre de bien. Yo no iré á la ciudad en toda la semana próxima. El correo de Torrelavega sale de ahí á las 5 de la tarde. Sírvale de gobierno para un apuro, y mande á su buen am°

J. M. de Pereda

Polanco 12 de Set^e/91.

* * *

Mi querido D. Benito:

Muchas gracias por su diligencia en *despacharme* la última instancia que le elevé.

En la adjunta tira de papel verá que habíamos coincidido los dos en la elección de ciertos salmos; y á la vuelta de los extractados, y arreglados por mí en obsequio á los intereses *mundanales* del contratista que desea pocas letras que grabar, van los tres con que me quedo.

Mañana, Deo volente, iré á Comillas con parte de mi tropa, p^a volver por la noche, y el jueves inmediato le pasaré en el Astillero. No se lo cuento á V. para que lo tenga presente en sus proyectos de venida, en los cuales no creo, sino porque no tiene otros asuntos más importantes de que darle noticia su amicísimo

J. M. de Pereda

Polanco Set^e 13/91.

* * *

Misericors Dominus et justus et Deus noster miseretur.

Omni qui vivit et credit in me, non morietur in aeternum

Beatus vir cujus est nomen Domini spes ejus

Tu nobis, domine, dona requiem et locum indulgentiae

Spiritus meus attenuabitur, dies mei brevi abeuntur et solum mihi superest sepulchrum

Job.

(¡de 1ª! pero es demasiado largo)

Domine, secundum actum meum noli me judicares

(id)

Elegidas

Ossa arida, audite verbum Domini

Omni qui vivit et credit in me, non morietur in aeternum

Tu nobis, Domine, dona requiem et locum indulgentiae

NOTA.—En papel timbrado: J. M. de Pereda, Polanco.

* * *

Quédeme, mi querido D. Benito, para otra ocasión, los motivos de mi tardanza en avisarle el recibo del ejemplar de *La loca de la Casa*, y sirvan sólo estos breves renglones para darle las gracias por el regalo y declararle, á fé de hombre honrado y veraz, que aquella obra drámatica me ha enamorado, porque todo cuanto en ella sucede y *como* sucede, paréceme fiel reflejo de la vida humana, y carne y sangre de hombres y mujeres vivos y efectivos. Tal es mi parecer, mondo y lirondo, y hasta creo que por esos derroteros se va á la reforma que necesita el teatro de *costumbres* en las actuales Kalendas; es decir, á que se hable en las tablas como se habla en el mundo delante de personas de buena educación, con claridad y llaneza. Ríase V. pues, de los *químicos* de la redondilla de los viejos moldes convencionales; y adelante con la tarea, que es patriótica, segun el modelo de *La loca de la casa*, que, para mí, no admite *pero* ni en la forma ni en el fondo.

Por lo que toca á *Gerona*, siempre hé sido de parecer que no deben transformarse en obras teatrales los libros conocidos, mayormente si son de tan superior claridad y tan afamados como el Episodio de aquel título. El teatro no puede dar lo que da la novela ni en desarrollo ni en detalles, y la fiera llamada público pide en aquél todo cuanto ha conocido en éste, á pesar de saber que no es posible concedérselo.

Y ahora que está V. *concluso*, como diría un Gonzalera de acá, y beneficiado y hasta glorificado con la 21ª repreentación de *La Loca*, dígame, ó conságreme dos *rasgos cadmeos* para decirme cuando dá la vuelta hacia la tierruca.

Entre tanto, le advierto que las hortensias y los algortos ó madroños de Polanco, están en la Magdalena días hace; y que le espera á V. con los brazos abiertos su ap^{do} am^{o} y adm^{or}

J. M. de Pereda

Santander 9 de Feb^{o}/92.

* * *

Mi querido D. Benito:

Por callárselo V. todo conmigo, hasta se calló las señas de su actual *apeadero* en Madrid, lo cual fué causa de que en fresco, es decir, al día siguiente de aquella noche que debe ser de «eterna remembranza» para

V. y para cuantos le queremos y admiramos, no pudiera yo enviarle la salutación que se escapaba por todos los poros de mi cuerpo; y eso que me costaba mucho trabajo perdonarle á V. la *infidelidad* que me hizo al marcharse de aquí sin decirme lo que llevaba en las alforjas, como si no mereciera yo saber de ello tanto tanto siquiera como Ferrer (1) que me lo descubrió dias andando. En fín, lo primero es lo primero, y lo importante el triunfo descomunal de V. sobre ese monstruo de mil cabezas cuyos halagos son la suprema ambición y hasta la borrachera de los grandes ingenios. Usted le há hecho esclavo del suyo á la primera batalla... y á otra, señor D. Benito; ya que es dueño y señor de ese campo de laureles y de abrojos.

Díceme que le han hecho guerra innoble esos *chicos;* podrá ser y lo será indudablemente cuando V., que lo há visto de cerca lo *afirma;* pero le advierto para su tranquilidad, que esa guerra no se ha reflejado en la prensa, leída desde aquí. Pocas veces hé visto mayor unanimidad de pareceres en cuanto á lo principal. Alguna discrepancia que otra en cuanto al fondo de la cosa, era de esperar porque son muy varios los puntos de vista de los hombres.

Le agradecí mucho el ejemplar que me há regalado, y más le hubiera agradecido con un sencillo autógrafo al frente, de su autor. El drama es largo indudablemente pero como las obras de arte no van de media como las fincas rústicas, largo y todo interesa y arrastra al lector, y supongo que al espectador, como el imán al acero. El acto en casa de la Peri, es de una novedad admirable, y la ocurrencia de haber llevado la *Hormiguita* á casa de Orozco, felicísima. Si hé de decirle todo lo que pienso, lo que menos me seduce en el drama es lo dramático; y consiste en que no penetro ni siento bastante lo complejo de los caracteres de Viera, Augusta y su marido. Súmeme V. si quiere con el vulgo, pero encuentro poco humano el modo de ser de Orozco particularmente. En la novela me resaltó menos ésta cualidad, por estar allí más ampliamente razonada. De todas maneras no está por aquí ni por otros lados semejantes el *quid* del merecido éxito; está, á mi ver, en la novedad de todo ello; particularmente en el modo de expresarse el autor y los personajes. Esto es lo nuevo y lo hermoso y lo indiscutible... ¡De esto si que tenemos que

---

(1) Puede referirse a Antonio Ferrer y Codina (1837-1890), dramaturgo y publicista catalán.

hablar! Lo peor es que casi vamos á cruzarnos en el camino; puesto que V. viene el 6 ó el 7, y yo marcho el 10. Tomando por pretexto un ligero quehacer que tengo en Barcelona, emprendo con Juan Man[1] y Aurelio, un viajecillo que comenzará por Madrid y Valencia. Como V. es aquí el invisible y no yo, espero que, recién llegado, me dirá el modo de que nos veamos y hablemos algo sin los afanes de tiempo que le apremían de ordinario cuando me favorece con sus visitas.

Por no perder el correo de hoy, tengo á mi pesar, que hacer punto aquí, y escribirle de prisa y mal lo que antecede; pues con motivo del viaje ando estos días en un pie, porque son innumerables los cabos que tengo que atar antes; y mañana es fiesta, y el lunes necesito ir á Polanco.

Con que, mi señor D. Benito, arriba la montera y un abrazo mental en espera del muy apretado que piensa darle su admirador de veras y ap^do^ am^o^

J. M. de Pereda

Santander 2 de Abril/92.

* * *

Telegrama.—

PEREZ GALDOS TEATRO COMEDIA

MADRID SANTANDER

LE FELICITA Y LE ABRAZA CORDIALISIMAMENTE SU APASIONADO PEREDA

Nota.—La fecha no se lee. Aparece en este lugar en la ordenación de Galdós. Debe corresponder al estreno de *La loca de la casa*, en el Teatro de la Comedia de Madrid el 16 de enero de 1893.

* * *

Mi querido am°:

Dígame por el dador si piensa bajar hoy á la ciudad y á que hora, pues en caso contrario iré yo á verle esta tarde, porque *es preciso* que nos veamos los dos hoy, estando como está arreglado *eso* que V. sabe, para mañana al mediodia.

Suyo afm°

J. M. de Pereda

s/c Ma^zo 8/93.

* * *

Mi querido D. Benito:

Si llega esta carta á sus manos, y llega á tiempo todavía, hágame el favor de preguntar á ese ebanista de V. si podría adquirirse en su taller ó en otra parte el roble americano que se necesita para el mueble, pues en Sant^r no lo hay á ningun precio, y lo que se encuentra del indígena, es malo y sospechoso. No se le olvide preguntar por el cristal, la cerradura, tiradores, escudetes etc... y traerme los azulejos.

¡Qué primavera, mi señor D. Benito! Le aseguro á V. que ni pintada en un papel sale más risueña y rozagante. Aqui vivo en perpetua borrachera de aires olorosos y de sol esplendente, aunque con la pena de tener que abandonarlo pronto. Deje V. luego esa condenada Babel y vuélvase á aquella Magdalena que no debe tener igual á la hora presente.

El lúpulo alargando sus bracitos nuevos, pero muy poco á poco.

De salud, tal cual, y de cuartillas..., peor.

Suyo de corazón,

J. M. de Pereda

Polanco 12 de Abril/93.

* * *

Mi querido D. Benito:

Como no le veo por acá y á mi no se me tercia ir á molestarle en su retiro, y se va aproximando el día de traslación á Polanco y quizás el de la marcha de V. á Barcelona, le pongo estos renglones para preguntarle si sabe algo de la madera para el mueble, y en caso negativo, si considera conveniente enviar un recordatorio á Madrid para que activen un poco su remesa; de modo que antes de irnos V. y yo de Santander quedara el mueble *en vias de hecho*.

Está comiendo ya los rábanos de la semilla que V. le dió, su ap^do^

J. M. de Pereda

s/c. Mayo 15/93.

* * *

B. Perez Galdós — Magdalena

Banquete Oller, mañana martes, Puente (1) Francés 1 $^1/_2$ tarde salida de Santander, tren Solares 10 $^1/_2$ mañana. Inexcusable asistencia de V. salvo jaqueca, desplome techumbre etc. etc. Espérole en casa, ó en estación.

Pereda

Junio 16/93.

NOTA.—El original en un volante de papel timbrado: «J. M. de Pereda.—Santander.»

* * *

(1) Lectura dudosa.

B. Pérez Galdós — Magdalena.

Oller telegrafíame salida hoy Madrid, llegada Santander mañana tren correo. Cartas anteriores habíame hablado grandes deseos hallarle á V. aqui. Sirva gobierno. Nosotros ánimo jalearle cuanto posible. Diga dictámen si interésale asunto. Informes *repetive*, Muelle 4, 3º.

Pereda

Sant^{r} — 20, Junio, 9 m.

NOTA.—El original en papel de cartas corriente.

* * *

Mi querido D. Benito:

Ignorando á estas horas el paradero de V. y por si acaso continua en Madrid le mando allí estos pocos renglones para decirle que la necesidad de las muestras de telas ha llegado á ser apremiantísima, y que, por tanto, si le es posible adquirirlas ahí y no piensa V. venir en toda la presente semana, me las envie por el correo ó como mejor le parezca. Siento molestarle con estas impertinencias, pero no lo puedo evitar, en el supuesto, se entiende, de que persevere V. en su propósito de hacerme ese favor.

Por misericordia de Dios continuamos vivos y hasta en buen estado de salud en esta su casa despues del desastre del 3 de Nov^{e}, tras el otro desastre doméstico del 2 de Set^{e}. Bien dice el que dijo que no le dé Dios a un cuerpo todo lo que puede sufrir.

Suyo spe ap^{do} am^{o}

J. M. de Pereda

Santander 4 de Dicb./93.

NOTA.—El desastre a que hace referencia Pereda es el suicidio de su hijo Juan Manuel. El papel es de luto.

* * *

Mi querido D. Benito:

Por terminar de una vez estos engorrosos lios en que le traigo á V. envuelto, y porque la tela ha gustado á Maria, aunque hay que pintar de nuevo la habitación, y la tela excede con mucho el precio al preestablecido en nuestros cálculos, se deciden estas señoras por la muestra persa que va envuelta aparte en un periódico, pero contando con que esos Srs. bajarán algo de las 15 pesetas que piden por cada metro. Hoy mismo veré á Rasilla para que me dé el número exacto de ellos, que serán de 40 á 44, y por el correo de mañana escribiré á V. todo lo que necesita saber para que procedan al envio que urge.

Hasta mañana, pues, se despide su afmo

J. M. de Pereda

Dic^e 16/93.

NOTA.—El original en una hoja de block timbrada: «J. M. de Pereda, Santander.»

* * *

Mi querido D. Benito:

Ayer le devolví á V. por el mismo conductor que las había traido la víspera las muestras de telas. La elegida fué una de estilo persa que iba separada de las otras y envuelta en un periódico, como se lo decía en una esquela que acompañaba al envoltorio, añadiéndole que hoy, despues de preguntárselo al tapicero, diría á V. el número fijo de metros que se necesitaban. Cumpliendo esa promesa le digo que se necesitan 44; y cuentan, por supuesto, estas S^ras, con que el comerciante hará alguna rebaja de consideración en las 15 pesetas que ha pedido por cada metro. Trabaje V., pues, un poco la partida en este sentido, y si no consigue nada, entre con las 15 pesetas.

Para pago de esa cantidad y de alguna otra que haya V. suplido por mí, le enviaré un mandato contra Suarez en el instante en que conozca el total; y en cuanto á la tela, puede V. mandarla por el mismo conductor que las muestras, ó del modo que mejor le parezca, teniendo presente que no es su urgencia tan apremiante que no pueda aguardar el tapicero algunos días.

No se le olviden las muestras de moqueta y de *tiras* para mi despacho y carrejo. Una de las prim^{as} es para la misma habitación que la tela elegida. Aun aguardo concesiones de indulg^{as}, y por eso no le he enviado el texto del recordatorio. Quizás pueda llevarle V. cuando vuelva á Madrid de su *vacación* de Navidad.

Aunque el suceso le cogió á V. en capilla ya, supongo que no le habrá afectado mucho el fracaso de Echegaray.

Deseándolo así y esperando sus órdenes ó su persona que ya no puede tardar, quedo suyo aniquilado, inútil pero afectuoso am^{o} que le quiere de veras

J. M. de Pereda

A Mario, puesto que le ve á menudo, salúdele cariñosamente de mi parte.

Sant^{r} 17 Dic^{e}/93.

* * *

Mi querido D. Benito:

Ya que, segun mis noticias, ni piensa V. venir por ahora ¿tendría la bondad de hacer un esfuerzo para decirme en cuatro renglones si recibió las muestras que le devolví por el conductor, si se enteró de una esquela mía que les acompañaba y si llegó a sus manos la carta que en ella le prometía y le escribí al día subsiguiente? Urgeme saberlo porque se va aproximando el día de la mudanza y el tapicero apremia, y hasta el pintor aguarda la tela elegida para entonar con ella el cuarto pintado ya de otro color.

Entre tanto la muerte no para un punto en el corto espacio de mis intimidades desde que la conocí bien de cerca en el recinto de mi hogar, cuatro meses hace, y anteanoche se ha llevado á mejor vida á nuestro amigo Juan Pelayo.

Dios tenga misericordia de nosotros en las postrimerias de este año funesto, y nos depare el que llama á las puertas ya, tan próspero y llevadero como se lo desea á V. su ap[do]

J. M. de Pereda

Dígame tambien como van los ensayos de su obra y cuando se representará.

Santander 28 de Dicb./93.

* * *

Mi querido D. Benito:

Si, por acaso se le ha olvidado á V. y llega esta carta á tiempo de remediar el olvido, no deje de mandarme con la tela que ha de traer Quiñones las muestras de moquetas finas para el cuarto de María, y otro por el estilo, y las de tiras para mi despacho y carrejo.

Me interesa pagar ahí esas cosas; y hoy escribo á Suarez para que se acerque á V. y le abone lo que tenga suplido por mí en cualquier concepto. Por tanto, acepte el envite que aquel le haga, desde luego, en la inteligencia de que así me ha de complacer V. mucho más, que dejando esa liquidación para «cuando nos veamos». Yo me entiendo; y no lo digo porque me convenga aprovechar estas ocasiones de desvalijar al buen Suarez, que en honor de la verdad, es un modelo de hombres de cuenta y razón. Tampoco se excuse V. con que quedan otros encargos pendientes y que «junto lo pagaré». Nada de eso. En cuanto aquellos estén hechos, volverá el am[o] D. Vict[no] á proveerle á V. de fondos como es regular, si es que no quiere que desde luego le provea, á ojo de buen cubero. Demasiado hace V. en ocuparse en impertinencias indignas de tan egregia persona, para que tambien le exponga á ser mi banquero ahí.

No descuido lo del texto del recordatorio; pero me faltan las indulg[as] de los Arzp[os] de Toledo, Valencia y Zaragoza y Obp[o] de Barcelona, que me tienen prometidas, y tan pronto como llegue ó comience á temer que no han de llegar, resolveré el atasco. Por de pronto pienso escribir en este mismo sentido al librero cuyo nombre y señas me dejó V.

No le compadezco por el trajín *escénico* en que se halla V. metido, porque es la pimienta del sabroso guisado que ha de catar muy pronto, y Dios quiera que le resulte bien cargadito de *laurel*, como le resultará, si los anarquistas no meten la pata, quiero decir, la bomba, en algun concurso semejante al del teatro ó el público se cura de ese pánico que va resultando bufo en el *regio coliseo*.

Perdone las prosaicas molestias con que le distraigo de sus gloriosas empresas; y siempre suyo de corazón

J. M. de Pereda

Santander 1º de Enº/94.

* * *

Mi querido D. Benito:

Quiñones ha hecho otro viaje sin traerme la tela, que cada día es más urgente. Perdida la esperanza de que venga por este conducto hoy telegrafio á Mérida donde se halla D. M. Aracena, uno de los empleados de esta fab[ca] encargándole que á su paso por Madrid, el sábado próximo, se vea con V. y me traiga sin falta alguna el encargo ese. Hágame V., pues, el obsequio de tenerle preparado para ese día y entregársele; porque es grande la falta que está haciendo aquí la tela, muchos días ha.

Siento en el alma darle á V. estas prosaicas impertinencias en la situación en que se halla y tan cerca de las nubes del olimpo; pero en el estado en que se hallan las cosas, no puedo evitarlo.

Suyo sp[e] ap[do]

J. M. de Pereda

Santander 9 de Enº/94.

* * *

Mi querido D. Benito:

Aracena trajo la tela y con ella una promesa de V. de escribirme al otro día, y el recibo innecesario de la cuenta pagada. Puesta la debida consideración en las tareas que principalmente le ocupan á V. ahora, no va esta carta á profanárselas con insistencias prosaicas sobre «lo que quedó pendiente»; pero recordando haberle oído á V. que estaba comprado el herraje y dispuesto el cristal para el mueble, me atrevo á suplicarle de todas veras que dé la orden para que se expida todo ello inmediatamente por ferrocarril, consignado á este tapicero. D. Juan Rasilla. El cual, viendo como el mueble se estropea, con los rigores de la intemperie, á la puerta del taller donde V. lo dejó, desea ponerlo cuando menos, en condiciones de ser recogido en el almacén mientras llega la hora no lejana ya, de trasladarlo á la nueva casa. Para las moquetas y alfombras de carrejos, ya veré yo de arreglarme como pueda, y no se apure V. por eso; pero, por el amor de Dios, no deje V. de activar el envio de lo perteneciente al mueble, ni de ponerme dos letras para mi gobierno.

Tambien llegó *Torquemada*, que no he podido leer hasta estos días. Como lo esperaba, he hallado deleitoso en sumo grado, ese pedazo de la vida del gran *lipendi*, pero me he quedado á media miel, porque al acabarse el tomo comenzaba lo que, segun todas las señales, iba á ser, y será algun día, lo mejor. ¿Cuando se estrena la comedia?

Le anticipa su aplauso su ap^{do} am^{o}

J. M. de Pereda

Sant^{r} 23 de En^{o}/94.

* * *

Queridísimo D. Benito:

Acabo de enterarme por un telegrama de *El Atlántico*, de que *La de San Quintín* ha obtenido anoche un éxito excepcionalmente grande y merecido.

Con todas las veras de su alma felicita á V. y le abraza su ap^{do} am^{o} y adm^{or}

J. M. de Pereda

Santander, En^{o}, 28/94.

* * *

Mi querido D. Benito:

Escribí á V. cuatro letras al conocer el éxito fenomenal de *La de San Quintín* por un telegrama en esta prensa local. Despues lo ví confirmado por los periódicos de Madrid, y no necesito decir á V. con que avidez me fuí enterando de aquellos pormenores del triunfo, ni la sensación que iban causándome en este ulcerado corazón, muerto ya para el sentimiento en lo que caiga fuera del radio limitadísimo de la familia y de los amigos de mi mayor intimidad. Al fín, tenía V. que hacerse parte en el teatro; y la hizo redonda. Para ser V. completo y acabado en todo, no le falta más que alabar á Dios por lo pródigo que ha sido con V. en dones del espíritu y de la inteligencia; y como supongo que ya lo habrá hecho á su manera, ni esta tacha nos queda que ponerle á los que más le admiramos y queremos.

Apesar de lo que V. me dijo la antevíspera del estreno, despues que conocí el éxito de lo estrenado, no creí que viniera V. á pasar aquí los Carnavales, estando tan caliente todavía la masa de ese pastel y siendo tan dulce de saborear. Hubiera sido imperdonable en V. no *apurar* un poquito más la *suerte*. Hoy me confirma el amigo Ferrer este supuesto; y como tengo en mi poder las llaves de la nueva casa y este prosaico asunto no guarda miramientos por nada ni con nadie, me atrevo á saltar por encima de los laureles que le circundan á V. para suplicarle con los debidos respetos, que entreguen al joven Aracena, hijo del que me trajo la tela y se halla estos días en Madrid, el herraje y demás que habia de traerme V., según me dijo en su carta, y si la tiene adquirida tambien, la muestra de esa alfombra de carrejos, inglesa, de que V. me habló aqui. Dicho Aracena se le presentará á V. con una tarjeta mía.

Lo inoportuno de este encargo le dará á V. la medida de lo urgente que es.

Lo dicho, y otro abrazo de su ap^do^

J. M. de Pereda

Santander 4 de Feb^o^/94.

* * *

Mi querido D. Benito:

Sírvase entregar al dador, D. José Aracena, los encargos que pensaba traer V. para este su ap^do^ am^o^

Sant^r^ Feb^o^ 5/94.

NOTA.—El original en tarjeta de visita, de luto: J. M. de Pereda.

* * *

Mi querido D. Benito:

Por lo mismo que le suponía á V. enfrascado en las tareas del discurso y otras semejantes, porque no llegaban las noticias que me había prometido V. para el día subsiguiente de su vuelta á Madrid, escribí el sábado á Suarez para que se viera con V. y se encargara de aliviarle del peso de mi engorrosa comisión. Con el mismo fin piadoso, y aprovechándo la dirección que V. me da en su carta de anteayer, escribo hoy á los Sobrinos de Ruiz de Velasco pidéndoles 35 metros del *Matí (sic)* que más le haya gustado á V., y 18 de alfombra de pasos que V. propone, aunque la preferíria de fondo gris con las mismas cenefas encarnadas. Esta noche dormimos ya en la casa nueva, y por ello comprenderá V. la urgencia de esos adminículos tan necesarios. Les digo á esos Srs. que si es posible y no muy caro, me envien las alfombras por doble-pequeña velocidad, y que pasen la cuenta á Suarez.

A este encargué mucho que despues de verse con V. se acercara al librero Hernandez y averiguara con él mismo la razón de no contestar á las cartas que le he escrito, para saber ya, en definitiva, á que atenerme en lo relativo á los Recordatorios.

Le escribo á V. casi sobre las rodillas por falta de mejores útiles en esta casa desmantelada, y concluyo mandándole mi enhorabuena por el éxito en el beneficio, y un abrazo de su afmo

J. M. de Pereda

Santander 28 de Feb°/94.

* * *

Mi querido D. Benito:

No se canse V. de buscar el texto del recordatorio entre sus papeles, porque hasta ayer no le he escrito: la parada ha estado, no en la falta de su texto, sino en la de la respuesta de Hernandez á las preguntas que yo le había hecho en una carta repetida después. Hoy, en vista de la de V., le vuelvo á escribir, prometiéndole el texto para mañana y pidiéndole la pronta respuesta á unas preguntas, de manera que al devolverle corregidas las pruebas, pueda yo fijarle el número de ejemplares que ha de tirar en cada clase de papel.

Como los Sobrinos de Ruiz de Velasco contestaron á unas observaciones que yo les hice sobre el modo de hacerse el envio de las alfombras, ayer mismo les puse un telegrama mandándoles expedirlas inmediatamente; Suarez se ha visto ya con ellos y queda encargado de pagarles la factura.

He querido aliviar á V. del peso de estos prosaicos y mortificantes entretenimientos, porque, en las excepcionales circunstancias en que V. se encuentra de un tiempo acá sería un pecado imperdonable no hacerlo así. Sirva esto de respuesta á las bondadosas ofertas que V. me hace de su persona para rematar estos asuntos; y ayúdele Dios en la faena académica en que se halla metido.

Yo, entre tanto, me anonado y abismo en las anchuras interminables de esta nueva casa, que, cuanto más se va llenando de *cosas*, mas vacia me parece; porque en vano busco en ella lo único que sería capaz de llenarla, y ya, por decreto de Dios, no he de encontrar en la tierra. ¡Si viera V. lo que esto duele y ahonda, y como, lo mismo que un puñal de cien puntas, se va clavando y clavando, más adentro, más adentro, á cada paso que se dá, y como se ennegrecen los horizontes y se merman los ya bien escasos estímulos de la vida!

Perdone esta negra nota con que, sin poder remediarlo y *ex abundancia cordis (sic)*, pone fin á su carta de hoy su entrañable y desdichado am^{o}

J. M. de Pereda

Santander 4 de M^{zo}/94.

* * *

Mi querido D. Benito:

Suponiéndole ya libre de la pesadilla del discurso y sin otra carga que la bien copiosa de los laureles ganados en su última campaña, me atrevó á mortificarle á V., y contando que le sobran á V. buenas aldabas en la actual *situación* política, con la recomendación encarecidísima de la adjunta nota en que se trata de mi amigo y, cuando menos, conocido de V., el catedrático Sr. López Vidaur, aspirante, por concurso, á una cátedra vacante en Barcelona y con grandes derechos á ese favor, si así lo estima ese Supremo Consejo de Instrucción Pública y lo aprueba el Sr. Moret... ó el que le reemplace en Fomento despues de resuelta esta crisis apuntada. Vea, pues, por caridad de Dios de poner en buenas manos y bien recomendada la minuta que acompaño, y se lo agradeceré en el alma, después de pedirle perdón por el nuevo engorro que le encomiendo.

Llegaron las alfombras, que me gustaron, y aguardo las pruebas del texto que envié dias hace á Hernandez para el recordatorio.

No sé si le dije á V. que el mueble dibujado y dirigido por V., está ocupando, desde la víspera de la mudanza, el sitio que le tenía destinado en el despacho. Ha gustado extraordinariamente á todos los que lo han visto; y no me extraña, porque resulta muy gracioso y elegante... y está muy bien hecho.

Dígame si tiene V. señalado día para su recepción en la Academia; cuando vuelve por acá y lo que quiera de su apd^o^ am^o^

J. M. de Pereda

Santander 10 de M^zo^/94.

NOTA.—Acompaña a la carta un papel cuadriculado arrancado de un cuaderno con la nota que se copia a continuación:

"D. Aurelio López Vidaur, Ingeniero Agrónomo y Catedrático, por oposición, de Agricultura del Instituto prov^al^ de 2ª Enseñanza de Santander, autor de varias obras aprobadas por el Consejo Sup^or^ de Instrucción Púb^ca^.

Solicita ser nombrado catedrático del de Barcelona, por concurso de traslación.

Es Ing^o^ Agrónomo desde 1874, y catedrático numerario desde 1879, desempeñando los cargos de Ig^o^ Agrónomo de Prov^a^, Profesor de Química en la Escuela de Artes y Oficios y Director de Caminos, paseos y arboledas del Ayuntamiento de Santander, además de otros muchos honoríficos, como se hace constar en su hoja de méritos y servicios."

Santander 10 de M^zo^/94.

* * *

Mi querido D. Benito:

Si le han dejado con vida estos temporales feroces que aquí nos tienen incomunicados con medio mundo, y esta carta que le escribo á las 10 de la mañana con luz artificial, llega á sus manos por la linea de Bilbao, recíbala y acójala con el interés con que yo se la escribo, enderezada, principalmente, á reforzar la súplica que le habrá hecho desde León, el Director de aquella sucursal del Banco de España, nuestro amigo D. Ceferino Martinez, de que recomiende V. con decidido empeño á su hijo Angel aspirante á una de las 50 plazas con 5.000 rs, que va a proveer la Tabacalera. Conozco al candidato, que es un excelente mozo, no por su estampa, sino por sus prendas, y me consta que sería una verdadera obra de caridad lo que en favor suyo se hiciera. Y no le digo más, porque ni siquiera me atrevo á pedirle dos *rasgos cadmeos* con que demostrar al padre que he cumplido honradamente el favor que me pedía para su hijo, y además de honradamente, con gusto y con empeño, porque todo se lo merece aquel amigo.

Estoy *en prensa* y cuento con un desastre. *Mons parturiens*. Afortunadamente me cogen ya estas cosas curado de espanto. Lo que me interesaba era distraer este espíritu mortificado, y lo he conseguido á medias, por algun tiempo. Ahora, Dios dirá como lo distraigo en adelante, por habérseme acabado aquella distracción y no quedándome en la mollera ni gérmenes de otra semejante.

Dígame cuando entra V. en la Academia; si piensa venir antes por acá, que *perjeña* en el actual momento histórico etc, etc. para gobierno y satisfacción de su amicísimo

J. M. de Pereda

Santander 10 de Enº/95.

* * *

Queridísimo amº:

Escribí á V. muchos dias ha una carta (cuyo contenido le confirmo) dirigida al teatro de la Comedia. Reclámela si no se la han entregado. Nada le decía en ella de «esas cosas» porque temí mortificarle trayéndolas á cuento sin más ni más; pero ya que V. me brinda con el asunto en su grata del 18 recibida, con varios dias de retraso, á la vez que el ejemplar de los condenados *(sic)*, le diré en pocas palabras mi parecer sobre el prólogo y sobre el drama despues de haber leído y releído ambos *documentos.*

Y no le choque la tardanza con que le respondo, porque llevo ocho dias sin sosiego con los preparativos para la inauguración de la restaurada iglesia de Polanco, á la cual concurrirá el Obispo, pasado mañana viernes, por lo que saldré yo de aquí con toda mi familia, dentro de dos horas.

Por eso seré tan lacónico en esta carta que no quiero dejar *para despues.* Perdone, pues, por lo poco y por lo tarde.

Si V. recuerda que en mi novela *Nubes de Estío* hay un capítulo titulado *Palique*, el cual dió mucho juego entre los *chicos de la prensa*, bautizados allí con este nombre, no puede dudar lo que yo pienso de todo lo que V. les dice en el prólogo, mucho mejor dicho y más *in extenso* que lo que les había dicho yo, y de lo cual, afortunadamente, nadie se ha acordado, en el fragor de esa batalla que aun colea. No servirán las verdades de V. para convertir *infieles* de ese linaje, pero quedarán patentes como debido homenaje á los fueros de la justicia y á la dignidad de los escritores independientes. Cuando ya está uno á punto de terminar su carrera y de enfundar la pluma para siempre, despues de haber sufrido 20... 30 años la tiranía de la prensa al uso ¿en que se peca ni á que ley se falta desplegando una sola vez los labios para decirle al *firmero:* «conste que te he conocido»?

Y esto dicho, en compendio y resumen de lo que diría con más *vagar* por delante, vamos al drama. Lo primero que necesitaba este para ser sentido y estimado debidamente era un público que no hubiera leído jamás á Perez Galdós y á cuantos, como V., han puesto su principal empeño en *modernizarlo* y *humanizarlo* todo de tejas arriba y de tejas abajo... y perdone la franqueza. Al fin y al cabo no es ella más que un comentario de cierta sospecha que V. apunta al indagar las causas posibles del fracaso. Los paladares del día no están para manjares de esa índole por más que haya V. adobado el criticismo de su drama con cierto expolvoreo *(sic)* filantrópico, con lo cual, en mi opinión no ha satisfecho por entero á ninguno de los comensales. Dígolo por la santidad de Paternoy. que no es del todo *divina.* El recurso del juramento falso, le encuentro, por el fin que lleva, lícito, natural y harto más *noble* que la tan cacareada triquiñuela del santo aquel que, preguntado por los que perseguían á un criminal que había pasado, huyendo, por delante de él, respondió metiendo las manos en las opuestas bocamangas de su hábito: «por aqui no pasó».

Para lo que no hallo disculpa es para lo que hace Partenoy al final del 1^{r} acto. Aquello no es acción ni criterio de buen cristiano, ni siquiera de pagano que entienda algo de honradez y buenos usos y costumbres y es muy posible que esta escena, por el lugar que ocupa y lo que contradice á la idea que se tiene del patriarca aquel, haya sido la causa fundamental de lo acontecido despues entre el público. Por lo demás, me parece *Los Condenados* la obra dramática de V. mejor *argumentada*, quiero decir, la más acomodada por su estructura *mecánica*, á las exigencias del escenario; y de ningun modo merecedora del exagerado desdén del público... hasta creo que, oida y vista más de dos veces, arrancaría aplausos, y de seguro, retocando y *entonando* un poco el colorido en Paternoy, cuya enmienda veo hasta en el final del acto 1° sin alteración importante en la marcha de las escenas posteriores... En fin, si viene V. por aqui y lo desea hablaremos de ello más despacio.

Entre tanto, gracias mil por la oferta que me hace y no merezco de dedicar á mi libraco algunos párrafos; libraco perseguido por todo género de adversidades. Ultimamente ha faltado papel p^{a} sus dos pliegos últimos, ya que anda, 15 dias hace, entre Tolosa y Madrid sin saberse su paradero.

Y aquí hace punto por falta de tiempo su apd^{o} am^{o} y $comp^{o}$

J. M. de Pereda

Entre los 1os pliegos firmados que devuelvo hoy, para los $ejemp^{s}$ que regalo en Madrid, va el de V.

Santander En^{o} 23/95.

* * *

Carísimo D. Benito:

Puesto que hasta pasó la fecha marcada por V. para venirse por acá, allá van estas cortas letras para acusarle el recibo de las suyas del 18 de M[zo], darle las gr[as] por el regalo de su *Torquemada*, y las más encarecidas aún por los superiores ratos que me proporcionó su lectura. Es, en mi opinión, esta última parte de la vida de ese *peje* la más deleitosa de todas ellas, por estar seguido y *apurado* el caracter hasta las últimas boqueadas, con una verdad, un arte y una gracia incomparable. Aunque no tuviera el libro otro mérito que el de la *juerga* en casa de Matías Vallejo, habría que descubrirse delante del pintor. ¡Vaya un cuadro, compañero! Es de los que piden *marcha real*, á telón corrido.

¿Es cierto que anda V. ahora con otra obra dramática entre manos? La negativa de *El Correo* me hace creer que sí. Celebraría no equivocarme.

Contaba yo de antemano con el fracaso de *Clarín*, porque eran muchos los doloridos de sus páginas que habían de aprovechar esa ocasión para vengarse en el teatro y en la prensa, aunque *Teresa* hubiera sido la obra más perfecta de todas las conocidas. Ya veo que también se defiende y la defiende á cara descubierta. Aun no la conozco por no haber llegado hasta aqui los ejemplares impresos; pero desde luego aseguro, sin más datos que los méritos conocidos de su autor, que ha de ser merecedora de mejor acogida que la que obtuvo en ese congreso de malas pasiones. Gracias tambien por sus aplausos á mi librejo, más afortunado que bueno, y por sus intenciones malogradas de tributárselos en letras de molde. No me caeran á mi esas brevas.

Ahora, con la mollera vacía de ideas de esa catadura y las manos sin labor, he vuelto á hundirme en la sima negra; mientras que para los más felices, que sobrenadan *arriba*, comienza á sonreir y á alborozarse la primavera en este suelo sin segundo. ¡Qué tiempo y que espéctaculos está V. perdiéndose en la Magdalena!

Suyo de todo corazón

J. M. de Pereda

Santander Abril 14/95.

* * *

Mi querido D. Benito:

Anoche recibí una carta que comienza así: «Me parece haber entendido á V. que había una Empresa ó Agencia que se ocupaba en proporcionar colecciones de recortes de lo que se imprimiera referente á alguna cosa, asunto ó persona que se le dijese... Quisiera merecerle me indicara el modo de dirigirme á dicha empresa ó agencia».

Es cierto lo que al firmante le «parece haberme entendido»; pero como yo no tenía entonces ni ahora tengo otros antecedentes de esa publicación, que el haber visto una muestra de ella en casa de V., á V. acudo con la súplica de que me diga cómo se la busca y se dirige á ella cualquier necesitado, si es que existe aún y V. lo recuerda. Dígamelo pronto por el correo, aunque yo lo preferiría de palabra en esta su casa donde sp^{e} le espera con las ofrecidas pruebas, ó sin ellas su ap^{do}

J. M. de Pereda

Sant^{r} Nov^{e} 20/95.

* * *

Carísimo D. Benito:

Dícenme que probablemente no vendrá V. por acá en todo el verano corriente. En vista de estas malas noticias que me dió ayer Ferrer, le pongo estos renglones para enterarle de que ya tengo hecho el *decumento* ese que se nos pide para entrar en la casona de *ajunto el Museo:* obra de ocho dias en Polanco, de donde volví ayer con toda la familia, sacrificio feroz á que me obligan los hijos *por mor* de estas arrastradas fiestas de Santiago y subsiguientes.

Ahora bien, mi señor D. Benito: ¿le mando á V. esa chapucería, de cuyo valor podrá juzgar por el trabajo que me ha costado despacharla, para que comience V. á responderlo? Contando con que ha de responder que si, porque la palabra es palabra y el tiempo apremia, voy á encargar que me le copien.

Entre tanto, cuidaré de que Marcelino no se vuelva á Madrid sin llevar consigo la respuesta al discurso de V. para que en los comienzos del invierno se pueda *echar* la doble función conforme al programa convenido.

Por de pronto póngame dos *rasgos* para avisarme su conformidad ó lo que en contrario se le ocurra, y déle Dios la paciencia que necesita para terminar pronto y bien la engorrosa tarea que ahi le ocupa.

Mil plácemes por la juerga de Barcelona, y lo que quiera de su ahijado en ciernes y apdo amo y compo

J. M. de Pereda

Santander Julio 24/96.

NOTA.—El documento a que Pereda alude entre bromas y veras es el discurso de ingreso de Pereda en la Academia, al que contestó Galdós, académico desde dos semanas antes; las recepciones se celebraron en 7 y 21 de febrero de 1897. El discurso de Galdós fue contestado por Menéndez Pelayo, promotor de su candidatura.

* * *

Mi querido D. Benito:

Como ha pasado, y con sobras, la fecha que V. me fijó en su carta gratísima del 23 ppdo sin haber tenido yo el gusto de verle por acá, allá le mando, por este mismo correo, la quisicosa de la Academia para los fines que V. sabe, si es que cuando la conozca de vista, no pierde hasta los buenos deseos que le animan de darle pronto despacho, y se arrepiente de haberse comprometido á ello; porque ahora que la veo en buena letra, me resultan de doble tamaño sus trivialidades é insustancialidad, más propios de un articulejo de compromiso, que de un documento con el destino que ese lleva. Por caridad de Dios le pido á V. que me señale los puntos que más flojos le prezcan, para reforzarlos un poco con algunas ideas que V. me apunte, si á bien lo tiene. No le extrañe, por tanto, que mis partos sean breves: así sale lo *parido*.

Independientemente de los embuchados que V. me indique y yo meta al *decumento*, con cuyo borrador me quedo, puede ir perjeñando la contestación desde luego, para que esté terminada antes de irse de aqui Marcelino, que me ha prometido formalmente llevar hecho el discurso para la recepción de V., discurso que ya tiene empezado. Por lo demás bien conozco que las cuartillas que le mando á V. no son de lo más á propósito para mover una pereza tan *perezosa* como la habitaul suya en casos semejantes; pero, asi y todo, confio en que, por esta vez, no ha de faltarle la diligencia que *pido y ruego* etc. etc.

Y ahora sepa V. que he estado en Segovia y en La Granaja, el jueves y viernes últimos acompañando á Pepe Quijano que fué a dejar un hijo en una academia preparatoria de aquella ciudad, que nunca había visto yo... ¡Pero que frío nos chupamos!, ¡qué *cierzo* aquel!

No esperé el aviso que V. me prometió en su carta, directo ó por conducto de Ferrer, porque, preguntado este por mi, me ha respondido que está seguro de que no vendrá V. á Santander, *por ahora* al menos. De todas maneras, con traer si viene, las cuartillas en la maleta, está el conflicto resuelto.

Suyo sp^e^ amicísimo

J. M. de Pereda

Santander, Ag^to^ 9/96.

* * *

Carísimo D. Benito:

Por su tarjeta del 14 me enteré de que llegó á sus manos el *decumento* y de sus buenos propósitos de que, por su parte, no ha de quedar el programa sin cumplirse. Dios se los prospere y le mantenga en ellos.

Ahora le digo, para su gobierno que mañana, martes, me volveré con toda mi gente á Polanco hasta fines de Septiembre, si antes no ocurre algun suceso que me desbarate los planes, Así es que, cuando le ocurra escribirme, hágalo directamente á aquel pueblo.

Por sospechas mías de que nada le dije sobre el caso al enviarle el discurso, le digo ahora que me hará un grandísimo bien en tachar ó enmendar en él todo aquello que no le satisfaga ó le parezca en desacuerdo tal con su modo de ver ciertas cosas, que le quite desembarazo para cumplir su cometido á su completo gusto. Está hecho de primera intención y casi de una *alendada* (1), y fio muy poco de mis genialidades para salir airoso en lances de la *seriedad* del nuestro en ciernes. Véalo, pues, con calma, tilde y tache sin duelo y ordene á sus anchas; pues,

---

(1) Sic, por *alentada*.

en último caso, haría otro *decumento*, tan malo como ese en la forma, pero de fondo menos descarnado y más anodino y al *rimero* de los usuales en la *casa*.

Conque que ordene y mande á su am.º y cómplice

J. M. de Pereda

Santander, Ag[to] 17/96.

* * *

Mi querido D. Benito:

Escribí á V. medio siglo hace una carta de cuyo paradero no tengo la menor noticia.

Marcelino se marchó con el discurso de V. en la región de los buenos propósitos y con grandes promesas de escribirle en cuanto llegara á Madrid. Si V. tiene interés en que lo ofrecido se cumpla, no le deje de la mano ya que tan al alcance de ella le tiene.

Tocante ál que V. há de escribir para responder al mío, si he de juzgar por los síntomas, muy lejano le veo. Por de pronto, todavia no sé, porque V. se lo ha callado, si el que tiene en su poder obra de estas pecadoras manos, sirve ó no para el destino que yo quiero darle. Para salir de estas dudas le pongo estos renglones, con el ruego muy encarecido de que no me dé la callada por respuesta.

Sigo en mi propósito de dejar despachado el negro trámite de la recepción en los comienzos del invierno, casi seguro de [que] si se me enfrían los pocos entusiasmos que conservo, no me atreveré ya con él nunca, y cuento con que si no veo logrados mis intentos, no será por culpa de V. para quien un trabajo como el que *me debe*, no ofrece más dificultad que la de *ponerse á ello*.

Le confirmo cuantas salvedades le hice en mi carta anterior relativas al buñuelo que tiene en su poder y soy s[pe] suyo ap[do]

J. M. de Pereda

Santander, Oct 5/96.

* * *

No le endilgo estos renglones ¡oh mi invulnerable D. Benito!, porque crea ciegamente en lo de que «á la tercera va la vencida», pues bien sé que no se dijo esto á cuento de cartas dirigidas á «señores de Madrid» que se obstinan en no contestar á ninguna: ni siquiera pretendo, obrando Dios el milagro de arrancarle una respuesta, que me diga en ella como va siquiera de *propósitos* de *pensar en comenzar* ó hacer algo del ingrato trabajito consabido; sólo aspiro á que me declare por qué no responde á ninguna de las cartas que le escribo. ¿Anda malo? ¿Muy ocupado? ¿Disgustado conmigo? En fin, lo que fuere.

Le advierto que no le hago estas preguntas, para molestarle menos, por conducto de Marañón, por ejemplo, porque probablemente, y siguiendo una costumbre muy arraigada en él y otros señores residentes ahí, me daría la callada por respuesta, lo cual no me resultaría nada agradable.

Con que..., hasta el Valle de Josaphat, si le parece donde hallará usted, tan amigo como siempre, á su ap[do]

J. M de Pereda

Santander, Oc[b] 20/96.

* * *

Carísimo D. Benito:

«Para rectificar», como dicen VV. los parlamentarios. Nunca me dijo V. que esas lamentables contrariedades á que se refiere en su carta del 26 le impidieran acometer el fastidioso trabajo de que se trata. De otro modo, no hubiera yo consentido que cayera sobre sus espaldas tan pesada cruz. Recuerde que, ajustándome á una *cláusula* del plan convenido ahí entre nosotros en junio, perjeñé aquí apresuradamente esa quisicosa que le mande á V. á principios de agosto, y que al recibirla nada me dijo que se pareciera á lo que me dice ahora, motivo por el cual me atreví á mandarle algunos recordatorios, que no obtuvieron respuesta..., y aquí está el *quid* de la cosa, mi señor D. Benito, y es motivo principal, único, mejor dicho, de mi última carta; porque yo no puedo avenirme, ni me avendré jamás, á esa costumbre de dar á ciertas cartas la callada por respuesta, una y dos y más veces, puesto que no concibo que le falten á nadie, por contrariado que se vea, cinco minutos para decirle á un amigo en cuatro renglones: «no te contesto porque no me da la gana, ó porque lo aplazo para otro día», siquiera para evitarle el disgusto de mortificarle con nuevas cartas, tomando el silencio por lo que no es, como me ha sucedido á mi ahora con V. En sustancia: que si le he dado un mal rato con cada carta de las que le he escrito, V. ha tenido la culpa de ello por su obstinación en no contestarme. Y ahora, que Dios le saque é V. pronto de ese berengenal lamentable en que todavía se halla metido, y me conserve á mi los pocos alientos que me van quedando para entrar en la Casona al precio de esa exhibición inhumana que ha de preceder forzosamente al ingreso.

Entre tanto, y no por vía de apremio, sino para gobierno de V., pongo en su conocimiento que anteayer me dijo D. Marcelino Menéndez (padre) recién llegado de Madrid, de parte de su hijo, que estaba escribiendo las últimas cuartillas del discurso y que en toda la semana quedaría terminado.

Nada sabía de la enfermedad del chico de Marañón (otro de los que se duermen, sin que haya fuerzas humanas capaces de despertarle) y excuso decir á V. cuánto celebro su alivio.

S^pe^ de V. ap^do^ am^o^ que le abraza.

J. M. de Pereda

Santander, de Oc^b^ 29/96.

NOTA.—Las contrariedades de Galdós a que Pereda se refiere son las correspondientes al pleito en que se vio metido cuando reivindicó la propiedad íntegra de sus obras.

* * *

Mi querido D. Benito:

Me ha leído Marcelino un párrafo que reza conmigo en la carta que le escribe V. á él con f^ha^ 27; y por el boquete de ese párrafo me cuelo yo ahora con estos renglones, primeramente para *felicitarle* el *año nuevo* como cualquier murguista de buena intención, y después para decirle que, afectivamente, me consumen algo las *impaciencias* á que alude, porque van fallando todos mis planes, y temo que se me evaporen los excasísimos alientos que me quedan para *darme en espectáculo*, antes que V. se resuelva á levantar el primer peldaño de la escalera por donde he de subir. Supongo yo que, dentro de poco, se largará V. á cosechar, fuera de Madrid, nuevos laureles para su *Fiera*, contando con que á las desazones del pleito ya se habrá ido haciendo; ó pondrá en el telar nuevas urdimbres; y con ninguna de estas ocupaciones y preocupaciones estará su cabeza para trivialidades insulsas, como la consabida. *Inde* mis comezones, que no lo serían si yo pudiera saber *cuándo* con fijeza; porque lo indeterminado es lo que me consume en casos tales, no lo *remoto* por mucho que lo sea. Y vaya, con este motivo un proyecto de convenio. Si no hubiera entre la recepción de V. y la mía más de un par de semanas, me daría el regaladísimo gusto de asistir á ella (á la de V.), porque ese tiempo y otro tanto que me tomara después de ingresado, es el maximum del que puedo yo despilfarrar fuera de mi casa en el invierno que corre. Todo es perfectamente realizable, estando, como está ya, escrito el discurso de Marcelino, ¡y qué discurso, comp^o^! Como suyo y para V. Haga un poco de fuerza de voluntad; tómese, por ej., un mes de plazo, no para *recibirme*, pues no merezco tanto honor, sino para despacharme de un *volapié:* el caso es *despacharme* de cualquier modo. Hecho esto en la primera semana de Fb^o^, pinto el caso, me avisa V.; lio el equipaje, llego á Madrid, ingresa V. al día siguiente; se entregan ambos discursos (el de V. y el mío) á la censura académica; se despachan allí en un voleo; los imprime Tello en otro, y cáteme á los pocos días zambullido en la casona y libre de esta pesadilla de la *recepción* que me parece más insoportable cuanto más lejana la veo. ¿Conviene? Pues á ello. ¿No conviene? Pues indíqueme otro plan más á su gusto con tal de que sea á *plazo fiio;* y sobre todo, contésteme esta carta por de pronto.

Buen año de salud y de laureles, y sin pléitos, le desea su ap^do^ am^o^,

J. M. de Pereda

Santander, 3 En^o^/97.

* * *

Mi querido D. Benito:

Quiera Dios que al recibo «de estas cortas letras» no le queden á V. ni rastros de la enfermedad que le ha tenido encerrado en casa tantos días, segun me refiere en su esquela del 14.

Creo yo (y perdone que insista en mi tema) que la Academia no se negará á recibirle á V. el día que V. mismo señale; lo cual no es lo mismo para mis fines, que dejar la elección de ese día al gusto de aquellos señores que pueden anticipar la fecha de tal modo, que haga irrealizable el plan que propuse á V. en mi carta anterior y doy por reproducido en ésta, con el ruego de que V. le acepte ó me ofrezca otro mejor. Porque yo no dudo de sus buenos propósitos, mi señor D. Benito, sino de las pícaras flaquezas humanas... en fin, lo que ya le tengo dicho. Ahora, cúmplame la palabra que me empeña de dar comienzo á la obra «en estos días y no dejarla de la mano», y avíseme cuando haya empezado á cumplirla; porque de ese temor que le infunde lo «magno» (!) de mi discurso, me rio yo; y no le llevo á mal la *ponderanza*, porque sé muy bien hasta que extremos conduce la *galbana* de los hombres.

Mucho, muchísimo le agradezco el regalo que me ha hecho de un ejemplar de *La fiera*, que aun no he leído, porque con la promesa, no cumplida aun de devolvérmele al día siguiente, me le llevó un amigo que le vió sobre la mesa, media hora después de llegar por el correo.

Con esto no le canso más: quedo esperando el aviso solicitado más atrás, y spre de V. amicísimo

J. M. de Pereda

Santander, Enº 21/97.

* * *

Muy querido D. Benito:

Ajustándome de buena gana á lo que V. desea, le contesto á vuelta de correo. Bien me parece que haya comenzado ya su contestación á mi discurso, y mejor el propósito, que jura, de no abandonar la empresa hasta no darla cima y remate. Dios le conserve los brios y le aumente la salud.

Díceme también que en cuanto acabe ese trabajo se le enviará á Tello. ¿Olvida V. que ha de censurarle la Academia, aunque solo sea *pro fórmula ¿* ¿O piensa presentársele en pruebas? Si esto vale, podía V. enviar el mío á la imprenta; pero teniendo presente, y advirtiéndoselo á Tello, que necesito hacer en él algunas importantes correcciones de forma. La verdad es que con ello ganaríamos tiempo: la mitad, por de pronto, del que le pedía yo á V. de los 15 días *mediantes* entre el ingreso de V. y el mío, con el objeto, recuérdelo bien, de que pudiera yo asistir al primero; pues si prescindimos de este trámite tan de mi gusto, la cosa varía de aspecto, y una vez terminado lo que V. trae entre manos no habría para que encadenar tan rigurosamente los dos *acontecimientos*. Esto se lo digo por si le causa algún trastorno el acomodarse á mis deseos, aunque bien sabe Dios cuánto sentiría no verlos realizados.

Y vamos ahora al caso que me consulta. Me parece de perlas considerándole *bajo cierto prisma*... y bajo otro y aun otros varios prismas; pero ¿qué dirán de ello *las gentes* que lo miren *baio el prisma* del vil ochavo? Este es un reparillo que me asalta de pronto; y si V. y Marcelino no le dan importancia, yo tampoco se la daré. Conque, allá VV. Pero suponiendo que opten por la afirmativa, ¿cómo se las va á arreglar V. para que el tomo dé 300 ó 350 páginas á no hacer dos moldes, uno para los discursos *oficiales* y otro para los del libro? Tampoco creo yo que se trague el público español, sin que se los metan en el buche con atacadores, los 6.000 ejemplares de que me habla: al fin, aunque obra de V. y Marcelino tres de ellos, se trata de cuatro discursos académicos, coleccionados en un volumen. Tampoco en esto entro ni salgo, porque ha de parecerme bien lo que V. y Marcelino resuelvan, amén de que nadie como V. y Suarez para entender en estos particulares. —Entéreme de lo que resuelva, para mi gobierno y mande á su ap[do]

J. M. de Pereda

Santander, En[o] 23/97... y nevando.

Anoche me leí el 1[r] acto de *La Fiera*, ¡cosa buena, superior, mi señor D. Benito! Aquello es hablar *en carne y hueso*, y no lo que se estila, desde tiempo inmemorial, entre las eminencias y no eminencias, de nuestros escenarios.

* * *

Carísimo D. Benito:

Ayer tuve dos sorpresas de regular tamaño: por la mañana leí en un telegrama de estos periódicos locales la noticia de la entrada de V. en la Academia el 1[r] domingo de Feb[o]; y por la noche recibí, con una carta de Tello, un paquete de pruebas de mi discurso. Y le digo yo á V. ahore sobre la 1ª: si como es el ingreso de V. en la Casona el día 7 fuera el 14, asistiría á él como se lo tenía prometido á V. y lo deseaba yo muy vivamente; pero en la fecha señalada me es imposible porque tengo asuntos pendientes que me impiden ausentarme de aquí durante la próxima semana. ¡Si se pudiera trasladar el suceso al otro domingo!

Sobre la 2ª sorpresa: mientras V. no conteste á mi carta última no puedo resolver nada en lo tocante al discurso, pues ignoro si prevalece el intento de publicar el libro con los cuatro, y por consiguiente el número de ejemps que han de tirarse de la edición *oficial*, como tampoco sé si se ha censurado ya en la Academia el mío, ó ha de presentarse en pruebas. Por todas estas razones espero carta de V. esta noche; pero si no se le ha ocurrido escribirme, hágalo en seguida que reciba ésta, con todas las aclaraciones necesarias para mi gobierno... y si á mano viene, con una promesa de *intentar* el aplazamiento de su entrada para el 2º domingo de Febº.

Entre tanto, cuídese y mande á su afmo

J. M. Pereda

Santander, Enº 30/97.

* * *

Mi querido D. Benito:

Mi gozo en un pozo. Siendo la recepción de V. el 7, no puedo asistir á ella: ya se lo dije en mi anterior. Bien sabe Dios cuanto lo siento por más de un motivo. Dice V. que ha solicitado de Tamayo (1) que sea la mía el 21. Me conviene la fecha; pero ¿estaré yo convenientemente *apercibido* para ese día? Para caminar en seguro, escribo hoy á Tamayo para que me diga si puede fijarse desde luego la fecha del 21, y si, en caso afirmativo, valdría presentar á la censura mi discurso en pruebas por conducto de V. Nada le digo del suyo (de V.) porque cuento con que ese, aunque sea á última hora será bien recibido y despachado. Me he fijado en el día 21 no solo porque ya le ha designado V. sino porque el domingo siguiente es Carnaval.

(1) Manuel Tamayo y Baus (1829-1898), poeta dramático español, académico de la Española desde 1858 y secretario perpetuo de la misma.

Ayer he devuelto á Tello las pruebas corregidas de todo mi discurso, y le dije que se entienda con V. para el número de ejmp[s] que han de tirarse del tamaño *clásico*, pues en el momento de escribirle no había tenido yo respuesta á unas preguntas que sobre el particular tenía hechas á V. Oígale, pues, y resuelva.

Con la carta de V. recibí otra de Suarez, el cual no sabe del libro en proyecto otra cosa que lo que le dijeron en la imprenta adonde fué «por casualidad el viernes». Díceme que con este motivo le buscó á V. dos veces y no pudo hallarle. Lo dicho: allá VV.

Acabé la lectura de la *La Fiera*, ¿se lo dije en mi carta anterior? En la duda, le aseguro que aunque el asunto de su drama no es de los que hoy privan, dentro de él me parece cosa superior, especialmente por el *habla* y hasta por la *miga* que yo le encuentro. Y eso que la diferencia que hay entre la pieza dramática representada y la leída, es tan grande como la que hay «entre lo vivo y lo pintado». Conste en esto mi franca opinión aunque valga poco, y mande á su ap[do]

J. M. de Pereda

Santander, Feb[o] 3/97.

* * *

¡Dichoso Vd., mi señor D. Benito, que ya salió de ese atasco cuyo recuerdo me pone á mí carne de gallina, y sabe ya lo que duele esa atrocidad á que obliga la entrada en la Casona de los inmortales!

Todavía no conozco los pormenores del suceso, que vendrán en el correo de hoy; pero se deduce del olorcillo de un poco que he visto en telegramas, que la cosa estuvo *de lo bien*, en fin, como debía estar. Sea enhorabuena; y sepa Vd. ahora si aun no lo sabe, que mi *ejecución* está señalada para el 21, segun me telegrafió Tamayo. Yo saldré de aquí el lunes 15. Téngalo presente para apretar un poco la impresión de los discursos.

Ahí hablaremos y me ensayará Vd. un poco el papel que me está destinado. Por esto y por otras cosas más, ¡cuánto deploro no haber asistido á la *ejecución* de Vd.! ¡Pero me cogió tan de improviso la noticia, como ya le dije!...

Iré á parar al hotel de Sevilla, como el año pasado, si me dan la habitación que he pedido; sino, ya le avisaré á Vd. oportunamente mi paradero. ¿Acabó el discurso? Si recibiera dos letras de Vd., antes de salir de aquí, se las agradecería mucho su amicísimo

J. M. de Pereda

Santander Fb° 9/97.

* * *

Carísimo D. Benito:

Como en mi última carta, cruzada con la de Vd. del 9, no le daba noticia de mi paradero ahí, y es de necesidad para mi que nos veamos y hablemos tan pronto como llegue y donde Vd. determine, le pongo estos cuatro renglones para decirle que saldré, D. m., de aqui el próximo lunes 15, y pararé, como el año pasado, en el hotel de Sevilla, Alcalá 33.

Hasta el martes, pues, y spe suyo apdo

J. M. de Pereda

Santander, Feb° 12/97.

* * *

Como todo lo malo se pega, yo también, mi querido Benito, he pecado ya de perezoso en esto del plumeo epistolar, con tan buenos amigos como Vd. *Pensé* escribirle á mi llegada de Madrid, y se me pasó «la hora oportuna». Después anduve malucho, de la *gotera* reaparecida en los últimos días de mi estancia ahí, con el ajetreo académico de los anteriores. Después... lo de siempre que hay cartas detenidas «en el negociado de los remordimientos» como dice, á propósito de estos conflictos, un amigo nuestro, creo que Liniers. Por último, apareció *Misericordia* en casa de Luciano, y la leí ó si lo prefiere por más exacto, aunque lo hayan vulgarizado los gacetilleros cursis y chirles, la devoré. Pues á pesar de ello y de las ganas que sentí de transmitir á su autor mis impresiones, no rompí á escribirle por mor de unos quehaceres *súbitos* y de unos viajes cortos y otro algo más largo á Bilbao con María para ver y despedir á los dos estudiantes de Deusto, uno de los cuales, Salvador, se halla actualmente ahí (Hotel de Oriente) quizás calabaceado de nuevo á estas horas ante ese tribunal de pedantes matemáticos que examinan con acertijos y zancadillas de mala ley... pero vamos al caso; y el caso es que al fin le escribo a Vd. para decirle que con ser *Misericordia* la novela quizás más sencilla de trama y aparato de todas las de Vd. es de las que más me gustan, por su verdad, por su frescura y por el vivo interés que producen aquellas cosas, personas y sucesos de tan insignificantes apariencias y tan profunda realidad. Entre la espesa falange de caractéres que Vd. ha creado en su Obra durante tantos años de gloriosa labor, acaso no haya uno de tan hermoso y humano relieve como Benina, con el especilísimo y singular mérito (y esto prueba la maestría de las manos que lo hilaron) de que aquellos teje-manejes y aquellas idas y venidas tan a la buena de Dios de la pobre mujer, no ofrecen nada de particular ni para ella ni para el lector, hasta que de pronto se maravilla éste y no puede menos de exclamar para sus adentros: «pero, Señor, ¡si esto es un asombro de inconsciente espíritu de caridad y de grandeza de alma! Y no hay más remedio que descubrirse delante de ella... y del artista que la ha creado de tan pobre arcilla y con tan leve esfuerzo. Así lo siento y así lo declaro, mi señor D. Benito, como siento y le declaro igualmente que me disgusta (lo único que me disgusta en la novela) lo que de carnal y grosero tiene el afecto que arrastra hacia Benina al, por lo demás, interesante y pintoresco mendigo marroquí. ¿Me quiere más franco?

A todo esto, la coch... prensa sin darse apenas por advertida del suceso. ¡Qué ignorancia y qué mala fe! Entre las honrosas excepciones cuenta con gusto un artículo de Alfonso Ortiz que leí anoche en *La Epoca*. Algo *lírico* es, pero sentido, cariñoso y entusiástico. Y ¿qué le diré de la vacante hecha en la Academia? ¿Quién había de creer que se abriera el hueco por donde se abrió en aquella casa, habiendo en ella tanto muro apuntalado? Ya he visto en danza los mismos nombres del año pasado. ¿Se ha comprometido Vd. á la hora presente? A propósito de la Academia: entre los libros de ella que me mandaron, solo vino el tomo 6º de las obras, en papel común, de Lope de Vega. ¿Por qué no me mandaron los cinco anteriores? Cierto que recibí también los 6 en papel japonés que fueron de Castro y Serrano; pero estos me los regaló la familia, porque así lo tuvo por conveniente. ¿Le dieron á Vd. los cinco tomos que me faltan á mí? Se lo pregunto para que, en caso afirmativo, me haga Vd. el favor de reclamarlos á Tamayo en mi nombre.

¿Se arregló ese j... pleito? ¿Piensa venir luego por acá? ¿Qué hace ahora? ¿Continúa arramblando los dos duretes semanales de la casa? ¿Escribe para el teatro, para el libro? En cambio yo, ni cartas. Se está muy bien así para la salud del cuerpo, pero la del espíritu pide algo de plumeo, aunque sea malo: ¡el pícaro vicio!

Muchas gracias por el ejemplar de *Misericordia* que me regaló Vd. por conducto de Ferrer, mil aplausos por la obra, memorias á Marcelino y demás am[os] y un abrazo de su ap[do]

J. M. de Pereda

Santander, Junio 3/97.

* * *

Mi querido D. Benito:

Muchísimas gracias por el ejemplar de El Abuelo que me ha regalado Vd. por conducto del am[o] Ferrer. Anoche comencé a leerle, y aun no he pasado de la jornada 2.ª Déjeme llegar al fin de todas ellas *para que hablemos*. Entre tanto, y «digan lo que quieran los termómetros» y Vd. mismo en el prólogo de esta misma, no me avengo fácilmente á la forma *teatral* en la novela. Al cabo es un esqueleto: falta allí la carne del autor, su personalidad literaria, su estilo, su arte, lo que en las tablas se suple, malamente por lo común, con el actor; la sal y la pimienta, como si dijéramos del guisado: me parece, en suma, esta forma, la más rudimentaria de la novela... con perdón de los que piensan de distinto modo. Siempre resultará entre una novela de estas y las usuales y corrientes, la misma diferencia que entre una comedia leida y representada, mayormente cuando se trata de lectores tan distraídos y desmemoriados como yo, y tan hecho á dejarme conducir por la varita mágica de los donaires de Vd. en sus narraciones novelescas.

Punto y a parte. Por si cumplo mi promesa de volver a la Magdalena en este mes, y aunque no la cumpla, le recuerdo el encargo que aqui le hice: á saber, que en una de las noches que vaya á la Casona con el honrado propósito de ganarse las 10 pesetas que en ella nos dan por eso, pregunte de mi parte á Tamayo ó al Sr. pequeñito que entiende en esas cosas, por qué se me ha mandado á mi solamente el tomo VI de Lope de Vega y no los 5 anteriores en papel de hilo; porque si ha venido la colección completa de los japoneses, esto ha sido por bondad de los herederos de mi antecesor cuyo nombre llevan en la ante-pasta. Trasmítame lo que le respondan.

Por acá nada de nuevo, sino es un temporal de todos los demonios. Diviértase, engorde, prospérele Dios su nueva empresa y mande á su amicisimo

J. M. de Pereda

Santander, Dicb. 5/97

* * *

Mi querido D. Benito:

Supongo en manos de Vd. la carta que le escribí días hace: hoy se la confirmo en lo tocante á un encargo que le hacia para la Academia, y le añado otro, que es el de reclamar tambien el tomo 7.º de Lope ya publicado *en sus dos aspectos*, japonés y ordinario, con la advertencia para los encargados de esas cosas, de que me envien esos ejemplares y los reclamados en mi carta anterior, si me los diesen, á casa de Marañón —Lista 3, 3.º— señas que deben registrar en Secretª para cuanto tenga que ver conmigo en casos como este. Y ahora, si no le molesta mucho, digame que queda enterado, y lo que le hayan respondido en la Academia.

En mi anterior le dije que había empezado á leer *El Abuelo*; que no me hacia gracia la forma *teatral* de la novela, y que hablaríamos despues de haberla leído. Pues ya la leí, y de dos tirones solamente, y en verdad le digo ¡oh mi prodigioso D. Benito! que en más de una ocasión durante la lectura, le he visto á Vd. emulando los alientos del mismísimo *Don Guillermo*, el de Inglaterra, en la gallarda figura de aquel noble arruinado que llena todo el libro «¡Al diablo la forma, por esta vez!» me dije despues de leída la última página «¿Qué más dá *asi* que *asao*, si lo que se pinta resulta tan interesante siempre y á ratos tan grandioso como esto?». Tal es la síntesis de mi juicio, ó, mejor dicho, la *fórmula* de mis impresiones *en caliente* ¿A qué razonamientos, ni alambiques, ni *escalpelos* para buscar *el por qué* ó el *para qué* de cosas que tal vez no pasaron por las mientes del autor de lo que nos deleita, nos cautiva y hasta nos entusiasma?. Y no le digo más, porque no lo necesito para que Vd. comprenda lo que quiero decirle. Quédese lo que no sé decir, ni lo diría aunque supiera, para los linces de las *rotativas*, y otros tales, que dan las patentes de escritor, ó las quitan, sin saber ortografía muchos de ellos.

Con esto y un abrazo se despide por hoy su amicísimo y admirador

J. M. de Pereda

Santander, 18 Dicb./97

* * *

Mi querido D. Benito:

Como esperaba que me avisara Vd. el resultado de la reclamación que había de hacer de mi parte en la Secret[a] de la Academia, no he contestado á sus cartas del 20 y 21 de Dicb. Hoy le hago esta mención de ellas, en vista de que ni viene ni me escribe, y le pido el favor de que me diga en dos renglones si presentó la reclamación y que le contestaron, pues á la hora presente no he recibido ni siquiera el libraco que me dan todos los años con las señas de los académicos.

Me enteré del artículo de *El Correo*, que me mandaba Vd. sobre la novela *regional* comenzada á publicar en Francia por M. Barrés. Me parece muy bien que les vaya dando por ahí a los ingenios que rebullen en el «cerebro de Francia», y del mundo entero, por deducción convenida.

Y Vd. ¿qué trae entre manos? Dícenme que arregla *El Abuelo* para Novelli (1). Serán de ver esas cosas en el teatro si el arreglo, puramente mecánico, sale bien hecho.

¿Piensa Vd. venir por acá antes de Abril?

Suyo s[pre] amicísimo

J. M. de Pereda

Santander, Feb.º 12/98

* * *

(1) Ermete Novelli, famoso actor dramático italiano que trabajó mucho en España.

Mi querido D. Benito:

No le asuste la vista de mi letra porque crea que le voy á distraer con nimiedades, del heroico trabajo en que, según refieren los periódicos, se ha metido Vd., con gran regocijo de cuantos, como yo, le quieren y le admiran; ó sospeche que le voy á pedir estrecha cuenta por no haberme respondido todavía á unas preguntas que por su conducto mandé medio siglo hace, á cierto funcionario de la Academia: todo lo contrario, le escribo hoy en la creencia de que puede reportarle alguna ventaja el asunto de que le voy á hablar.

Me dice Pedrero, notabilísimo dibujante que se encuentra ahí actualmente, que ha empezado Vd. segun sus informes, a publicar una edición ilustrada de sus novelas, y que ya está *Doña Perfecta* en manos de Pellicer (1); que si esto es cierto, él, que conoce á palmos la comarca de Reocín, se atrevería, en la seguridad de hacer algo que no desagradara, con *Marianela*; y por último, que si mi conciencia artística no se opone á ello, le recomiende la instancia que, con aquellos fines, se atreverá á elevarle á Vd. Y como yo sé bien lo muchísimo que vale este artista, el entusiasmo que siente por el arte y por Vd. y el despilfarro que haría de sus facultades en esa ocasión tan de perlas para entrar de lleno en el *gran público*, se le recomiendo con el mayor encarecimiento, y desde luego le animo á que le haga á Vd. una visita de mi parte, y hablen en ella del asunto.

Gracias anticipadas, y lo que quiera de su ap^do^

J. M. de Pereda

Santander, Abril 6/98

* * *

Carísimo D. Benito:

Ayer leí en el *Madrid Cómico* un *fragmento* de «Zumalacárregui» que me despertó gran apetito de zamparme el libro entero, y los remordimiento de no haberle dado á Vd. las gracias por la promesa que me

(1) José Luis Pellicer (1842-1901), pintor y dibujante catalán.

hace en su carta del 12 de Abril, respondiendo á la recomendación que le hice á favor de Pedrero. Vayan, pues, aunque un poco tardías... y vaya, de paso una nueva súplica, sobre un encargo viejo que se me ha quedado á medio hacer: refiérome á la reclamación de los libros que me debe la Academia. Como tuve serios propósitos de dar una vuelta por esa Corte hacia fines de Abril, no escribí á Tamayo, como Vd. me aconsejaba; desechado ya ese proyecto, y habiendo sabido que Tamayo no anda bien de salud, vuelvo á rogarle á Vd. que al ir el jueves próximo á ganarse honradamente las 10 j... pesetas, se acerque al hombre chiquitín, ó á quien en ello entienda, y le repita la reclamación, que, por lo visto, le hizo de mi parte tiempo ha: es decir, que me mande todas las obras publicadas durante el presente año académico, mas los cinco primeros tomos de la edición corriente de *Lope de Vega*, que no se me enviaron con el 6.º y demás libros que recibí en una caja de ellos. Si les parece mucho trabajo preparar otra, que me manden los libros que reclamo á casa de Suarez, y este se encargará de remitírmelos. Ni siquiera tengo el libraco de nombres y señas corresp[te] á este año. Si por cualquier motivo no puede ó no quiere Vd. hacerme este favor, dígamelo para intentar otro recurso.

¿Cuando sale *Zumalacárregui*? ¿Cuando viene Vd.? Esto de la guerra me tiene *patifuso* y desvelado.

Siempre suyo amicísimo

J. M. de Pereda

Santander, Mayo 23/98

* * *

Mi querido D. Benito:

Pocos dias hace escribí á V. una carta que le confirmo: con ella se cruzó en el camino un ejemplar de *Zumalacárregui* que me envió, certificado, la Ad[mon] de las *Obras* de V. Muchísimas gracias.

Por ser de V., por ser *episodio nacional* y por tratarse de quien se trata en ese libro, lo esperaba con el interés de los *grandes dias*; y á este respetive fué la avidez con que me le tragué. Siempre tuve al Don Tomás ese por hombre de la madera de Hernán Cortés y de otros, muy contados, grandes capitanes, de los que no quedan, ni ha habido en España desde el primer sitio de Bilbao rastro de sucesión ni señas de parentesco. De este parecer mío resulta V. en el libro que acaba de publicar, libro que, para mí, no tiene más que un defecto: el de haberse concedido en él mayor espacio á la presencia *real* de un personaje secundario, que á la de un héroe de tal magnitud. Cierto que con lo que hace y lo que V. de él dice, no se le quita un punto de la talla que le corresponde; pero, por lo mismo, mete á lectores apasionados como yo, en mayores ganas de *verle* más a menudo. Y tome V. esto como crítica de un goloso vulgar, á quien no le dejan hartarse del dulce que prefiere entre otros cien muy exquisitos, sin respeto alguno al juicioso programa y al arte del repostero.

Más de una vez he dicho á V. lo que pienso de sus *Episodios*: la altísima idea que tengo formada de esa labor indestructible; pues por esas mismas razones, por no desmerecer los comienzos de la tercera serie de las dos anteriores, y por encajar esos asuntos como moneda en un troquel en la atmósfera corriente, en el estado del sentimiento público á estas horas de amarga prueba, le pronostico á V. un feliz y provechoso éxito para la empresa en que se ha metido. Dios me oiga y á V. le ayude en la medida de sus merecimientos y de mis deseos.

Y con esto no le canso más, y concluye felicitándole de todas veras su amicísimo

J. M. de Pereda

Santander Junio 1°/98

* * *

Mi querido D. Benito:

Gracias por los cinco pliegos más de *Mendizabal*; pero ¡pásmese! hasta anoche no he podido empezar á leer los otros. Ahora pienso llevar la lectura de corrido.

Tengo las *Memorias de un setentón*, pero no la parte que V. necesita de la Historia de la Guerra civil, por Pirala. Lo que le puedo dar á V. es la continuación de la «Historia de España» de Lafuente, donde se halla lo que desea V. ver en el otro historiador. Si lo quiere, avise.

Aún no me apuran esos ochavos, y tengo por prorrogado el plazo del documento á que se refiere, y eso porque me lo propone V., pues bien sabe, que hasta el documento mismo era innecesario entre nosotros.

Me asombra esa fecundidad que ya le tiene con el tercer tomo entre manos. Bien sé yo quien, entre tanto, no encuentra la manera de poner una mala quilla en los vecinos astilleros de su pobre chirumen.

Salud y patria, si es que queda algo de ella á estas horas, y mande á su devotísimo

J. M. de Pereda

s/c Nov[e] 5/98

* * *

Mi querido D. Benito:

Por si tambien en esta semana se malogran los propósitos de hacer á V. una visita y antes de que me tome por descortés, le aviso en estos cuatro garabatos del recibo de su estimadísima del 11 y de los pliegos que la acompañaban de *De Oñate á la Grania*, los cuales leí aquella misma noche, porque tenía un viaje dispuesto á Bilbao, para el día siguiente á ver á los colegiales de Deusto.

No hay tal *flojedad* en la 1ª ni en la 2ª parte de esa novela: todo lo que de ella conozco, es decir, todo lo que V. me ha mandado, me parece superior y altamente interesante; por lo que le reclamo el resto de las pruebas para salir cuanto antes de la curiosidad *estética* en que me han metido los anteriores.

Es realmente feroz la tarea en que se halla V. empeñado; pero lo sería más si escaseara en sus adentros la materia prima. Al cabo, viene á ser eso para V. un trabajo *á caño libre* puesto que el manantial es copioso é inagotable; y con este bien, por privilegio admirable de Dios, ya resulta el mal que le quebranta y abruma, hasta envidiable.

Por lo tocante *á lo otro* de que me habla al comienzo de su carta, y aunque es cierto que en estos días ha de ser cuando más necesite yo de ingredientes de esa casta, no pierda V. el sueño ni se inquiete gran cosa, puesto que mis apuros son más facilmente remediables que los de V. «hoy por hoy».

Ya contaba yo con la respuesta que me dá al recado de Miralles, y hasta la anticipé á este como probable, fundándola en lo atascado que V. se encuentra.

De *Sotileza* sé últimamente que la está imprimiendo para publicarla en un tomo, menos mutilada que la publicó la *Revue des deux mondes*, la casa Hachette.

Y no habiendo más asuntos de que tratar, como dicen en los congresos de todas castas, déjolo aqui con la promesa de visitarle el día menos pensado, y s^pe^ suyo devotísimo

J. M. de Pereda

s/c Dicb. 18/98

* * *

Mi querido D. Benito:

El *caso* de que V. me habla en su carta de ayer, entregada hace un momento, es de los que «piden plática»; y si no tuviera la tarde comprometida para hacer unas visitas inaplazables con mi mujer, esta misma tarde me pasaría por su casa de V. para que habláramos. No le propongo yo que se venga por aqui de 2 á $3^1/_2$, porque le será muy violento. Si no le parece tal, estoy á sus órdenes todo ese tiempo. Por no quitarle de trabajar, podré verle mañana hacia el mediodía... en fin, cuando y donde V. quiera. Me he pasado la mayor parte de la semana última encerrado en casa, muy acatarrado: por eso no le hice la visita prometida.

Quedan en mi poder las pruebas. Gracias.

Siempre suyo devotísimo

J. M. de Pereda

s/c Dicb. 28/98

* * *

Mi querido D. Benito:

Anteayer, lunes, fuí á Bilbao con Vicente; almorcé con él y con su hermano y me volví solo por la noche. Ayer tarde recibí por el correo interior con una carta de la misma fecha, el abonaré del «Banco de Santander» en mi cuenta de las 4.000 pesetas consabidas, con lo que estamos V. y yo en paz y *finiquitos al respetive.* A mayor abundamiento, le mando adjunto el recibo que se empeñó V. en dejarme, para que V. mismo le inutilice. Si, como me lo asegura, con el último *cable* mío le es á V. posible navegar sin angustias hasta la *ínsula* de la cual es amo y señor, yo lo tendré por una de las más hondas satisfacciónes de mi vida.

Con estas idas y vueltas, aun no me he metido de lleno en la lectura del último tercio de *De Oñate á la Grania.* Hoy espero desocuparme y me daré el atracón que me falta. Después hablaremos.

Suyo spre devotísimo

J. M. de Pereda

Santander, Eno 4/99.

* * *

Mi querido D. Benito:

Pienso ir á Bilbao pasado mañana lunes, en el 1r tren, para no volver hasta el martes por la tarde. Se lo aviso por si quiere V. acompañarme, ó darme algun encargo *relative* á eso que perjeña ó plumea.

Suyo spre. afmo.

J. M. de Pereda

s/c Febo 11/99

* * *

Mi querido D. Benito:

Ruégole que oiga al dador, el Sr. D. Franco Aguilar; y si, después de oirle, puede contribuir al logro de sus deseos, lo celebrará mucho y se lo agradecerá mucho más, su amicísimo

J. M. de Pereda

s/c 13 de Mzo/99

Nota.—El original en tarjeta de visita de Pereda.

* * *

Mi querido D. Benito:

Si la batalla de la Academia fué el motivo de su viaje á Madrid, bien satisfecho debe de estar V. de él, pues que su solo voto sacó triunfante á Picón (1). Con ello y con que la mudanza le cure totalmente el catarro, triunfo completo. Así sea.

No es este el objeto de las presentes letras, sino este otro. Parece ser que un señor Meana ha publicado un *Curso elemental de Retórica* y que este libro ha ido ya desde el Minist[o] de Fomento á la Casona esa en demanda de un informe que autorice al ministro para comprar ejemplares de él. Se desea saber quien es el informante designado por los inmortales, y se necesita que V. ó los que le conozcan y tengan algun influjo sobre él, le recomienden que despache su cometido con la mayor cantidad posible de *azul de Ultramar*, como decía el ricachón al artista que le retrataba, después de saber que aquel color era el más caro de todos los de la paleta.

Y nada más le digo, ni con nada más le molesto, sino es con la súplica de que no se haga el muerto, como suele, pues se trata de complacer á un am[o] que espera noticias del asunto que recomienda á V. este que lo es s[pre] muy suyo

J. M. de Pereda

Santander, Nob[e] 4/99

* * *

Mi querido am[o]:

Crea V. que me veo y me deseo para buscar *el tono* de estos cuatro renglones que no le he mandado hasta hoy esperando á que pasara lo más recio de la tempestad que ha movido *Electra* en el Español y fuera de él. Bien sabe V. la cordialidad con que le quiero y le admiro, y tampoco ignora cómo pienso en determinadas cuestiones, de suma delica-

(1) Jacinto Octavio Picón (1852-1923), novelista y crítico de arte español, famoso autor de cuentos.

deza para mí, no por obcecación apasionada, sino por convencimiento racional y profundo. De aquí mi conflicto en este instante porque yo quisiera ser de los primeros en aplaudir ese nuevo testimonio del talento y del ingenio con que tan pródigamente fué dotado V. por Dios; pero nó que se sumen mis aplausos con el frenesí de las gentes que abrazan la bandera de muerte y exterminio contra ciertas cosas que nada tienen que ver con lo que sucede en el drama; más aún: yo acepto como presidiable el *caso* de Pantoja y votaría con gusto el grillete para él, y hasta (si me es lícito usar ejemplos pequeños en asunto tan grande) alguna vez he fustigado, en la medida de mis pobres fuerzas, *secuestros* de esa índole abominable; pero me lo parece aun más la del otro fanatismo que á pretexto de la rama podrida, quiere derribar el tronco sano y robusto. Nada tiene que ver, repito, una cosa con otra, y hasta creo que no ha sido la intención de V. confundirlas en su obra: creo más bien que el exagerado alcance social que ha tenido en la opinión *caliente*, se le han dado las circunstancias, algo que anda de un tiempo acá en el ambiente de nuestra política militante. —De cualquier modo, las cosas se han sacado ahora de quicio; y á ello se debe que, como le digo al principio, me vea y me desee al escribirle estos renglones; pues en ocasión tan solemne para V., yo que tan de veras le quiero, no debo ni puedo permanecer en un silencio sospechoso; y al decirle algo, temo que le sirvan de molestias los distingos á que me obliga la lealtad de mi corazón y los deberes de mi conciencia de cristiano viejo. Y este es el caso, mi señor D. Benito.

En la confianza de que con lo poco que le digo y lo mucho que V. me conoce y estima sabrá interpretar fielmente mis palabras, aquí hace punto y se despide con un abrazo su buen am^o^ y admirador

J. M. de Pereda

Santander, Feb^o^ 5/901.

NOTA.—En papel timbrado: J. M. de Pereda.

* * *

Mi querido D. Benito:

El contenido de su carta del 1º me anima á escribir á V. esta otra Cuando aquella llegó á mis manos, ya había leído yo *Electra* en el ejemplar que recibí certificado y con el rótulo de su casa editorial, lo que me hizo creer que era de V. el regalo, que agradecí muchísimo. Por lo que V. me dice, no me equivoqué en el supuesto, y de ello me alegro grandemente. Leí el drama aquella misma tarde, y si no le avisé el recibo inmediatamente con algo de mis impresiones de lector, fué porque me dominaban los mismos recelos que cuando le escribí la carta que ya estaba *allá* para entonces, recelos que se desvanecieron después con las cariñosas declaraciones de la suya.—Cuanto en la mía le apuntaba acerca de la *calidad* del éxito, lo ví claramente confirmado al conocer la obra. No hay en ninguna de sus situaciones motivo racional para que se la festeje con el *Himno de Riego* por donde quiera que vá, resucitando antiguallas de los buenos tiempos de «el Duque», y dando ocasión con ello á que los de enfrente la tachen de *impía* sin fundamento bastante, aunque no le falte, entre renglones, una buena ración de *carne de cura.* Harto más venenillo hay en *Doña Perfecta*, por ejemplo, y ni como libro ni como drama ha causado este disloque patriotero.—Muchos hombres que no son *progresistas*, pero que tienen interés en que ciertas cosas sucedan, son los promovedores de esas algaradas anacrónicas que, en nombre de la libertad de pensar y de creer, arman las inflamables muchedumbres al estilo de las de 70 años atrás, porque para ciertas gentes el tiempo no pasa ni varían de tema las funciones de la *sustancia gris.*

Me atrevo á decir á V. estas cosas porque, segun noblemente me declara en su carta, á V. mismo le ha sorprendido el estruendo tanto como á mí. Es indudable que los dos estamos perfectamente de acuerdo en lo que V. llama «el *quid* de esta endiablada cuestión» que dejo para que la tratemos amigablemente cuando nos veamos. Para entonces dejo yo también el hablar de la *obra de arte*, lado por el cual son pocos los críticos que han mirado á *Electra*, y sobre todo, lo que pienso del famoso Pantoja, á quien se ha hecho símbolo y encarnación del *enemigo* apedreado en las calles y vilipendiado en el teatro al son del *Himno de Riego.*

Como es casi seguro que yo no iré á Madrid esta primavera, y segurísimo que V. no podrá gozar tan pronto del sosiego que apetece en su rincón de la Magdalena, sabe Dios cuando nos daremos aquel gustazo, y si nos le daremos aunque nos veamos no muy tarde ¡porque al andar que se usa, los meses son años que todo lo gastan y envejecen de día en día... menos la buena amistad y el arraigado cariño que le profesa su arrumbado compº

J M de Pereda

Santander, M^{zo} 15/901.

NOTA.—El original en papel con iniciales doradas: J. M. P.

* * *

Mi querido D. Benito:

Recibí el telegrama y la carta. Creyendo que el asunto de aquel iba con la familia del muerto, á ella se le mandé. Por la carta he visto que era otro su destino, y con ánimo de subsanar la equivocación, pensé publicarla en los periódicos de hoy; pero tratado el asunto en consejo de los amigos, parecióles á estos que ya era tarde para ello, y así se han quedado las cosas. Perdóneme este pecado que he cometido con la mejor de las intenciones.

Es bien lamentable, en efecto, la muerte de tan distinguido montañés; pero nada ha tenido de sorprendente para los que estábamos en *el secreto* de sus achaques, y muchos menos para mí que soy de los que creen que nadie se queja de vicio. Me despedí de él al borde mismo de la sepultura, como hago con todos mis contemporáneos que se van; y tantos se han ido ya, que casi me encuentro solo entre los vivos. Con esto y el peso de los años que ya cuento y el de los achaques que no me faltan, ¡figúrese V. si tendré las barbas en remojo!

La carta que V. me incluía en la suya es, en efecto, de Gomez Carrillo, pidiéndome lo que V. supone. Hace años me pidió lo mismo con iguales fines que aún no sé si se cumplieron ó nó a pesar de haberle autorizado para que se despachara a su gusto.

Como por aquí no pasa nada que V. ignore y mi vida es una máquina y máquina vieja, nada más tengo que decirle sino que le deseo de todo corazón un año cargado de laureles, y que soy s^pre^ de V. amicísimo que le abraza

J. M. de Pereda

Santander, En^o^ 10/902.

* * *

Carísimo am^o^:

No han sido, como la otra vez, dudas, vacilaciones ni reparos de cierto linaje lo que me ha impedido en esta ocasión escribirle á V. á raiz del *suceso*. Otras muy distintas han sido la causa de ello. De todas suertes le pido perdón por esta falta de puntualidad con apariencias de pecado, y le ruego que acepte la felicitación que hoy le mando y la coloque entre las más tempranas y cordiales.

No son siempre las mejores obras del humano ingenio las que mayor alboroto mueven en el público, porque la pasión influye grandemente en los juicios de los hombres. Los que he leído, y no han sido pocos, acerca de *Alma y Vida*, me han demostrado que la obra es de *peso*, como tenía que ser siendo de V., de puro arte y sin que en ella se descubra el menor asomo de carne clerical. Que no ha *entrado* de lleno en el público... Vaya V. a saber quien tiene la culpa de ello, si la obra por falta de picante, o el público mismo por estragos de su paladar. Los que más la elogian aseguran que es *simbólica*, y dan a esa condición gran importancia, aunque ninguno de ellos se atreve a afirmar cual es el símbolo. Pero, Señor, ¿cuándo dejarán nuestros *críticos* de ser rutinarios y superficiales? ¡Cómo si de toda obra de sustancia no pudiera deducirse un símbolo, o una moraleja o una enseñanza! ¡Qué afán de descubrir Mediterráneos!

Por Vicente he sabido las atenciones que con él ha tenido V. desde el extreno *(sic)* inclusive; y excuso decirle cuanto se lo agradecí y á qué le habrá sabido al mozo la deferencia.

Hoy he leído en algún periódico de esos que ha sido elegido Maura para ocupar en la Academia la vacante de Fernanflor. ¿Recuerda V. que ese garbanzo se coció en nuestro puchero (de V. y mío) hace ya mucho tiempo? ¡Con cuánto gusto hubiera firmado yo esa propuesta! Y nada más por hoy.

Repito la enhorabuena, espero con viva curiosidad el drama impreso, para leerle, y no necesito decir a V. que soy s[pre] suyo amicísimo

J. M. de Pereda.

Santander, Abril 20/902.

* * *

Mi querido D. Benito:

Todo lo malo se pega, y por ello necesito yo también empezar esta carta pidiéndole perdón por el retraso con que se la escribo. Llegó *Alma y Vida*, y en la misma noche del día de su llegada, con la promesa de devolvérmela al subsiguiente, me la llevaron de casa. En cerca de dos semanas no volví a verla. Al fin la leí, y *símbolos* aparte, me agradó mucho, y hasta comprendí por que no les había sucedido lo mismo a los paladares avezados al bocadillo picante y al plato fuerte. Es cuestión de educación, y hay que convenir en que la de nuestro público, crítica inclusive, va por muy mal camino. Con esto le digo hasta qué punto estoy conforme con lo esencial de su interesante prólogo. Pues ya verá V. que ni por esas se enmienda ese caballero formado en el ambiente malsano que ahora se usa en el teatro y en los libros, y se elabora y produce en la prensa diaria que es la educadora de la muchedumbre, ya vistan la blusa de los talleres, ya el frac de los salones. El arte puro se acaba, como tantas otras cosas grandes que pertenecen á la región del espíritu, porque no pueden dar frutos mejores el reinado de las turbas y el legislar en la calle. Materia pura y prosa vil. Ahora, eche V. guindas á esa tarasca, tan mimada por *todos ustedes* cuando los fines políticos lo reclaman; y perdone la *alusión* que se me viene a los puntos de la pluma por impulso de la lógica inexorable.

Volviendo al caso de mi conducta con V. dígole que con las mejores intenciones de escribirle *mañana* tan pronto como hube leído *Alma y Vida*, se fué pasando el tiempo hasta la llegada de su carta del 6 de Junio con la que me sucedió algo parecido, pues como en ella me anunciaba la salida, para el 16, de *Las Tormentas del 48*, aplacé la respuesta para cuando hubiera leído esta obra. Al fin llegó también, hallándome ya en este retiro. Encuentro en ella poca dosis de *episodio*, y no me extraña, porque no es fácil reconcentrar en un punto y al alcance de la mano del narrador, sucesos ocurridos simultáneamente en tantos y tan apartados sitios de Europa; pero en cambio, como novela, me enamora, y la hallo tan fresca e interesante como las mejores de su inagotable autor.

No me extiendo más en estos asuntos literarios, porque hemos de vernos pronto, si Dios quiere, y entonces, si cae la pera, le diré de palabra mucho más. Como en castigo de mis pecados, y por no esclavizar a mis gustos los de mis hijos, trocaré este sosiego y la hermosura de estas soledades por el ruido polvoriento de esa ciudad, el próximo día 22. De manera que más que confesión de mis culpas con V. viene á ser un aviso de mi vuelta á Santander para que le sirva de gobierno y mande lo que guste, sabiendo por dónde anda su invariable am[o]

J. M. de Pereda

Polanco, Julio 16/902.

* * *

Mi querido D. Benito:

¿Le parece ya hora de que le pague a V. la visita que le debo, hecha en su nombre nada menos que por un personaje de tan alto copete como «Narvaez»? Pues bien sabe Dios que no ha consistido la tardanza ni en que yo fuera dejando para «mañana» la lectura del libro ni en que ésta no haya sido muy de mi gusto. Es que esta dejadez de espíritu que padezco tiempo ha, va rayando en los límites de lo incivil, sin contar que todo lo malo se pega, y á mí me han pegado *ustedes* el horror a escribir cartas aún á las personas de mi mayor estimación. Y pase que esto se haga con gente de luengas tierras y con obras de poco más ó menos, en un estado de depresión moral como el mío, pero que el mal haya llegado á tal extremo que me ponga no más que en apariencias de pecar también con amigos como V. y con libros como los suyos, cosa es ya de las que no merecen perdón de Dios. Hecha esta confesión de mi pecado y con la esperanza de la absolución de V., *entro en materia.* Que no será muy abundante, porque los libros buenos dan muy poco que decir, y este de V. le considero como de los mejores de las últimas series de *Episodios.* Me cautivó desde *lo* de Atienza, que es todo ello exquisito y sabroso. La presentación y el modo de ser de los hilos misteriosos, son de una frescura, de un vigor y de un colorido que pasman. Del *Espadón* de Loja no hay que hablar. En los rasgos con que V. pinta esta briosa figura histórica, sólo hecho de menos el que más la caracterizó. Cierto que se cita el hecho memorable; pero tan de pasada y á la ligera! Refiérome al famoso puntapié diplomático que dió al embajador inglés. Yo, aunque entonces era un chicuelo, recuerdo todavía la impresión de asombro, de estupor... y por último, de entusiasmo que causó en toda España. La cosa no era para menos. El retrato de la pobre Dª Isabel es una obra de reparación debida. La nobleza y las bondades de aquella alma tan netamente española fueron al cabo su perdición, por culpa de los desalmados que le pagaron con afrentas los beneficios que derrochó en ellos. Las camarillas que conspiraban contra Narvaez, como si las estuviera viendo: todo es la pura verdad, por las impresiones que conservo de aquellos tiempos en que la política lo llenaba todo en España, tan vacía á la sazón de otros estimulantes (que hoy tenemos hasta de sobra) con que alimentar la natural necesidad no solo de los hombres *formales*, sino de los mozuelos como yo. Por último, paréceme una feliz ocurrencia la *resurección* de María Ignacia después de casada; y para que vea V., mi señor D. Benito, que á nada de cuanto le voy diciendo le falta la sinceridad, todo lo encuentro verosímil en ella, menos... (y por el amor de Dios, no tome el reparo á escrúpulo de *escuela)* menos aquellos pujos de *volterianismo* con que nos sale de repente; aquellas burlas del confesionario y de las imágenes y hasta de la justicia de Dios. Todo ello me parece impropio de una dama de sus antecedentes, muy aburrida, y con razón, de rezar maquinalmente; pero sin motivos racionales para ser incrédula hasta ese punto... En fin, que las zumbas y discursitos de que se trata le dan cierto airecillo de *agremiada* de Club que no pega bien en una señora de las condiciones de María Ignacia.

Perdone la franqueza si le desagrada; mil enhorabuenas por el nuevo libro, otras tantas gracias por el regalo de él; próspero y feliz año nuevo; muchos aplausos en el Español, si al fín resulta verdad lo de la obra presentada, y lo que quiera de su spre buen amº que le abraza

J. M. de Pereda

Santander, Dicb. 29/902.

* * *

Mi querido Don Benito:

Su carta del 18 y el libro nuevo llegaron a mis manos con pocos días de diferencia. Aunque se la agradezco mucho, no tenía V. ya necesidad de escribirme la primera, pues cumplido estaba conmigo. También le doy las gracias más encarecidas por el regalo de *Los Duendes*. Díceme V., aludiendo á cierta tacha que me permití poner al tomo anterior, que probablemente le pondré otras de igual naturaleza á éste. Pues está V. muy equivocado: lo que en él se dice de ese género, ó se trasluce, es muy de V. y de las personas novelescas que lo piensan ó lo dicen: lo *otro* me pareció impropio de los antecedentes y carácter del personaje, y por eso me atreví a tachárselo con esta pícara franqueza que no puedo remediar. Perdóneme si no fué de su agrado, y valga todo esto como respuesta á los temores que V. apunta. Y ¡pásmese! hasta me gusta, como creación artística, la taimada ex-monja. En cuanto al cura Merino, lo más interesante de la obra, es la verdad neta, como figura histórica, presentada en el libro con magistral habilidad artística. Me interesó mucho aquel suceso, como á todo el mundo, y en noticias y retratos del *autor* apuré la materia, como suele decirse. Y así era, de pies á cabeza, como V. le pinta. Contáronse de él muchas cosas referentes á su imperturbable serenidad, y una de ellas, que quizás V. conozca, fué la observación que hizo, yendo al patíbulo y admirando lo esplendoroso del día, de que estaba desnivelada una de las dos torres gemelas de la iglesia de Chamberí cerca de la cual pasaba cabalgando en su burro. La observación resultó fundada, y la torre, que era pobre e insignificante, fué poco después derribada y reconstruída.

En lo tocante á la novela, bien á la vista lleva la relativa brevedad de su labor, de que V. me habla, en la frescura, que es su principal encanto Sea en buen hora; que se vendan pronto los 12.000 que reza la portada de mi ejemplar, y que no tarde en aparecer *La revolución de Julio*, de la que fuí testigo presencial, y casi, casi *historiador*.

Celebro que piense venir pronto á la Magdalena, pues aunque nos *frecuentamos* poco, me gusta saber que le tengo á V. á la puerta de casa. Como en la mía será la *gorda* á mediados de junio, época ordinariamente de trasladarme yo á Polanco, no me atrevo á pensar qué será de mí en esas kalendas, pues nunca pude imaginarme que un negocio de este linaje fuera sima tan honda en punto á cálculos y revoluciones domésticas. Todo se pierde y todo cabe en ella, y nada se ve claro.

Suyo s[pre] af[mo]

J. M. de Pereda

Santander, Abril 29/908.

* * *

Mi querido D. Benito:

Por serme conocido el *Abuelo* en la novela, y con ello y lo que he leído en la prensa diaria más lo que me ha dicho *Pedro Sanchez* que tuvo la fortuna de asistir á su estreno en el Español, no necesito el drama impreso para mandar á V., como le mando hoy, mi insignificante pero fervoroso aplauso, y aplauso sin reservas, ni distingos ni *sermones*. Porque la obra no es de partido ni de *secta*, sino arte puro y de lo superior. Así quisiera á V. siempre, y así le conserve Dios. Dudo que pueda yo satisfacer mi gran deseo de ver la obra en escena, pues cuando yo toque en Madrid de paso para Andalucía, ya más que mediado abril, estará cerrado el Español, y Mendoza no vendrá á Santander este verano.

Como mi estancia en Madrid será muy breve, cuidaré de tener á V. al corriente de ella para no perder la ocasión de repetirle de palabra, con un abrazo, la enhorabuena que aquí le mando por escrito.

Recíbala por de pronto con toda la cordialidad con que se la envía su viejo amigo y siempre admirador de su gran ingenio

J. M. de Pereda

Santander, Feb[o] 27/904.

* * *

Mi muy querido amigo:

He tardado bastantes días en saberlo, y no le choque, porque desde que ando tan desgobernado físicamente leo muy pocos periódicos y trato muy poca gente, pero no dude V. que he sentido muy hondamente la muerte de su Sr. hermano el General y que le acompaño con toda cordialidad en su justa pena, por lo cual he pedido á Dios, no solamente por el alma del finado, sino por la posible tranquilidad de los que en el mundo le lloran.

Le traté no mucho mientras aquí estuvo de Gobernador militar de la Plaza y me pareció siempre un hombre serio y digno en todo de la estimación y del más alto aprecio de toda persona digna y formal. De todo corazón pues les doy á Vds. el más sentido pésame por ese fallecimiento y les ruego encaracidamente que me dispensen la tardanza involuntaria con que lo hago.

Ahora, para concluir, ¡pásmese V.! Estoy publicando un nuevo tomo de mis Obras completas compuesto de «Pachín González» y de otras rebañaduras de mis cajones, que la holganza me ha hecho reunir y los consejos de Suarez. Espero que V. y el público en general me dispensarán esta debilidad tan impropia de mi estado; pero muy natural resabio de mis viejas aficiones ya para siempre inútiles. Escuso decirle que no le faltará á V. su correspondiente tomo cuando se publique.

Entretanto vuelvo al triste tema de esta carta; le repito el pésame lo mismo que á Concha (c. p. b.), y le doy un abrazo mental quedándo siempre suyo af^mo^ amigo y compañero verdaderamente arrumbado

J. M. de Pereda

Santander, D^bre^ 3/905.

Nota.—Carta escrita por amanuense; solamente la firma es de mano de Pereda.

* * *

Telegrama

BENITO PEREZ GALDOS

ALBERTO AGUILERA

MADRID

FALLECIO PEREDA ANOCHE ONCE

ALFONSO.

Santander - 2 de marzo 1906

CARTAS DE CLARÍN
A
GALDÓS

Facsímil de sobrescrito autógrafo de Galdós

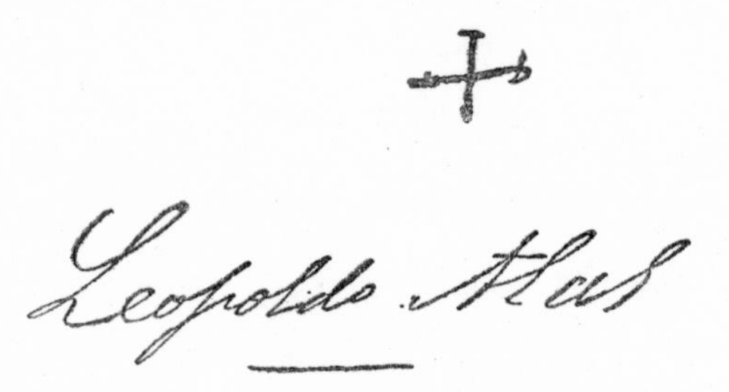

Facsímil del epígrafe autógrafo de Galdós a las cartas de Clarín

Mi muy distinguido amigo:

He recibido y le agradezco mucho, la 3ª parte de su novela. Vino tan á tiempo, que estaba yo enfermo en cama sin saber que hacer, sin gusto para leer nada, cuando llegó el correo con su libro que me abrió el apetito de la lectura. Me ha parecido la tercera parte digna de las otras y la solución del problema muy profunda y de muy delicada belleza. La escena muda de la capilla entre la muerta, Leon y Paoletti y la serenidad de ánimo que allí gana Leon me parecieron lo mejor y cosa bien admirable. También lo que León dice y hace en la sesión con D. Pedro, el tío de Cimarra y Pepa es muy bello y muy original y muy profundo: creo esto, pero creo así mismo que muchas de las bellezas *latentes* de esta tercera parte, consistentes algunas no en *hacer* sino en dejar de *hacer* no han de apreciarse por la masa del público como es debido «non ubivis, coramve quibuslibet» que dijo el señor Horacio.

Aunque ahora no escribo casi nada porque estoy malo, muy pronto haré el artículo correspondiente a la 3ª parte.

Si Vd. recibió una carta mía en que le recomendaba la petición de otra carta adjunta desearía qᵉ si no le molesta contestara a las proposiciones del que quiere traducir sus novelas al alemán.

Le dirijo mis cartas al Ateneo porque ignoro el número y la calle de su casa de Vd.

Suyo affmo. amigo que b. s. m.,

Leopoldo Alas

Oviedo 27 de Marzo 1879.

* * *

Mi más distinguido amigo:

He recibido su último libro y se lo agradezco más que pudiera agradecer Romero Ortiz (1), si se la regalaran para su museo, la liga... anseatica *(sic)*.

No lo he leido todavía, pero un hermano mío q[e] lo está devorando me dice que es interesantísimo, y no me cuesta trabajo creerlo.

Pienso hablar de «Un faccioso más etc.» en los lunes del *Imparcial* porque allí se es más leído y yo quiero decir al mundo entero lo que ya sabe todo el mundo, que los «Episodios Nacionales» es la obra más notable de nuestra literatura contemporánea. En fin, déjeme Ud. a mí.

Me ha dicho Armando que está Ud. escribiendo o preparando una novela q[e] se llama el Faro y alude á la Punta del Caballo en Santoña. Yo he estado allí hace nueve años y se me ocurrió q[e] se prestaba aquella topografía á una novela.

Le escribo á Ud. á Madrid, y como ignoro las señas de su casa dirijo mi carta á la *A*[dn], de los Episodios, creyendo seguro que Vd. la reciba de este modo.

Trabaje Vd. mucho, en la persuasión de q[e] es Vd. de los pocos españoles q[e] hoy trabajan para la posteridad. Me atrevería yo a escribir un libro didáctico demostrando esto.

Aunque aún no le he visto hoy, le mando hipotéticamente recuerdos de Armando.

Su amigo que le admira mucho y aún le quiere más, y b. s. m.,

Leopoldo Alas

Oviedo 1.º de Mayo de 1880.

* * *

(1) Antonio Romero Ortiz (1822-1884), político liberal muy activo y escritor; muy aficionado a los objetos de arte, logró reunir un rico museo.

Mi distinguido amigo:

No puede Vd. figurarse lo que sentí no verle cuando Vd. visitó esta provincia. Armando Palacio me avisó de su estancia en Gijon, llegó la carta á mi poder cuando ya Vd, no estaría, segun mi cálculo, en Asturias; despues supe q[e] hubiera podido ver á Vd. en Laviana y sentí mas haber perdido la ocasion.

Supongo q[e] este otoño ira Vd. por Madrid y allí nos veremos. En el Imparcial del Lunes 16, se publicó un articulo mío sobre los Episodios Nacionales, el cual, ademas de ser malo de por sí, sufrió las vicisitudes siguientes: no sé si los cagistas *(sic)* ú Ortega le quitaron cerca de la tercera parte y lo plagaron de erratas; ademas debía ser el primero de una serie y se ve reducido a único por cuestion de no querer abusar de la benevolencia de Ortega, por todo lo cual el dichoso artículo ni se entiende ni acaba. Ademas es segundón, porque yo había escrito otro hace meses en que hablaba del último episodio, pero se perdió en el buzón del Imparcial. Si Vd. lee el publicado aténgase á la intención que es excelente.

Siempre á su disposición su verdadero amigo y admirador q. b. s. m.,

Leopoldo Alas

Candas 19 de Agosto de 1880.

* * *

Muy querido amigo mio:

He leido todo lo que dicen los periodicos del 26. Figurese si estaré contento, al ver á toda España pensando y sintiendo como yo. Mi mujer y yo no hablamos todos estos dias mas que de eso.

Aqui se hizo lo que se pudo, y todos me dicen q[e] la fiesta q[e] celebramos en el Ateneo en honor de Vd. fue la mas animada q[e] hubo de este género nunca en Zaragoza.

Yo tenía miedo á la frialdad de este pais, pero hubo gran entusiasmo. Yo iba á hablar con miedo pero luego me calenté y dije todo lo q[e] sentía y lo entendieron y sintieron y hubo bravos y bravos para Gloria y Zaragoza.

Todos los periodicos de aqui de ayer 27 consagran largas reseñas entusiastas a la sesión en honor de Vd.

Detalle: un librero ha puesto hoy en el escaparate en primera linea todos los Episodios.

Castelar se ha portado.

Creo q[e] estará Vd. contento.

Espero q[e] Armando y otros me escriban la descripción íntima de la cosa.

El q[e] tiene el derecho de llamarse su mas ardiente admirador, y uno de los veteranos y amigo muy verdadero

Leopoldo Alas

Zaragoza-28 de Marzo-1883.

* * *

Mi querido amigo:

Ortega Munilla me pide para el proximo Lunes un articulo acerca de la Desheredada, 1[a] parte. Ha de estar en su poder antes del sabado.

Yo quiero hacerlo de fijo, pero quisiera q[e] Vd. me dejase aqui en el Ateneo lo q[e] haya impreso despues de la pagina 228 ó sea cuaderno 7[o] ¿Hay algo? ¿Falta mucho? —Suyo etern[e]

L. *Alas*

4 de Mayo

Nota.—El original en papel con membrete del «Ateneo Científico Literario y Artístico de Madrid».

* * *

Mi querido amigo:

Acabo de recibir su carta y de ir corriendo al Ateneo a buscar al Doctor. En casa lo tengo, y á pesar de un fuerte constipado que me ha hecho guardar cama ayer nos leeremos esta noche y mañana

uno yo y otro mi esposa

los dos tomos. Yo voy a concluir antes una novela de Eça de Queiroz que me tiene asustado. No creía yo q[e] en Portugal se escribian novelas tan buenas. Me refiero al «Primo Bazilio» q[e] recomiendo a Vd. si no lo conoce.

En cuanto al Doctor Centeno me han dicho cuantos han leído el primer tomo que es admirable.—Veo q[e] ya va en la 2ª edición. Esto en España es una novedad y un gran triunfo; al salir el 2º tomo ir ya el primero en la edición 2ª. Adelante, adelante.

No escribo mas porque no veo de constipado.

Hoy en el meeting librecambista tuve ocasión de rccordar y citar el discurso del Amigo Manso.

Yo me marcharé dentro de cuatro ó cinco días, pero antes iré a ver á Vd.

Ya q[e] Vd. se va al Norte ¿por que no dar otro paseo por Asturias? Se lo agradecería á Vd. infinito.

Suyo admirador y amigo

Leopoldo Alas

Madrid - 24 Junio - 83

* * *

Mi muy querido amigo:

No puede Vd. figurarse con que placer lei su carta que me anunciaba Tormento, que llegó en efecto al día siguiente. Al mismo tiempo recibí carta de Pereda que me pregunta por Vd. y por su libro, y recibí Las Vengadoras de Sellés (1). A Vd. pensaba yo escribirle un dia de estos.

Mucho me alegra que Vd. se muestre animado á que vayan saliendo muchas cosas, eso es lo que hace falta, que Vd. escriba mucho. Aun no he leido Tormento, no he hecho mas que mirar las hojas intonsas, como dice M. Pelayo, y asi, a salto de pagina he visto cosas hermosas, como a Ydo metido a novelista de Felipe II. Me dice Vd. que le de mi opinion con franqueza; así se hará.

«Franqueza que Vd. no ha usado nunca conmigo» añade Vd. y eso ya está mal. Siempre he sido franco con Vd. Admiro sus obras franca-

(1) Eugenio Sellés (1842-1926), autor dramático español ya citado.

mente, y creo que vale Vd. como novelista mucho mas de lo q[e] Vd. mismo se figura. Ha dicho Vd. muchas cosas q[e] yo creo q[e] ni Vd. mismo sabe que las ha dicho. Por ejemplo cuando yo hablé con Vd. de Marianela crei comprender que a Vd. mismo no le habia hecho pensar *despues* muchas cosas q[e] puede hacer pensar. En el doctor Centeno, que por la circunstancia de ser prólogo de una serie, cierta parte del público creyó incompleto, yo vi cosas admirables: por ejemplo las relaciones de Miquis y Felipe, sobre todo en el asunto del drama; todo aquello es novela de verdad, es eso que llaman naturalismo y otras muchas cosas que no le llaman nada y son las principales.

Los dos unicos novelistas vivos que me gustan en absoluto son Vd. y Zola. ¿Que le falta á Vd.? Muchas cosas que tiene Zola ¿Y á Zola? Muchas que tiene Vd. ¿Y á los dos? algunas que tenía Flaubert ¿Y á los tres? Algunas que tenía Balzac ¿Y a Balzac? Otras q[e] tienen Vds. tres.

Pero eso ¿es faltar? no, eso es ser finito, eso es ser quien se es. Pero fuera de ese defecto no encuentro otro que sea digno de mención. Yo creo firmemente que es Vd. el mejor literato de España, el primer artista; esto lo creen otros muchos amigos mios, literatos unos, cualquier cosa otros, porque yo ando con fariseos y publicanos. ¿Que le hemos de hacer? ¿O quiere Vd. que haga yo mis críticas como esos sietemesinos a quien Vd. alude que concluyen v. gr. «Es esto decir que la obra que tenemos el gusto de analizar no tenga ningún defecto? De ningun modo. Al fin el autor es hombre y como tal puede equivocarse

Homo sum etc.»

Vuelva Vd. por otra.

He leido «Las Vengadoras» Creo en la cábala, creo que la obra se hubiera recibido mal de todas suertes, y que se ha recibido mal por lo bueno que contiene. Creo que vale mas mucho mas que la Pasionaria; como la obra de la discreción y el verdadero talento tienen que valer incomparablemente mas que los productos de la nulidad con honores de mediania, o sea la medianería honoraria,... pero «Las Vengadoras» tampoco son un buen drama ni mucho menos. Por de pronto de naturalismo no hay alli mas que un noble deseo del autor y algunas franquezas; todo esto le honra pero no salva el drama. Aquello no es una imitación del mundo (aparte la verosimilitud indudable de las aventuras) ni siquiera de los libros naturalistas, es una imitación de las comedias de Dumas y Gordon con rasgos y efectos casi tomados del teatro de esos señores. El lenguaje es como el de las otras comedias de Sellés, lo que mas prueba su habilidad y talento y lo que mas estropea el efecto de realidad. Son las mismas redondillas del Nacho y ese discurso con los consonantes deshechos... Aquellas sentencias sin fin, unas buenas, otras vulgares, algunas falsas, son todas casi inoportunas alli. Todo esto es verdad, pero Sellés merece calurosa defensa por su proposito y por la virtualidad de su talento, que ahi queda para intentos mas afortunados y de igual pusible condición.

Es claro q^{e} irrita q^{e} se hable de la *apoteosis* de Cano (1) (ni Cano ni los q^{e} lo han dicho saben lo que es apoteosis) y que a Sellés se le haya hecho tan fría injusticia dejándole sin un apluso.

Con Pereda me he puesto en relación porque él me escribió dándome las gracias por un artículo de El Dia acerca de Pedro Sanchez. Se ve en la carta de Pereda un hombre q^{e} vale mucho, que tiene corazón y que se parece por dentro algo a Vd.

No puede Vd. figurarse lo que fortifica mi animo que hombres como Vd., Pereda, Campoamor, *Emilia Pardo*, Valera, Echegaray, M. Pelayo, Gz. Serrano y otros pocos aprecien en algo mi opinión; esto me anima para despreciar los desprecios de Imparciales y demás gente menuda (algunos, falsos amigos) que no transigen conmigo porque no quiero ser de esa pandilla.

Los que más me revientan son los naturalistas de café. El querer serlo es ser enfant terrible. *(sic)* ¡No decía uno de ellos que ya estaba bastante discutido el naturalismo! ¡Santo Dios, como si fuera un voto particular!

De Oviedo no pienso salir (a no ser por temporada) en algunos años. Hago una vida de hombre bueno que me sienta muy bien. Mi mujer y mi hijo (seis meses) mi casita con luz, aire, techos altos y vistas a la nieve de Morcin; por café la casa de mis padres, que ambos viven; en el casino billar, en cátedra algun discipulo listo, y libros de Vds. y trabajo mio. No es mal lote.

---

(1) Leopoldo Cano y Mazas, general de Estado Mayor y autor dramático español. Su obra más famosa, *La Pasionaria*, fue estrenada en Madrid en diciembre de 1883, y su éxito fue enorme.

De cuando en cuando escríbame.—De Tormento hablaré en el Dia en cuanto concluya unos artículos acerca de los Poetas en el Ateneo. Le quiere tanto como le admira, y viceversa su apasionado amigo

Leopoldo Alas

Oviedo - 15- Marzo - 84

* * *

Mi muy querido y admirado amigo:

Hace mucho tiempo que leí *Tormento* y el no haberle á Vd. escrito antes para darle mi parabién fue porque creía poder decirle cuando publicaría un articulejo acerca de su libro. Como el único periodico de alguna circulación en que ahora colaboro es el Día y de tarde en tarde, y tengo empezada una serie de artículos sobre los «Poetas del Ateneo» que no se terminará en algunas semanas, pues solo cada quince días se publica, no podré hablar de Tormento todo lo pronto que quisiera. De buena gana interrumpiría la serie, pero el Marques de Pidal no querría. Pero la actualidad de Tormento no pasará tan pronto y siempre sera tiempo. Por lo cual me decido a escribir a Vd. antes de hacer el articulo.

En mi opinión Tormento es de la madera y de la fuerza de la Desheredada; no es mejor, pero tampoco peor. Veo que cada día entra Vd. con mas valor en el arte que la gentuza no entiende y le doy mi enhorabuena. Lo mejor de Tormento no lo puede entender Luis Alfonso, por ejemplo, del cual acabo de leer un *articulo crítico* en la Epoca. «Donde está el heroe? Le falta á Vd. heroina» «No tiene Vd. unidad» «síntesis» (Cristo padre! ¡síntesis! si supiera Alfonso lo que es síntesis!) Resulta q^{e} Vd. ha escrito ocho tomos «acerca de la conciencia» y de «el problema religioso», y se parece Vd. á Zola en la «Faute de l'Abbae *(sic)* Mouret»... Pobres diablos de críticos! Pero de que nos quejamos, si en Francia, que es primera potencia, ha pasado casi en silencio, hasta con una benevolencia humillante un libro tan hermoso, tan grande, tan profundo, tan *moral* como «La joie de vivre»!

Si no las ha leído yo le aconsejo a Vd. que lea las cartas de Flaubert á Jorge Sand. Aparte paradojas, contradicciones y misantropías, es un libro de veras fuerte, colocado en situación en que puede Vd. llegar á verse, si continua siendo lo que es en la Desheredada, en Centeno y en Tormento y siéndolo cada vez mas: un *buzo* del arte. Para mi la novela verdadera (y en este sentido no hay mas novelista en España que Vd. y acaso pronto Pereda) es una forma revolucionaria del arte, un cambio profundo que echa por tierra muchos axiomas estéticos de los mas admitidos. La seriedad del arte empieza á ser en Flaubert en Zola y en Vd. una cosa grande, digna de ser muy estudiada. Para que Vd. no crea que le adulo le diré sin rodeos, que Vd. todavía no ha profundizado tanto como Flaubert y Zola (de Flaubert hablo refiriendome principalmente a la Educación Sent. y Bouvard y Pecuchet) pero ha entendido ó adivinado ó lo que sea el *quid humanum* de que puede ser extracto el arte literario, la novela solo, dando á la filosofía (á la seria tambien) datos, puntos de vista completamente nuevos. La novela como se ve en Bouvard y P., en la Joie de vivre... y en Tormento es una nueva fuente de conocimiento. Debo advertirle que yo incluyo á Centeno en Tormento, hablo en general de su nueva serie, de su plan y manera y procedimientos actuales. Tanto vale Miquis enfermo como lo que mas le hayan alabado á Vd. Me duele ver á amigos que serían capaces de entender todo esto quedarse viendo abstracciones por no leer y meditar ciertas cosas.

Volviendo a las cartas de Flaubert, allí se ve al anacoreta de las letras, al hombre de genio que podria hacerse rico, popular sin mas que dejar correr la pluma y prefiere q[e] le desprecien sus libros y quedarse pobre con tal de escribir como su gran instinto literario le pide. Si Vd., como yo creo, continua escribiendo asi, tal vez pierda la popularidad de que hoy goza, pero cada vez será mejor artista.

Lo que yo siento es que al hablar en letras de molde de Tormento no voy a poder explicar los motivos de mi entusiasmo, porque el publico no entiende estas cosas. Yo le aseguro que si no fuera porque necesito un suplemento al presupuesto no escribia mas crítica periódica... Allí mandan sobre todo los revisteros que se irritan porque se les llama majaderos, y quieren que se les pruebe ¡habrá pretension! Yo lo digo, lo prueban ellos; como dijo aquel que si hoy viviera se moriria de un berrinche.

Uno de los mayores méritos de Vd. es poder decir en castellano ciertas cosas que nunca se habian escrito en esa lengua, y á proposito, ya que Vd. quiere que se le pongan *peros*:

La costumbre, adquirida ya en los Episodios de burlarse del estilo de los personajes rimbombantes ampulosos y enfáticos imitando Vd. mismo al narrar sus metáforas, hipérboles y demas retóricas, han hecho que á veces distraido use Vd. ciertas frases hechas ciertas imágenes complicadas y algunos lugares comunes, sin saberlo, cuando Vd. habla sin burlarse de nadie. En Tormento dos ó tres veces he notado esto.

Por lo demas (y se acabó el *pero*) cada dia va Vd. acercándose mas al ideal del estilo del narrador, á lo que llamo yo para mi el *estilo latente*.

También desearia que ensayara Vd. una vez, en una novela *fuerte*, como Tormento o la Desheredada, la *impersonalidad* que exageró Flaubert y de que Zola usó muy bien. Vería Vd. que buen efecto. Por supuesto q[e] el diablo del castellano le opondría dificultades enormes.

Polo es un gran caracter, pero muy grande. La escena de su casa tal vez lo mejor en cierto sentido q[e] Vd. ha hecho. Su carta desde el desierto sublime; aquello, aquello y nada mas que aquello podía escribir. Su manera de ceder es hermosa, natural, sencilla, *suya*. La de Bringas parece de Balzac y tiene en Vd. un gran merito: es el personaje mejor que ha hecho en la *miseria humana*, la mujer de mas *malicia* en Vd. Hasta ahora (salvando á Isidora) las mujeres de Vd. estaban peor estudiadas y eran menos variadas que los hombres... Y mil y mil cosas mas. Diré lo que pueda y lo que quepa en mi articulo.

Lea sin falta, sino los ha leido, la Joie de Vivre y las Cartas de Flaubert. Le quiere mucho y le admira mas su amigo,

Leopolodo Alas

Oviedo - 8 - Abril - 1884.

* * *

Mi querido amigo:

No he contestado á Vd. antes porque esperaba hacerlo anunciándole la publicación del artículo que, en tiempo oportuno envié al Día tratando de «Tormento».

Pero el artículo, que lleva allá cerca de dos meses, no acaba de publicarse. no sé porqué. ¿Se habrá asustado tambien el marques porque

Sr. Dn Benito Perez Galdos

Mi querido amigo: no he contestado á Vd. antes porque esperaba hacerlo anunciándole la publicacion del artículo que, en tiempo oportuno envié al Día tratando de „Tormento„. Pero el artículo, que lleva allá cerca de dos meses, no acaba de publicarse, no sé porqué. ¿Le habrá asustado tambien el marqués porque allí digo que escriben mal Navarrete, Cano y otros señores? Era lo que me faltaba. Conste, de todos modos, que la culpa no es mia. Lo principal del artículo, que no sé si saldrá, era decir que Rosalía es una gran cosa, de lo mejor que Vd. ha hecho en el tipo _felino-femenino_; con las demas alabanzas que el libro merece. He tenido ayer carta de Pereda — tres pliegos de letra clara, no como la de Vd. que no hay quien la entienda — y me dice que el cura Polo le parece asombroso, y que despues de hacer aquello podía uno dejarse cortar la mano derecha.

Facsímil de carta autógrafa de Clarín *a Galdós, sin fecha*

allí digo que escriben mal Navarrete, Cano y otros señores? Era lo que me faltaba. Conste, de todos modos, que la culpa no es mía.

Lo principal del artículo, que no sé si saldrá, era decir que Rosalía es una gran cosa, de lo mejor que Vd. ha hecho en el tipo *felino-femenino;* con las demas alabanzas que el libro merece.

He tenido ayer carta de Pereda —tres pliegos de letra clara, no como la de Vd. que no hay quien la entienda— y me dice que el cura Polo le parece asombroso, y que después de hacer aquello podía uno dejarse cortar la mano derecha.

También á mi me gusta mucho el cura y asi lo decía en el artículo que no sé porque no me publicó el marques.

He visto en *El Día* fragmentos de «La de Bringas» que no leí porque quiero ver aquello en su sitio.

Si pierdo también la hoja del Día, como me temo si dan en desairarme, ya no tendré donde decir mi leal opinión, como no sea con carbón por las esquinas.

Armando Palacio está en Gijón y algunas veces viene por aquí. Su *Idilio* me parece en muchas cosas superior á sus novelas anteriores, pero creo que Armando puede hacer cosas mucho mejores.

También me habla de él Pereda y en términos muy lisongeros. *(sic)*

Tengo vivos deseos de leer «La de Bringas» y veremos si esta vez mi artículo no se queda inédito.

Si este verano vá Vd. a Santander anímese un dia y córrase hasta Gijón, avise y le llevaremos a Avilés y Pravia, que es lo más bonito del pais y lo q[e] Vd. no ha visto. Mucho me alegraría.

Pereda me invita á juntarme con Vds. en Santander, pero yo no puedo, ¡Soy padre!

No sé si sabrá Vd. que yo tambien me he metido á escribir una novela, vendida ya (aunque no cobrada) a Cortezo, de Barcelona. Si no fuera por el contrato, me volvería atrás y no la publicaba: se llama *la Regenta* y tiene dos tomos —por exigencias editoriales.

Creo que empieza demasiada gente a escribir novelas y al pensar, de repente, que yo también voy á prevaricar me dan escalofrios. Hablando en secreto, creo firmemente que los únicos novelistas verdaderos son Vd. y Pereda y de la parte contraria Alarcón y algo Valera, cuando Dios quería. En rigor, Pereda y Vd.; y Pereda desde hace poco; pero si quiere puede llegar a hacer cosas muy completas; Vd. ha empezado haciéndolas así. Esto es mi opinión esotérica, que no les digo á los demás. Armando tiene muchas cualidades de novelista, pero le faltan otras y entre ellas la salud necesaria para estudiar mucho, penetrar la vida, las ideas, dar valor interior a sus cuadros: sin esto se hacen cosas bonitas, pero no basta. Esto mirando las cosas desde muy arriba; ahora comparando á Armando con Picón, Navarrete (1), etc. me parece un águila; no sé si me cegará la pasión.

Ahora figúrese Vd. lo que me parecerá de mi mismo. No me reconozco mas condiciones que un poco de juicio y alguna observación para cierta clase de fenómenos sociales y psicológicos, algún que otro rasgo pasable en lo cómico, un poco de escrupulo en la gramática... y nada más. Me veo pesado, frío, desabrido,... y en fin, ha sido una tonteria meterme a escribir novelas. ¿Con qué cara voy a insultar en adelante á los demas? Me parece que la letra de hoy se entiende bastante bien. La de Vd. es hipocrita, porque parece clara y no hay quien la lea.

Mándeme pronto la de Bringas.

Le quiere muy de veras y le admira más que a ningun otro español vivo su apasionado amigo,

Leopoldo Alas

NOTA.—Sin fecha, en este lugar en la ordenación de Galdós.

* * *

Mi muy querido amigo:

Entusiasmado con la de Bringas. Así, así y cien veces así. Y sin embargo hay capítulos, cerca del final, que estan escritos de prisa. Otra cosa: aunque el modo de acabar es natural, creo que en él está poco trabajada la parte artistica, que aquello mismo debió Vd. haberlo expuesto con más *teatro*, aunque disimulándolo. Parece que me contradigo, pero creo que no. Lleva Vd. la sinceridad en el arte de componer á un extremo

---

(1) Veánse notas págs. 95 y 129.

que en España puede perjudicarle por ahora, y yo creo que hay otras grandes cosas que salvar ahora con mas urgencia: por ejemplo el estudio parsimonioso del caracter y las influencias que recibe. En este concepto la de Bringas es un dechado. Thiers se eleva á la altura de su mujer, que gran Thiers!; es al comienzo lo que Grandet al avaro; la escena entre Rosalía y Refugio es el ideal de lo q. Vd. debe seguir haciendo: el interes, la fuerza, la poesía q. Vd. siempre tuvo, mas la verdad, profundidad y oportunidad del asunto. Muchisimas cosas me ha hecho pensar la de Bringas, y si la sociedad española sigue estudiándose así llegaremos a tener una literatura seria, del tiempo, y no un triste reflejo de lo que escribieron los ingenios de capa y espada.

No tengo ahora tiempo para decirle todo lo que pienso, al pormenor, de su novela; basta ahora decir que es de las que me gustaron mas, aunque creo que sobran algunos capitulos y que hacia el final hay un poco de prisa.

Me decía Vd. que fuera tolerante con el Marques de Riscal. Siempre lo he sido, pero hoy recibo una carta de ese señor diciendome sencillamente que no ve *á gusto mis articulos de crítica en el Día*, porque él cree q. el naturalismo y Zola etc. etc. etc.

Total, que ya no tengo una almena que pueda decir que es mia. Y no tengo donde escribir conforme á *(sic)* mi leal saber y entender me lo manden. De la de Bringas ya no podré hablar al público, por falta de periódico; los demas en que escribo son Ilustraciones que no quieren critica y tienen un público escaso y poco literato.

¿Ha visto Vd. las necedades que dice Luis Alfonso de La de Bringas?

He estado con Armando un día en Gijón, y como era natural se habló mucho de Vd.

Yo tengo la salud muy quebradiza; cada pocos días me dan jaquecas con un acompañamiento de fenómenos nerviosos, perdida del habla y otras menudencias q. son una delicia; el primer síntoma es perder la vista. Asi no se puede trabajar formalmente. A Dios gracias tengo algunos ánimos y he resuelto no volver á ser en mi vida tristón como lo fuí allá por los veinte años.

En la aldea lo paso algo mejor. Esto es muy frondoso, hay una paz dulce que para mi es ya como uno de la familia.

Aunque hace mas de un año que no he estado en Madrid, me acuerdo de todo aquello y no tengo gana de volver. Hablar con Vd. y otros pocos y oir en el Real cantar bien es lo que me agradaría; lo demas (los *estrenos* inclusive) me parecen tonterías de que me arrepiento.

Aquella carta larga q. Vd. me anunciaba no vino. No deje de escribirme cuando pueda.

Su apasionado admirador y amigo muy verdadero.

Leopoldo Alas

Carreño - Julio 24 - 84.

* * *

Mi queridísimo amigo:

Mucho le agradezco su cariñosa carta que en pocas palabras me ha traido tanto consuelo.

Mi desgracia fue para mi inesperada; vivia engañado respecto de la gravedad del mal que padecía mi padre. Tengo madre, hermanos, mujer y un hijo, y todo esto me consolará, pero ahora no pienso mas que en lo que perdí. A Dios gracias soy trabajador, y si tengo salud, trabajando procuraré aliviar la pena, que es mas intensa hoy que los primeros días, que fueron de aturdimiento y casi estupidez.

Yo también pensaba escribir á Vd. largo un día de estos. Por ahora no tengo fuerzas para ello.

Siempre le admira y le quiere cada vez mas su apasionado amigo

Leopoldo Alas

Oviedo 7 de Diciembre - 1884.

NOTA.—El original en papel de luto.

* * *

Muy querido amigo mio:

Por culpa de los Editores, ó de la nieve, no tiene Vd. ya en su poder un ejemplar del primer tomo de «La Regenta» Pensaba escribirle al enviarle el libro, pero como no acabo de recibir el cajón que me anuncian con los tomos, me decido á que vaya la carta delante.

Mucho le agradeceré que haga el sacrificio de robar algunas horas á lo que quiera para leer este primer tomo. Necesito saber pronto si es una salida de tono el atreverme yo á escribir una novela. Espero de su amistad, que sé que es sincera, que en cuanto lea el libro, me escriba diciendome su leal opinión, la verdadera. Sin lisonja, le advierto que el parecer de Vd. es el que me importa mas; siguen el de Tuero (1) Palacio, Pereda, Emilia Pardo etc. etc. pero el de Vd. el primero.

Yo á estas horas ya estoy encontrándole multitud de defectos a mi librejo, pero no sería franco si no concediera que al fin lo miro como á hijo, y algunos episodios me parecen sinceros, claros, naturales. ¡Pero vaya Vd. a saber!

El 2º tomo ha de tener, creo yo, mas interés. En él está todo lo que yo había pensado del argumento antes de empezar la novela. Por todo lo cual puede que resulte peor que el primero. Este lleva 130 erratas, (y algunas mas) porque se dejaron sin aplicación las correcciones que yo hice. No deje Vd. de leer y de escribir, crea q. es una de las cosas que mas me importan. El saber la opinión de Vd. y otros pocos y el cobrar el libro es lo que me interesa. No hay en esto *pose* ni nada falso, es la verdad pura. Lo cual no quita que yo me defienda como pueda contra la *conspiración del silencio* que en España creo que es una conspiración de sordo-mudos.

¿Que le han paracido á Vd. las tonterías que ha dicho Alarcón en su testamento? Si testamento valiera tanto como *testatio mentis*, según algunos autores, habría que confesar que la *mens* de Alarcón estaba *in pedibus*.

Me dice Armando que está Vd. escribiendo una novela en forma autobiográfica. Me gusta la forma en Vd., que asi ha hecho cosas tan preciosas como los primeros episodios y el Amigo Manso. Adelante, adelante, sin pensar que el publico es una manada de *dindons*.—Pereda me dice que ha terminado su «Sotileza» y que vió que era buena. Amen.

Armando creo q. está con su José de modo que todos trabajan cada cual segun su genero, como dice tan bien la Biblia.

Lo que hace mucha falta es un periódico. Yo creo que debía alquilarse la hoja literaria de alguno de circulación, ó crear uno ó hacer algo, aunque fuera por acciones que tomáramos todos.

Yo estoy ahora escribiendo el programa para las oposiciones de

(1) Tomás Tuero, periodista, paisano y amigo de *Clarín*.

D[ro] Mercantil de Madrid y me presentaré a ellas si no son muy pronto. Si yo fuera á Madrid entonces, aunque fuese á tiros, habría de procurar hacer algo para que no se hablara tanto de los gaznápiros y se hablara mas de las obras de sentido común.

Me decia Vd. en sus cartas últimas que tenía muchas cosas que decirme. Vengan.

Veo la letra de lo escrito y me parece clara y casi elegante. Mírese en este espejo.

Su mas entusiasta admirador y amigo de corazon

Leopoldo Alas

* * *

Mi muy querido amigo:

Dispénseme si obedezco tarde á su indicación de acusarle recibo de su ultima carta; pero es el caso que siempre andaba buscando tiempo para poder contestarle largo y tendido y no lo encontraba. Antes que Vd. salga de Madrid quiero escribirle aunque sea poco, pues aun no ha llegado el momento de descanso que esperaba para poder hablar mucho. Ademas, en pocas palabras cabe lo principal de lo que tengo que decirle. Que sus cartas de Vd. son la mejor recompensa que yo podia desear, y que cuando creo en la sinceridad de sus elogios no quepo en mi de satisfecho. Las atinadísimas observaciones que hace a ciertas cosas de mi libro me enseñan mucho y las encuentro muy en su punto, salvo aquello de acabar por alabanzas las mismas censuras.

En fin, Dios le pagará los buenos ratos que sus cartas me han dado, la fortaleza que añaden á la que por mi caracter tengo para sufrir miserias humanas y no pensar mas que en lo que importa.

Y no hablemos por ahora mas de la Regenta, dejémoslo hasta q. salga el 2º tomo, que será dentro de un mes supongo yo.

De *Lo Prohibido* había leido el capitulo q. publicó *El Día* que me pareció originalísimo, muy natural y profundo sencillamente... Aqui no han llegado ejemplares del primer tomo. Yo hubiera preferido q. Vd. me lo mandase; pero si sale pronto el 2º vengan juntos, q. los leeré enseguida, dejándolo todo, y haré cuanto antes un artículo para el Globo, que aunque, por ahora, allí no me pagan, en favor de los nuestros hago el sacrificio de escribir de balde, excepción de mi regla de conducta literaria.

Dígale Vd. a Pereda, ademas de darle un apreton de manos, en mi nombre, que El Globo publicó ya el lunes anterior (ayer hizo ocho dias) un articulejo mio hecho de prisa y mal acerca de Sotileza.

Acabo de leer q. le han obsequiado con un banquete. Mucho me alegro. Yo hubiera mandado una felicitación si lo hubiera sabido con tiempo, pero se la mando á posteriori.

¿De modo que es cosa decidida que los tendremos a V.V. por aqui? Figúrese si me alegraré infinito. Tengo vivos deseos de conocer a Pereda y de dar a Vd. un abrazo.

¿Ha visto Vd. por ahi á Emilia Pardo? Hace poco me ha escrito y le he contestado. Si Vd. la ve salúdela en mi nombre.

Recuerdos también á Armando si le ve, q. supongo que sí.

Aqui tenemos ahora muy mal tiempo. Ojala sirva esto para q. esté bueno cuando V.V. vengan.

Si V.V. vienen de Galicia por la costa, q. creo que asi será, quisiera saber cuando pasan por Pravia (q. es de lo mejor de Asturias) para q. saliera á recibirles mi hermano Marcelino que es allí Registrador de la Propiedad.

Antes, en un sitio que creo q. es delicioso, que se llama *El Pito*, preciosa posesión, les recibiría a V.V. con mucho gusto mi amigo Fortunato Selgas, inteligentisimo en Artes, hombre rico, de gusto y muy aficionado a los libros de V.V. dos.

En Oporto, si Vds. me indican la fecha proxima en q. estarán alli, les ira a buscar un señor Araujo, poeta, muy servicial, entusiasta de España y q. alli tiene muchas relaciones.

Su amigo que mas le admira y le quiere tanto como el primero

Leopoldo Alas

NOTA.—Sin fecha; en este lugar en la ordenación de Galdós.

* * *

Mi querido amigo:

Si Vd. recuerda lo que me decía en su carta de 24 de Febrero (y vayan fechas) no extrañará, recordando tambien lo que Vd. es para mi, que a estas horas esté el pobre Clarín entregado á la peor de las masturbaciones, que es la de la vanidad gozándose á si misma. Como hay que decir la verdad siempre, declaro que lo q. Vd. dice de mi novela me ha puesto mas hueco que jamas pudo estar en vida el pobre Corradi (1) (q. e. p. d.).— He recibido muchas cartas, algunas de personas cuya opinion es para mi de gran peso, pero da la casualidad que aquel á quien yo considero en España como el mejor escritor (veanse casi todos mis articulos) y cuyo parecer vale para mi tanto como el de todos los demas juntos, es precisamente el que lleva mas lejos sus alabanzas, hasta el punto de que yo tendría que creer que se estaba riendo de mi, si no fuera la ocasión como es. De engañarme Vd. a sabiendas no tendría perdon de Dios. Yo nunca le hice a Vd. mal para que ahora quisiera Vd. envenenarme con palabras de miel. Recuerdo a Vd. q. lo que dice es muy fuerte, que emplea adjetivos orientales y que aquello de verse perseguido (¡Vd. Galdós!) por los personajes y sucesos de la Regenta puede ser bastante para entontecer á un *novelista novel* para toda la vida.

Yo rebajo todo lo que hay que rebajar, que es mucho, en atención al cariño con que Vd. me juzga y a las simpatias del gusto. Pero así y todo resulta que ó Vd. oculta la verdad á sabiendas ó la primera impresión (Dios se la conserve) ha sido muy buena.

¿Cree Vd. de veras que no pierdo el tiempo haciendo libros de imaginación? — La verdad pura; si yo me llagara a convencer, lo que se llama convencer, de que á Vd. le ha parecido la Regenta, en total, la décima parte de lo bien que dice me tendria por suficiente y hasta excesivamente pagado; y aun en la duda me tengo. Suponiendo que no me engañe Vd. del todo, estoy archicontento, y desafío, con la mayor sangre fria, todos los alfilerazos de la gente menuda, en cualquier forma que se presenten, v. gr: silencio estudiado, preterición provocativa, apro-

---

(1) Fernando Corradi (m. 1885), político con pretensiones literarias sobremanera cursi, a juicio de *Clarín*.

bación fría, elogios calurosos de lo peor y *peros* a lo menos malo; malas noticias etc. etc.

Se lo habia dicho a Armando cien veces y es verdad como la muerte: yo escribo primero por escribir, despues por ver si gusto a cinco ó seis señores, especialmente á Galdós y Pereda, y singularmente á Galdós. Es claro q. despues me gustaria gustar á todos, hasta á mis enemigos, pero me contento con lo primero.

Tambien estoy muy satisfecho con lo que me han dicho de la Regenta Pereda, Campoamor, Menendez Pelayo, Armando, Gz. Serrano etc.

El pobre Picón se ha portado conmigo como un caballero. Ha demostrado verdadera grandeza de alma. Yo no se si podré pagarle en la moneda que á él mas le gustaría, pero estoy seguro de que siempre le estaré agradecido.

Ortega Munilla como un bellacuelo. Me debe elogios excesivos. Yo los rescataré.

Luis Alfonso tan fino y tan idiota como siempre, con su idealismo y su naturalismo, y la fiera independencia de no atraverse á hablar de mi libro... porque no quiere escribir. Pero al fin es persona decente.

Y otros... pero en fin, lo q. Vd. dice ¡peleles! Veremos a ver lo que hacen despues del 2º tomo. Mi situación, como autor, es peor que la de nadie. Mis enemigos pueden atacarme y mis amigos no pueden defenderme. Que Armando saliese á mi defensa sonaría a giro mutuo de aplausos, que otros me desprecien ó me ataquen no suena á ruin venganza sino á legítimo desquite. Pero hasta ahora no ha atacado nadie, que yo sepa. En fin, basta de estas pequeñeces.

Conste que su carta me ha dado un día feliz. Ahora vengan penas.

Figúrese con que placer recibiré esas otras cartas que me anuncia, en las que espero la sinceridad que promete y con ella censuras ineludibles, que sean como sean, si no son contradictorias, no podran borrar la impresión de su carta primera. Por supuesto, que lo primero es q. Vd. atienda á su trabajo y á su descanso, y aunque deseo mucho lo que me promete, prefiero esperar yo a q. Vd. retrase su obra ó se moleste escribiéndome despues de trabajar, ó robando tiempo al descanso. La vanidad no me hace tan egoista como todo eso.

Con gran afán espero *Lo Prohibido* q. segun Pereda tiene dos tomos. Recibí ayer Sotileza; aun no he podido leer nada.

Armando sé q. va á publicar pronto José.

El teatro muerto es verdad; pero conste que se suicida y se suicida como una costurera: encerrándose con un brasero... Le mata el humo de carbon de madera... es decir de cosa quemada dos veces; romanticismo recalentado. Y además una tendencia ridícula á un realismo absurdo.

Muy agradecido le está por el mucho bien que le ha hecho su carta, su admirador mas entusiasta y su fiel amigo

Leopoldo Alas

NOTA.—Sin fecha; en este lugar en la ordenación de Galdós.

* * *

Mi querido amigo:

Tarde, pero sin daño. En este momento acabo de leer ¡al fin! el 2º tomo de Lo Prohibido y le escribo para decirle ante todo que estoy archientusiasmado y que esta novela es tan buena como la mejor y en muchos conceptos la mejor; sobre todo el 2º tomo puede, desde la 2ª mitad especialmente, desafiar lo mejor de Balzac y de Zola, y en punto á verdad y sinceridad y franqueza noble, y á su modo patética, yo no he leído nada por el estilo. Un humorismo bien intencionado, sereno y sano en su amargor, llega á los tuétanos de la acción, y sin hacer nada *lírico* el relato ni alambicar ni poner en musica los caracteres, se cuaja de profundo sentido y dice miles de cosas grandes, fuertes, estallando á veces en frases ora dignas de Shakespeare, ora de Heine ora... de Galdos. Toda la novela me gusta mucho, y en el primer tomo encuentro ya cosas de primer orden, la exposición de la neurosis de los Bueno de Guzmán, la descripción de la casa y costumbres de Camila (preparación digna de lo qe esto ha de ser despues) la vida y muerte de Carrillo etc. etc. Pero donde *Lo Prohibido* empieza a ser extraordinariamente bello, nuevo, saladísimo, sentimental de buena manera, es desde q. J. María se enamora de Camila. Las peleas de chicos entre Cacaseno y el Tísico, el viaje á San Sebastian, el día q. se clavan clavos, las complicaciones bursátiles, el coro q. forman Eloisa, M. Juana, Medina, el triple trapecio etc. etc. son cosas admirables, y sobre todo aquello se palpa, se huele y se masca en llegando al paroxismo de la pasión de J. Maria y los cuatro o cinco capítulos últimos son de lo mas interesante y fuerte q. yo creo qu. se ha escrito. Esta es la pura verdad, y le juro q. no oculto nada ni aumento nada. Sé perfectamente, aunque me duela, dosificar tibiezas bien ó mal disimuladas, perdonar debilidades del prójimo y pasar adelante, cuando la conciencia me obliga á poner peros ó a dar a entender con mi entusiasmo oficial que otra me queda. A Dios gracias con Vd. nunca he tenido q[e] recurrir a este esfuerzo de mi caracter y siempre le he dicho la verdad absoluta. Dá la casualidad de q[e] Vd. es el único novelista español q[e] me satisface por completo.—¿Qué es aquello que según Vd. era lo único *acaso bueno* y q[e] estaba en el 2º tomo? Yo encuentro en ese tomo tantas cosas buenas q[e] no doy con la q[e] Vd. quiere indicar. Ello debe de ser cosa q[e] se refiera á Camila, José María y Constantino. Todo lo que se refiere a estos tres trogloditas trapecios es admirable. Esta mañana, al llegar a las nauseas de Camila y al «*Belisario*» q[e] escribe el enfermo sentí lágrimas como si yo también estuviera malo y gocé el placer incomparable de entusiasmarme con cosas ajenas como si fueran propias.

Como Vd. ve esto no es un *juicio* de su libro; pero como mañana mismo empezaré a escribir un artículo para El Globo y pasado pienso acabarlo y se publicará probablemente antes de ocho días á él le remito, que allí pienso decirle lo mismo q[e] aquí le diría. Pero me marearía el repetirme, el volver sobre las mismas ideas las enfriaría para la segunda vez, y prefiero q[e] tome por carta el artículo y vea allí ce por be todo, absolutamente todo lo q[e] siento y pienso con motivo de su obra.—Todo ¿he dicho?. No, todo no acertaría yo a explicarlo. Y por hoy basta de esto. Resumen ¡magnífico, magnífico, magnífico!

¿Sí tiene defectos? Sí; cierta proligidad *(sic) mobiliaria* que es de uso, q[e] está muy bien, q[e] prueba estudio, observación y gusto... pero q[e] acaso exceda de lo q[e] aguanta la paciencia española, aunque hay q[e] notar q[e] en la primera parte, por tratarse de Elvira, era indispensable ó poco menos.

La forma autobiográfica da un poco de monotonía, hasta q[e] llega el 2º tercio del 2º tomo. J. Maria al principio *enseña* a los demás y no se deja ver bien él mismo; en esto estaba mejor el Amigo Manso, despues ya no, despues se vé al narrador tan bien como a los otros.

El estilo es siempre natural, sencillo, y recoge la fase actual de la *cháchara* con pulcritud. Pero a veces, en el primer tomo y en los pasages *(sic)* de *transición* del 2º, se nota q[e] se ha escrito deprisa sin pararse á escoger las palabras.—De aquello que en otras ocasiones le tengo dicho de ciertas frases cultas q[e] se le pegan al autor de los personajes, en este libro apenas hay rastro, Recuerdo ahora (2º tomo, al fin) un *cáliz de las vicisitudes* q[e] no me gusta. La idea es justa, está bien, pero resulta feo con cáliz de vicisitudes. Tampoco estoy conforme con que Junio tenga 31 dias. Esto ya lo habrá Vd. advertido y lo corregirá en otra edición. Quería Vd. defectos? Pues esos - La novela debió publicarse en un tomo solo, grueso, q[e] se pareciera a los franceses de Charpentier; aligerando algo el 1º *(sic)* tomo, procurando mas laconismo á veces en lo accesorio, quitando algunas cosas q[e] son casi repeticiones, la obra habría resultado acaso la mejor de Vd. Tal como es, es admirable, y no creo q[e] la impresión de este momento se me transforme en cosa fría, á no ser q[e] me falte la memoria — He ido señalando con la caña los pasajes q[e] me entusiasmaban y está el 2º tomo (y en el 1º la muerte de Carrillo) q[e] parece q[e] anduvo con el un gato.

Pero en fin, lo dicho; al artículo me remito q[e] en él encontrará Vd. muchas cosas q[e] aquí echará de menos, respecto á los *méritos íntimos* de Lo Prohibido.

Pero antes de dejar esto protesto de que sean triquiñuelas del oficio y mañas del *saber foar (sic)* (q[e] dijo el otro) los primores de este libro, á no ser q[e] llame Vd. así a la habilidad artística. Si Vd. muchas cosas tuvo q[e] adivinarlas ó inducirlas ó deducirlas, en eso no hay mas q[e] el uso de las mejores y mas raras cualidades del verdadero novelista. Yo no soy de los q[e] esperan á que el autor de un libro le dé importancia para dársela, ni tampoco de los que aguardan a los datos de los libreros o á las bobadas de los periódicos. Me gustó mucho Tormento, me gustó mucho la de Bringas y me gustó muchísimo Lo Prohibido, y «qui potest capere capiat».

El no haberle escrito antes consistió en q[e] no me dejaron leer la novela. 1º Las pruebas de dos libros q[e] saldrán estos días (2º tomo de La Regenta y... Sermón perdido) 2º la presencia de Pereda q[e] me tuvo entretenido y yendo de un lado para otro como es natural.

Y 3º los demonios de los exámenes que son una jaqueca como V. no puede figurarse. Segun se usan los señores exámenes vienen á ser como estar oyendo seis horas al día «Sobre el triple trapecio de Trípoli».

Pereda me ha gustado mucho. Es ni mas ni menos como yo me lo figuraba, y como Vd. lo describe en el prólogo del *Sabor de la Tierruca*, Es uno de los hombres más simpáticos q^{e} he conocido — Aquí todos le encontraron muy agradable y creo q^{e} él vá contento de Asturias. Salió hecho gran amigo de mi hermano mayor, el ingeniero, y anduvimos de pueblo en pueblo cuatro ó cinco días. ¡Lo q^{e} sentimos q^{e} Vd. no hubiese venido! — Pero cumplirá su promesa de venir por el verano? —Por Dios sí. Si Vd. fuese otro no le diría q^{e} aquí lo pasaría bien, pero siendo quien es sí. Estaríamos en Gijón algunos dias; otros en Candas con Armando, viviendo una vida al natural de q^{e} Vd. no puede tener idea. Hay allí un aburrimiento que llega a ser delicioso cuando gusta el mar, el campo verde, el fresco, y la conversación *nonchalante*. Otros dias le iría yo a buscar á Vd. a Gijón y le llevaría á Carreño en un barco sobre cuatro ruedas (no es un carro) y allí podría Vd. pasar horas y dias, pues aunque solo puedo ofrecerle una mediócritas mucho menos q^{e} aúrea, tendría mucho espacio, soledad sí la quería, pues este año solo vamos mi madre, acaso mi mujer mi nene y yo... En fín, para mi un bello ideal q^{e} Vd. echará á perder marchándose cuando menos á Inglaterra. Por Dios venga Vd. aunque solo sea quince dias, allá por Agosto.

Si me escribe hábleme de esos planes de *órgano*. Yo estoy medio metido en el Globo. Todavía no cobro mi paga, pero no es porque no me hayan recibido con los brazos abiertos y con frases archi-lisonjeras, sino porque allí todo es interino ahora, singularmente el cobrar, y no quieren ofrecerme la plaza, ó mejor darme posesión, hasta q^{e} aquello se normalice. Yo la quiero para batirme desde donde me oigan los sordos.— Hábleme Vd. de la P. Bazán, que Pereda y Armando me han dicho horrores. Otro desengaño. Suyo de corazon.

Leopoldo Alas

Oviedo, 11 de junio 1885.

* * *

Mi querido amigo:

El martes, 30 de Junio publicó El Globo mi artículo soporífero sobre Lo Prohibido. Salió lleno de erratas, y bien las merecía por lo malo.

Habla Vd. de letra y la de Vd. no hay quien la entienda.

Ni ahora ni nunca he dejado de decirle la verdad, toda la verdad, nada mas que la verdad, como dicen los periódicos. Si Vd. es el único escritor español que me gusta *completamente* la culpa es de Vd. no mía.

Lo que me pasa con Lo Prohibido me ha pasado con la Joie de Vivre de Zola, q[e] me pareció una de sus mejores novelas y solo a Sarcey vi entusiasmado con ella. Es Germinal mas grandioso y fuerte, pero no mas profundo y acaso menos verdadero.

Me alegro q[e] Vd. me hable del mucho talento y gran construcción de la Pardo Bazan. Yo también creo q[e] tiene talento, vista penetrante y clara y una construcción excepcional en España tratándose de mujeres.

El Cisne no me llena. En cuanto al cisne mismo es un pato y todo aquello me parece insípido. Tiene sin embargo el libro algunas cosas buenas y yo procuraré pensar en ellas preferentemente cuando escriba el artículo q[e] me pidió tres veces ya la autora. Y sea todo por Dios y por el talento que tiene D[a] Emilia.

Hablando ahora del *órgano* le diré q[e] yo acojo la idea con entusiasmo, pero por lo mismo expongo las siguientes observaciones por ahora.

Cuestión material: ¿Con que y como se hace? De esto yo no sé nada.

Personal — Es grave la cuestión q[e] Vd. me presenta. Nosotros les dejaríamos decir a los neos (llamémosles así aqui) todo lo que quisieran, porque esto entra en nuestros principios, pero ¿y ellos a nosotros? Pues si se prescinde de ellos se pierde mucho, sobre todo por doña Emilia q[e] habría de trabajar bien y con abundancia.

Armando me temo q[e] ha de trabajar poco.

Y Picón, gran alma, gran entusiasmo... es un sectario y... en fin, habría q[e] tener cuidado con él.

¡Es tan delicada la cuestión don Benito! Cualquier solidaridad hay que mirarla tanto!

Discurra Vd. y sepa q[e] a mí me tiene á su disposición con órgano y sin él.

Otro día hablaré mas de este asunto.

Se ha publicado el 2º tomo de mi novelón (me da vergüenza ver los dos tomos juntos) pero yo no tengo mas q[e] un ejemplar q[e] le compré á un comerciante de Ultramarinos. En cuanto reciba los míos le mandaré uno.

Me parece q[e] la letra se entiende hoy bastante bien.

Pinte Vd. bien ó pinte mal debe venir á Asturias. A mi me daría un alegrón muy grande. Y aqui podríamos hablar del órgano á nuestro gusto. (A propósito; el título de Vd. me parece bien, aunq[e] le encuentro el defecto q[e] Vd. promete demasiado si no le entienden el sentido cuasi-doble).

Le quiere mucho y le admira mas *Leopoldo Alas*

Oviedo 3 de Julio - 1883

* * *

Mi muy querido amigo:

No sé de Vd. hace mucho tiempo, y aunque este no es tiempo de cartas largas cuatro letras de Vd. me vendrían muy bien y eso poco trabajo le costaría.

Recibió Vd. el 2º tomo de la Regenta? Lo leyó? Es una caída? (suponiendo q[e] hubiera de donde caer) — Vió Vd. el artículo q[e] publiqué en el Globo acerca de Lo Prohibido? — Ademas publiqué otro en dos tomos en La Ilustración Ibérica (Barcelona) — ¿Que hay de nuestro órgano? Yo tan animado y mas cada vez á ayudarle en lo que pueda. Armando esta aquí en Candas. Dice q[e] le trataron VV. muy bien por ahi.

¿Que tal la pintura?

Yo q[e] no tengo ningun arte para alternar, me paseo, me baño y me complazco en estar horas y horas sin pensar en nada. Ni leo, ni veo ni entiendo.

¿Hay cólera por ahi? Mucho lo sentiríamos por Vd. y por nosotros q[e] tendríamos que echar las barbas a remojar — en agua caliente por supuesto.

Muy cariñosos recuerdos a Pereda.

Su mas apasionado amigo *Leopoldo Alas*

Candás — 16 de Agosto — 1885.

* * *

Oviedo — 13 de Noviembre — 1885

Mi querido amigo:

Tanto como me agradan y envanecen los pliegos que Vd. me manda llenos de escritura cuneiforme, me disgusta que Vd. se crea obligado á gastar tanto tiempo en escribirme, molestándose y perdiendo las horas q^{e} pudiera emplear en cosa de sus libros. Es claro que yo me chupo los dedos de gusto con sus cartas, y que cuanto más largas mejor; pero me remuerde la conciencia; no merezco yo que Perez Galdós gaste tanto tiempo conmigo, al menos por escrito.

Como Vd. me habla en su última de la *Regenta* otra vez, aunque la historia ya es vieja vuelvo tambien á ella. Me parece inutil emplear aqui retórica para decirle si me llega o nó al alma lo q^{e} Vd. dice de mi libro. Para mí es Vd., además del primer novelista español, una de las personas de mas gusto. Figúrese por consiguiente si me halagarán sus elogios y si haré caso de sus censuras, que solo pecan de ser poco fuertes y pocas. En definitiva, y para no hablar mas de esto: no estoy descontento de mi primer ensayo de novela por lo que se refiere al éxito, así respecto del público grande como del público escogido. Ojalá estuviese tan contento de mis facultades! Me tiento la ropa... interior... y dudo, dudo mucho que haya en mi la madera de un novelista.—No sé que pensar. Ni Vd. ni Pereda, ni Giner (1) ni otros y otras que me animan son capaces de adulaciones, y sin embargo... ¿Tendrá mas razon y mas sinceridad Armando que me elogió un poco el primer tomo, y del segundo no me dijo una palabra. Y r. i. p. la *Regenta.*

Sí, he leido la novela de Suarez Bravo (2) y he escrito ya en tres periódicos (El Globo, El Madrid Cómico y la Ilustración Ibérica) ¡seis artículos! contra ese disparate escandaloso. No puede Vd. figurarse cosa peor. Y Bremón (3) que la elogia en el Liberal? ¡Majadero! Hoy

(1) Francisco Giner de los Ríos (1839-1915), ilustre pensador y pedagogo español.

(2) Ceferino Suárez Bravo (1825-1896), novelista, periodista y autor dramático español nacido en Oviedo.

(3) José María Bremón, periodista español nacido en Madrid en 1829. Tomó parte muy activa en su juventud en el famoso *Guirigay*, *El Artista* y otros periódicos; después dirigió durante muchos años el importante diario *La España* y, posteriormente

me escribe Castelar diciendo q[e] el jueves no se atrevió á ir á la Academia por miedo de que se lo elogiaran las lechuzas que premiaron a D[n] Ceferino (1). El escándalo sería mayúsculo si aqui hubiese verdadero ambiente para la vida literaria —Y— a propósito de esto ¿que es de ese periódico ú órgano? —Ya sabe Vd, que me tiene, con el mayor entusiasmo, á su disposición para todo lo que sirva.

Es casi seguro que á principios de año entraré á colaborar regularmente (y con sueldo) en el Globo. Aunque ahora escribo en él con entera libertad no me parecería bien trabajar de balde indefinidamente; pero una vez establecida la colaboración constante, oficial, por decirlo así, es otra cosa, y me batiré lo mejor que pueda por nuestra causa.

Del Globo me escriben que cuentan conmigo para dar empuje al periódico y que solo esperan a poder arreglar ciertos asuntos económicos, para poder ofrecerme condiciones honrosas. Añaden que esto será para fín de año y me ruegan que no adquiera compromiso q[e] pudiera obligarme á no entrar en El Globo — De modo que por eso digo q[e] es casi seguro. Este periódico ya es de bastante circulación.

Pero esto no sería incompatible con seguir á Vd. á donde Vd. quiera.

¿Que tiene Vd. entre manos ó entre ceja y ceja.

Pereda me escribe q[e] tiene la idea de una «novela fina»...

Armando trabaja tambien en una cosa larga, pero no sé lo que es.

Yo... por dinero baila el perro. Estoy haciendo un buñuelo humorístico-sentimental para la Revista de España; cosa pequeña que despues publicaré a parte. También ando en tratos con Fé para una novela, no muy larga. ¡Líbreme Dios de *larguezas*! —Pero no tengo entusiasmo. Repito lo dicho... dudo si sirvo.

Escríbame cuando buenamente pueda, pero no dude que para mi sus cartas son dias de fiesta.

Su apasionado amigo q[e] le quiere mucho

Leopoldo Alas

Oviedo, 17 de Noviembre.

* * *

El Siglo, periódico moderado que fue atropellado por la célebre *partida de la porra* en 1869, resultando herido Bremón. Desempeñó importantes cargos públicos, entre ellos el de Director general de Agricultura, y el de consejero de Estado.

(1) Se refiere a la novela *Guerra sin cuartel*, de Suárez Bravo, premiada por la Real Academia Española en esta fecha.

Mi querido amigo y maestro:

¿Para que jeroglíficos si antes de ocho ó diez días podremos hablar por los codos?

Hasta la vista, pues; le dejo porque en este instante mi hijo (de dos años y algunas pulgadas) se empeña en escribir con las tres *pumas* del tintero á un tiempo. —Supongo que habrá visto á Armando— Hasta luego. Suyo de corazon

Leopoldo Alas

NOTA.—Sin fecha, en este lugar en la ordenación de Galdós.

* * *

Mi querido Don Benito:

Otro día, dentro de poco, le escribiré carta de amigo. Esta es de *político*.

Es el caso, que yo tambien *hago política* y me importa mucho lo que le voy á recomendar.

Don Venancio tiene que nombrar alcalde de Oviedo y hay que recomendarle con el mayor calor á Don Manuel Díaz Argüelles, primer teniente, en funciones de alcalde, gran elector, fusionista, progresista antiguo. El otro candidato, un D^{n} Donato Argüelles (entre Argüelles anda el juego) es hoy fusionista, pero ayer era republicano, y aun ahora está al servicio de sus parientes y amigos los Alegres (como quien dice los Medicis de Oviedo) que son republicanos obligados.

Si el ministro no nombra al Sr. Diaz Argüelles que haga por lo menos lo q^{e} en otras partes: dejar la elección al Ayuntamiento. No deje Vd. de hacer con todo interés esta recomendación que me importa por razones largas de explicar.

Hasta otro dia q^{e} le escriba como Dios manda.

Suyo de corazon

Leopoldo Alas

¿Y la novela? Como va?
Nombrar alcalde de Oviedo á *D. Manuel Díaz Arguelles* y nó á *D. Donato Arguelles.*

Oviedo 26 de Junio 1886.

* * *

Mi querido amigo:

Le escribo á Vd. á Santander, porque supongo q^e^ apesar de su amor á la patria y al modus vivendi no habrá podido aguantar mas el calor y la oratoria de los diputados arroceros y vinateros.

Me hizo reir mucho lo q^e^ Vd. me dice de las gestiones en favor de mi *candidato Arguelles*. No le volveré á dar á Vd. ninguna broma por el estilo, como no sea para cosa q^e^ me importe personalmente. De todos modos; gracias por lo hecho. Yo también opino q^e^ la política no está ni mas ni menos corrompida que lo demás, y que tantos pillos hay fuera de ella como dentro.

En cuanto á mi ánimo respecto de literatura es en la actualidad poco halagüeño para mi. Ahora opino que me da vergüenza de que escribamos novelas todos menos Vd. y Pereda, y a veces me echo á pensar si seré yo un Peirolon *(sic)* (1) o un marques de Figueroa algo mas bajo y un poco menos idiota.

En lo que me encuentro un poco mas digno y serio es en mi afición á leer mucho y á gente buena de todos los paises y de todos los tiempos. ¡Si me pagasen los periódicos por leer bien como me pagan por escribir mal!

Publique Vd. por Dios pronto algo y que lo publique tambien Pereda. Si no esto se acaba. Todo lo demas, sin excepción de nadie, es malo hablando en plata.

Yo estoy en Candas; hoy me he dado el primer baño y sí que era bueno.

Desde aqui, donde escribo, veo los Picos de Europa q^e^ Vd. tambien creo q^e^ puede ver desde ahi.

---

(1) Manuel Polo y Peyrolon (1846-1918), catedrático y literato español, propagandista católico y tradicionalista, diputado primero y senador después, y autor de escritos costumbristas muy pesados.

¿Por que no coge Vd. un dia una lancha y se viene con Muergo (1) y el autor de sus dias a Candas rema que te remaras, como hacen los pescadores vizcainos?

Muy cariñosos recuerdos á Pereda. Suyo de todo corazon

Leopoldo Alas

Julio, 29-86

* * *

Mi muy querido amigo:

Pensaba escribir á Vd. hoy muy largo, pero me encuentro al volver á casa con que mi único hijo (de tres años) se acostó algo calenturiento y sin cenar y esto ya me quita el juicio y la facultad de escribir sabiendo lo que me digo.

Pero tampoco quiero demorar mas tiempo la *primera* contestación dejando para mañana ú otro dia, si mi Polin se pone bueno como espero y pido á Dios, la segunda.

Si, recibí su carta de hace mas de un mes: fue para mi un placer muy grande recibirla, por motivos especiales, y tan entusiasmado estaba q^{e} mi propósito fué contestar el mismo dia y hablar mucho. Pero el hablar mucho no puedo hacerlo siempre que quiero porque tengo horas diarias de trabajo que no puedo dejar. Mañana escribiré á mi gusto, con todo el tiempo que necesito, me dije y así de mañana en mañana lo fuí dejando.

Lo mismo me sucedió con Pereda. Es decir, con dos de las personas que mas quiero por esos mundos de Dios; sobre todo á Vd.

Hasta muy pronto; su devotísimo amigo y admirador

Leopoldo Alas

Le han gustado á Vd. Los Pazos de Ulloa? —A mi si, algunas cosas mucho. Ya se lo he escrito á Emilia.

Oviedo, 20 de Diciembre 1886.

* * *

(1) Personaje de *Sotileza*, de Pereda.

Mi querido don Benito:

Ante todo, Dios quiera que esa incertidumbre de que Vd. me hablaba en su carta se haya convertido en una seguridad tranquilizadora; aunque Vd. no me dice de que clase de desgracia estaba amagado, es el caso q^{e} estoy impaciente por saber lo que ha sucedido y espero que me de noticias, pues no es Vd. de los literatos a quien solo se toma cariño retóricamente, y todo lo que le interesa me interesa.

Por Dios escriba Vd. con mejor letra, porque su última en algunos pasajes es de todo punto ilegible.

Tengo muchos deseos de leer Fortunata y Jacinta, y si Vd. me hubiera mandado ya el 1^{r} tomo, cuando llegase el 2° me tendría leido el otro y eso habría adelantado. Yo leo muy lentamente, sobre todo las obras de arte verdadero y de reflexión, porque se me figura que es una especie de pretensión ofensiva e injusta suponer que las imágenes e ideas que tanto tiempo ocuparon al autor puedan pasar dejando rastro suficiente por la mente del lector en dos ó tres horas.

Bien decía yo el año pasado en el prólogo de mi Sermón Perdido que la literatura estaba mal, pero podía estar peor. En efecto, ya está. Yo le confieso que con el espiritu he emigrado y no siendo cosas de Vd. y algunas de Pereda nada me hace volver á la *vaga y amena literatura* de mi tierra. Ahora vivo en Rusia, enamorado de Gogol y de Tolstoi ¡Qué es Guerra y Paz!. Léala Vd. si no la ha leido.—Y eso q^{e} está muy mal traducida. Tambien leo historia, pero historia sentida, pensada e iluminada. ¡Qué Renan! Cuantas vulgaridades se han dicho llamándole dilettanti, pseudo-filósofo. ¡Qué historia del Cristianismo!—La historia me enternece; tantos esfuerzos, tantas generaciones muertas, caidas como los polichinelas de un teatro, tantos dramas y dibujos y colores no se sabe para que gran misterio, hacen amar todo lo que pasó, sobre todo admirarlo, compadecerlo. Piense Vd. en la historia oyendo buena música y las lágrimas saltan al cerebro.

Le he envidiado á Vd. su excursión del año pasado. Cuando Vd. me escribía aquello de haber visto el comedor donde comía Schopenhauer en la fonda, estaba yo precisamente á vueltas con Schopenhauer por segunda vez.

Yo me siento este año mejor de los nervios. Creo que lo debo no solo á echar agua sobre el cogote sino á unos baños aeroterápicos que había yo inventado sin saberlo.—Me siento *fecundo*, y sino fuera por la convicción de que el límite en que yo puedo moverme es muy reducido, trabajaría con ahinco. Se me ocurren mas cosas que nunca y tengo planes para diez ó doce cuentos ó novelas. Lo que me anima á escribir sacudiendo la vergüenza de ser una medianía más, á lo sumo, es la *actio triticionaria* que decimos los Papinianos, los bonos para la cocina económica que me dan los editores por mis papeles. Aparte de mis folletos literarios, que siguen su curso (el 3º se llamará Interview ó Apolo en Pafos) y de la Colección «Nueva Campaña» (en prensa) preparo tres novelas que tienen el lazo común de ser la vida de una especie de *tres mosqueteros psicológicos*, como si dijeramos. La primera se llama *Una Medianía* (Antonio Reyes). La 2ª *Esperaindeo* (completamente reformada y refundida; dedicada á Dⁿ Benito Pérez Galdós: obra casi lírica, mi *credo*... á lo menos de ciertas horas del día) la 3ª *Juanito Reseco* (mi predilecta). Además preparo un tomo de narraciones inéditas. Ya sabe Vd. tanto como yo. Además, en el magin... *Palomares*, *Bárbara* (hay otra Bárbara inglesa, pero lo supe despues) *Del Higado*, *Papá Dios*, etc. etc. Dirá Vd. ¡Este chico está loco! Puede —Nota á lo Pascal: observo que cuando hablo de mis cosas hago la letra mas clara. Todo es vanidad.

No se apure Vd. aunque su novela salga larga, ¡mejor! así... pelearemos á la sombra (como dice un orador de aqui siempre que no viene á pelo, como ahora: este personaje está en un libro mío). Ahora noto que todo esta carta es una impertinencia seguida si Vd. está afligido.— La he escrito figurandome que nó.

Suyo atentamente

Clarin

Oviedo, 1º de Abril — 1887

* * *

Mi querido don Benito:

Todavía no han llegado á mi casa ni Fortunata ni Jacinta. Las espero con impaciencia incomparable á ninguna otra clase de comezón.

La presente tiene por objeto recomendarle á Vd. (no se asuste, no es política) al joven ruso-frances Mr. Borís de Tannenberg, escritor parisién que ha venido á España a estudiar de cerca no nuestra literatua qe ya la conoce bien, sino á los literatos y las costumbres literarias. Yo le he tenido aquí cuatro dias. Ahora está ahi en casa de Castelar y despues irá á Santander *chez* Pereda. Es gran admirador de Vd. y desea mucho conocerle; se le presentará pero [no] se atreverá á decirle lo que me ha rogado á mi qe le dijera: á saber que hable Vd. con él mucho y con confianza, qe le hable de la abundancia del corazon y que le diga su manera de trabajar, entrada al arte, su clase de vida, su opinión acerca de los libros españoles etc. Haga Vd. como yo, dígale claramente lo perdido que está esto con tal ó cual vano; háblele pestes de la Academia *secundum quid*, etc. etc. Va á publicar en Le Temps de Paris artículos qe despues formarán un libro y merece que le diga la verdad que conviene que suene por ahi fuera.—Además él se hace estimar enseguida; es sensible, entusiasta, de ideas puras y sutiles, no un raté ni un *simbolista;* en fin, un buen chico. Vd. lo verá.

Tambien le ruego, porque él sueña con ello, qe si Vd. tiene algunas horas desocupadas se acompañe de él para dar uno de esos paseos por el Madrid viejo qe Vd. conoce tan bien.

Estoy seguro de que, en cuanto su humor, salud y ocupaciones lo permitan, hará Vd. lo que pueda por complacerme; primero por mi cara... fea, despues porque el Sr. Tannenberg lo merece, y despues porque es una ocasión útil para las letras llamadas patrias.

También le escribí á Armando recomendándoselo.

El caso es qe no vaya á Paris *academizado.*

Estoy muy constipado y no puedo escribir mas.

Venga Fortunata por Dios,

Suyo de corazon y por mucho *per end*

Leopoldo Alas

Oviedo, 12 de Abril—

Nota.—Sin fecha de año; en este lugar en la ordenación de Galdós.

* * *

Mi querido amigo:

Como apenas leo periódicos, no he sabido hasta que llegó Armando que la desgracia que Vd. temía se había realizado. Sabe Vd. lo mucho que le quiero, y creerá que es grande la parte que tomo en su sentimiento. Hace dos años me escribia Vd. á mí por analogo motivo y despues de tanto tiempo puedo decirle que no es verdad que el tiempo haga tanto efecto en esta clase de males; yo creo que mucho mas que el tiempo vale la virtud de creer algo, si se puede. Por lo demás, asi es como empieza uno mismo a morirse.

Hoy no juzgo oportuno hablarle de otras cosas.

Su amigo de todo corazón

Leopoldo Alas

Oviedo 25 de Mayo—1887.

* * *

Mi querido don Benito:

Por Quintanilla sé q^e ya está Vd. en España hace muchos dias: yo lo ignoraba y por eso no le escribí antes. De modo que por que hubiera mas probabilidades de q^e mi carta llegase á su poder por un conducto o por otro, le he escrito cinco pliegos al Globo y supongo q^e los publicará un dia de estos. Auque Vd. no me ha enviado el 4° tomo de F. y J. lo he cogido yo en casa de Martinez de modo q^e tiene Vd. q^e mandármelo para dárselo yo á el, ó bien mandárselo a él.

En cuanto á lo que opino de su novela, Vd. lo verá en el Globo en parte, y despues en mi próximo folleto titulado «Revista» donde mas largamente se continua. Es claro q^e me parece admirable, que tiene cosas no solo de primer orden sino de un valor completamente nuevo. No he visto aquella inferioridad del 1° *(sic)* tomo de q^e Vd. hablaba. En fin, á la carta y Revista me remito. Fortunata es la mujer, vale mas que la misma Isidora como personaje *bello*, y es todo lo q^e se puede decir. Isidora es mas *probable* que Fortunata, pero ambas son posibles, y en cuanto al trabajo de expresión de Vd., supera este con mucho Fortunata. Ademas tiene la ventaja, para hacerse popular, de q^e es muy simpática. Jacinta es claro q^e no está a su altura ni Vd. se lo proponía. La novela es de Fortunata. Guillermina y doña Lupe extraordinariamente simpáticas y resaltan mas por el paralelo en q^e se colocan.

De los hombres Maxi, Izquierdo y Estupiñá. A Santa Cruz le ha hecho Vd. con los huecos de los perfiles de los demas y está bien á su modo y asi debía ser.

Yo por mi parte entusiasmado; los defectos q^e veo, son de tal genero que, como le decía hace dias en carta á doña Emilia, un buen escribiente podría corregirlos: quitar o aligerar algunas escenas y oraciones, corregir dos ó tres descuidos del *cálamo currente*... en fin nada ó poco mas.

Ahora, dispénseme si soy breve y termino aqui. Ayer á las cinco de la tarde he venido en ser padre por segunda vez, de otro robusto infante y estoy todo lo ocupado q^e Vd. me puede suponer.—Si ve á don José Pereda dígale q^e le escribiré un dia de estos y q^e he sabido con muchísimo gusto q^e lleva muy adelantada su novela. Yo estoy á vueltas con una oposición q^e se llama «Una mediania» que me parece menos que mediana como dirán, jugando con el vocablo, los críticos mas adelante. Despues haré con amore *(sic) Esperaindeo* q^e va dedicada á don Benito Perez Galdos.

Le quiere mucho y le admira infinito su amigo verdadero

Leopoldo Alas

Oviedo, 21 de Septiembre 1887.

* * *

Mi querido don Benito:

No he escrito á Vd. antes porque quería acompañar la carta de mi vera efigie q^e Vd. pide; pero es el caso q^e mis retratos de antaño son ya demasiados legendarios ó *leyendarios* como dirian los *clásicos*, y para hacerme uno nuevo necesito previamente parecerme menos al Marques de Molins, es decir, cortarme pelo y barba.—Pero dentro de pocos dias cuente Vd. con el retrato.

Armando me había hablado y leido parte de su carta de Vd. Le dije lo q^e Vd. me mandó decirle, y supongo que ya le habrá contestado.

Me escribe Pereda anunciándome la proxima publicación de su libro y hablándome muy bien de Fortunata. He notado q^e^ esta novela de Vd. ha gustado mucho á toda clase de lectores, y en efecto creo q^e^ es, en conjunto, una de las mejores de Vd.—Yo he hablado de ella hace mucho tiempo en el Globo, pero acaso vuelva sobre el asunto, en una forma u otra, en mi próximo folleto, q^e^ saldrá a fin de mes.

En la Nuova Antologia de Roma del mes pasado se hablaba mucho de Vd. Supongo q^e^ habrá llegado á sus manos el artículo. El crítico, Cesareo, analizaba Dª Perfecta y Fortunata, y decía una verdad como un templo, q^e^ es Vd. el mejor novelista de España y tan bueno como cualquiera de fuera.

Es muy tarde y voy á cenar. Cuando le envie el retrato le escribiré mas largo.

A proposito de retratos, yo tampoco tengo el de Vd. y aunque no poseo iconoteca, tengo en mi cuarto de trabajo a mi poeta favorito, Victor Hugo, y mi obra favorita, mi primogénito Polín; me falta mi novelista predilecto. Venga pues.

Suyo como siempre q^e^ le quiere mucho

Leopoldo Alas

Oviedo, 5 de Diciembre de 1887.

* * *

Mi querido don Benito:

De desagradecidos está el infierno lleno. Cortese Vd. el pelo y la barba, madrugue, vaya a casa del fotógrafo, colóquese en una actitud digna y modesta á la par, segun entiende el fotógrafo la modestia y la dignidad, haga Vd. todo esto por un amigo, y despues aguante que el tal le llame perro nada mas que porque Vd. no le ha enviado todavía el retrato hecho exclusivamente por él. ¡Allá van mi retrato y el de mi primogénito y homónimo q^e^ tenia dos años y medio cuando se retrató.

Es cierto que un Sr. Cobos, si no recuerdo mal, me pidió un retrato y yo aproveché la ocasión de haberme hecho retratar para Vd. y le mandé un ejemplar ó copia. También es cierto q^e^ le ofrecí escribirle alguna semblanza, indicándole que prefiriría la de Vd., Tamayo, Castelar, Valera, etc.—

Mucho me alegro de q^e^ esté Vd. haciendo otra novela y que sea de un tomo. Falta hace.

Yo estoy muy desanimado en general, pero como ahora tengo salud y dos hijos no hay mas remedio que trabajar. Ahora escribo en la Justicia y en la Ilustración Ibérica y *sobre todo* en mis folletos q^e^ en adelante saldrán mas á menudo. En el q^e^ está en prensa examino parte del discurso de Nuñez de Arce en el Ateneo.

Estoy *haciendo de novelista* otra vez y *me ocupo en* una novelita intitulada «Su unico hijo» q^e^ es una especie de introducción para «Una Medianía». Después irá, si no lo echo todo a rodar antes, Esperaindeo, novela como si dejéramos protestante que le dedico á Vd. no por lo que ella valga, sino por el cariño q^e^ tengo al asunto que es anterior á mis naturalismos.—Yo para trabajar en estas cosas necesito, como otros muchos, cierto *calor de vanidad*, y ahora el tal calorcillo va faltándome mas cada día; por ello gano para con Dios pero pierdo para con los editores.

Me parece a mi que si me cayera la lotería, aunque fuese irradiada, las novelas que yo escribiese que me las claven aqui. Lo mismo debian opinar otros varios que no han dado en ello.

¡Feliz Vd. que es novelista de veras! Hay tan pocos, pero tan pocos!—Fortunata y Jacinta ha gustado muchísimo á toda clase de lectores. Cuantos me escriben o hablan de ella la elogían con entusiasmo. A otra brega, q^e^ el filón es largo y rico todavía!

Adiós, voy al Ayuntamiento, que yo tambien tengo mi cacho de soberanía popular. Ya que no puedo en otras cosas, imito a Cristo en estos actos de humildad, porque esto de ser concejal es parecido a aquello de codearse con los publicanos.

No hable Vd. de letras porque la de Vd. es una letra... protestada; le saca a uno los ojos.

Suyo como siempre

Leopoldo Alas

Oviedo — 17 de Marzo 1888.

* * *

Mi querido don Benito:

Supongo que habrá Vd. recibido a su tiempo mi retrato que le envié certificado.

Me han encargado de escribir en 32 páginas una biografía-crítica de Vd. para comenzar la biblioteca del Sr. Barros (1) y le ruego que me mande aquellos datos biográficos y auto-biográficos que crea oportuno hacer conocer al publico. Como hay ya varias biografías de Vd. espero que le mereceré yo algo excepcional y que no sepa todo el mundo.

Tómese el trabajo de dedicarme una hora apuntando en letra clara, como esta v. gr., que se entienda bien, lo que Vd. quiere q[e] el público sepa por mi conducto de su infancia, juventud, *años de aprendizage*, historia de sus libros, traducciones de los mismos, etc. etc.

Ya sé que me veré negro para meter en 32 paginas eso y algo de lo mucho q[e] yo sé de Vd. sin q[e] Vd. me lo cuente, pero haré lo que pueda para *sintetizar* como dicen los animales.

En fín, Vd. ya me entiende, que quiero algo nuevo, que pruebe q[e] Vd. me dice a mi lo que no dice á todos. Esto no es pedirle q[e] Vd. me cuente sus primeros amores, si no quiere. Supongo q[e] le habrán regalado de mi parte mi último folleto.

Cada vez, pensando en ello, me gusta mas Fortunata y Jacinta ¡que novela! Ademas veo que a todos ha gustado muchísimo. A veces, leyendo lo q[e] hacen en Paris con las novelas de Zola y Daudet, se me ocurre sacar dramas y comedias de las novelas de Vd. Le chocará á Vd. esto, pero debo advertirle q[e] yo hasta los 22 o 23 años escribí docenas de obras dramáticas todas *herméticamente* quemadas, como dijo el otro. Desde los 10 á 15 representé yo en la cocina o en el comedor de mi casa casi todos los dias un *drama en tres actos* en verso en gran parte. A los 10 años, en Leon se puso en escena un drama mio titulado «Juan de Hierro» con una 2.ª parte, «Juan Resucitado», por una compañía de aficionados, en el Gobierno de provincia. En fin, yo no sé

(1) De lectura dudosa. El folleto de *Clarín*, titulado *Galdós* fue editado por Fernando Fe sin que aparezca ninguna otra mención.

como á estas horas no soy un Herranz (1) ó un Cavestany (2). Gracias á mi *proverbial* buen sentido. Pero, fuera de broma, me daría mucho gusto sacar á las tablas, bajo la dirección de Vd., á Isidora, ó á Cimarra y Julia, ó á Daniel, ó á Salvador ó á Fortunata. ¡Si yo tuviera el *don* y si hubiera actrices!

No deje Vd. de mandarme eso lo mas pronto y lo mejor q[e] pueda.

Suyo como siempre

Leopoldo Alas

Oviedo, 3 de Mayo

NOTA.—Sin fecha de año; en este lugar según la ordenación de Galdós.

* * *

Mi querido don Benito:

Le escribo á Vd. contemplando los picos nevados de unas montañas que tambien Vd. debe de ver desde ahí si quiere, los Picos de Europa. Yo estoy malucho; hace muchos meses que en esto de la salud doy una en el clavo y ciento en la herradura. Aquí el cielo está despejado, pero hay un Nordeste tan hinchado y furioso como una oda á la Patria oprimida y un frío digno de Febrero... *reformado*. Estamos mal así. Yo quiero verano de veras ó que me devuelvan el dinero.

Aqui vamos a tener toros (aqui es en Gijón) para mediados de Agosto ¡Si Vd. se animara y se decidiera á hacer una escapatoria!

He leído hace varias semanas Miau y me ha gustado mucho en general y mucho mas en particular. No opino como Vd q[e] no sea mas que las sobras de otra cosa. Si le falta algo para llegar al Amigo Manso (aquel otro *intermezzo* q[e] Vd. despreciaba y que salió una perla) le sobra mucho para ser una novela completa, original, de verdadero sentimiento, etc., etc. Pero en fin, á los artículos de autos me remito. He escrito dos para la Justicia q[e] supongo le remitirán. No han salido todavía. Yo siento no escribir esas cosas en periódicos de mas circulación, pero en el Globo no pagan, el Madrid Cómico no es a proposito, y en los periódicos de Barcelona no estaría bien. Y voy á mi pleito.

(1) Juan José Herranz (1839-1912), autor dramático y poeta.
(2) Juan Antonio Cavestany (n. 1861) poeta, autor dramático y político.

Me agradan mucho y me convienen los apuntes q^e Vd. ha empezado á mandarme relativos á sus ideas y aun caprichos (idea también) sobre estética y demás; de todo eso he de sacar partido y viene á ser lo principal... pero necesito otra cosa. Yo no tengo aqui ninguna biografía de Vd. ni de diccionario, ni de periódico; de memoria no se puede dar esa especie de cédula de vecindad q^e en toda biografía se necesita; yo apenas sé donde ha nacido Vd., sé q^e fué en Canarias, pero eso no basta. Si Clarín, que pasa por amigo de Vd. (y es una de mis *grandes cruces* de literato este honor) se descuelga diciendo «Perez Galdós nació en Canarias hará unos cuarenta años y después de estudiar con regular aprovechamiento latín y otras especies se trasladó á la península donde se puso á escribir novelas como quien se bebe vasos de agua, etcétera., etc.», se dirá que no traigo ningún dato nuevo, y que todo eso pude preguntarlo en la porteria de su casa de Vd. Compréndame Vd. por los clavos de Cristo, que apura el tiempo. Yo necesito saber de Vd. algo mas que cualquier provinciano q^e llegue á Madrid con su familia y les diga á sus hijos al verle á Vd. pasar —Mirad, ese es un gran novelista, se llama don Benito y tal y... eso... nació en Canarias— ¡Canario!, eso es poco: yo quiero hechos, hechos, como los positivistas. Su teoría de Vd. acerca de lo poco que el público debe saber de las mañas del artista, no es incompatible con mi legítima reclamación. Santo y bueno q^e no me diga Vd. nada de sus primeros amores (si es q^e no empezó Vd. por los segundos). Tampoco necesito la hoja de estudios, y si Vd, de pequeñuelo era aficionado á lo ajeno como Rousseau, que no lo creo, allá Vd. Pero hay mas, don Benito hay mas. *Reasumiendo:* mándeme Vd. impresos ó manuscritos todos los datos relativos á su vida q^e se hayan publicado... y unos pocos mas. Dígame Vd. á mi tanto como haya dicho a otros... y algo mas si cree q^e lo merezco. ¿Es que le da á Vd. vergüenza haber nacido en Martes, por ejemplo? Pues pondremos lunes, pero vengan los datos. Por supuesto, sin prescindir de esas otras noticias que Vd. me ha ofrecido continuar y que son, repito, lo principal. —El editor me apura; cree, porque Vd. se lo ha dicho, que ya me ha enviado Vd. lo que le pedía, y así estamos. Escríbame por Dios y mándeme eso.

Supongo que Pereda estará en Polanco. ¿Escribe algo?, ¿y Vd.? Yo he vuelto desde anteayer a una noveleja q^e he tenido olvidada meses y años. Trabajo sin fé ninguna; unicamente me gusta la cosa mientras estoy escribiendo, pero a la media hora me parece una grandísima bobada. Yo no soy novelista ni nada; mas q[e] un padre de familia que no conoce otra industria mas que la de gacetillero trascendental.

Suyo de corazón, y vengan los datos

Leopoldo Alas

Carreño - 13 de Julio 1888

* * *

Mi querido don Benito!

En vano le he escrito á Vd. pidiéndole de rodillas esos *datos;* Vd. no me ha enviado nada y el editor ya ha dicho al público q[e] está en prensa la biografia de Vd. Por Dios cuanto antes me envíe algun artículo biográfico en que consten las señas de Vd.: lugar y fecha de nacimiento, etcétera, etc., en fín lo que no puede omitirse. Por supuesto que es claro que á mi debía Vd. darme mas elementos biográficos que á otros, pero en fin, si tanto puede la pereza, vengan á lo menos los generales de la ley.

Mire Vd. q[e] se lo pido de veras, con gran necesidad ¿Que dirá de la amistad nuestra el editor si ve q[e] ni siquiera me da Vd. esas notas? —Aunque lo biográfico será aqui lo de menos es indispensable y yo no puedo fiarme de mi pobre memoria.

En todo el verano yo no he trabajado nada: lo primero q[e] voy a hacer es eso de Vd. Espero tener en mi poder antes de ocho días lo q[e] le pido. Si no..., no es Vd. mi amigo ó será de bronce ó peña.

Y no le hablo de nada mas q[e] de eso..., vengan los datos.

Suyo

Clarín

Salinas (Avilés) 24 de Agosto 1888

* * *

Mi querido don Benito:

Le supongo á Vd. á estas horas entregado á las emociones de la ambición política. Yo sigo, á pesar de estos sucesos, haciéndome cruces con lo q[e] Vd. me cuenta de lo de Comelerán *(sic)*. Mucho me agrada y hasta entusiasma la conducta de Marcelino M. Pelayo y la de los otros *pimeos* q[e] le siguen. A Catalina le desafiaría de buen grado, si la Providencia me diese garantias serias de que le romperia una pata, para que no escribiese mas.

Es claro que yo pienso escribir con motivo de esas atrocidades académicas y procuraré ser todo lo reservado q[e] Vd. desea.

Yo tambien soy de los que opinan que la Academia sobra y, si fuera ministro del ramo, le suprimiria el presupuesto y toda vida oficial.

A otra cosa, por hoy, y sin perjuicio.

El editor q[e] va á publicar su biografía de Vd. escrita por mí me la pide con mucha necesidad. Y es el caso q[e] yo no la he empezado siquiera. ¡Me ha dicho Vd. tan poco! Casi nada: vengo á saber de Vd. (salvo lo que yo he visto, observado y adivinado) lo mismo q[e] cualquiera que sepa q[e] nació Vd. en Canarias sobre poco mas ó menos, isla arriba ó abajo.

En fin, si Vd. no me escribe mas acerca de su interesante personalidad, con lo que tengo haré mi folleto; y si le habla a Vd. el editor dígale q[e] para Nochebuena lo tendrá. Antes no.

¿Y novela? Que tiene Vd. en el telar?

Yo apenas escribo. Se me ha desarrollado un tumor crítico que no me deja pasar bocado de alimento condimentado por mis manos. En vano recurro á *canículas* de amor propio y benevolencia. Tengo entre manos una novela que no saldría maleja..., si Vd. me la quisiera escribir.

Le escribo á Vd. muy tarde sin haber comido.

Otro día será mas largo. Mucho le agradecería nuevas y mas documentadas explicaciones acerca de sus *años de aprendizaje*, etc., etc.

Suyo como siempre el anticomeleranista

Clarín

(Ya q[e] Vd. me llama así).

Oviedo 9 de Diciembre 1888

* * *

Mi querido don Benito:

Dos palabras nada mas para darle a Vd. la enhorabuena por la manifestacion nacional espontánea y vehemente que se está realizando a favor de la fama de Vd. con motivo de la atrocidad de la Academia.
Yo le confieso á Vd. que hago que estoy indignado ante el *pérfido* (1) pero no lo estoy. No esperaba otra cosa de esos pícaros y animales, y no tendría derecho á tratar como trato a los Catalinas, Pidales, etc., hace mucho tiempo si creyera posible en ellos mejor proceder. Pero al publico conviene calentarlo, no por Vd. sino por el arte, y estoy muy contento con el proceder de la prensa, y lo sigo en todos los papeles donde mojo.

Estoy a mitad de la *Puchera*, y en lo *perediano* me parece admirable. El tipo del Berrugo asombra y es con Grandet casi del tamaño del otro. Los de las brujerias admirables.

No me ha contestado Vd. á mi última ni me ha mandado mas *datos*. Ya no los quiero, llevo casi mediada la *biografía*. Merecía Vd. q^e^ metiéndome en *conjeturas* de su vida y gestas le pusiera y me pusiera en ridículo con *hipótesis atrevidas*..., pero no lo hago. Tomo á broma lo de q^e^ Vd. no quiera dar noticias y me las compongo como puedo. Pereda me ha escrito una carta «de como se conocieron VV» q^e^ me servirá mucho.

Suyo de corazón = (A. Menendez Pelayo si lo ve Vd.: q^e^ le he escrito y que reciba mi enhorabuena tambien)

Leopoldo Alas

(Supongo que Armando presentará a Vd. a mi hermano Genaro que está en esa).

Nota.—Sin fecha; en este lugar en la ordenación de Galdós.

* * *

(1) De dudosa lectura.

Mi querido don Benito:

No le he escrito en tanto tiempo, porque siempre estaba esperando que Vd. acabara de decirme lo que me anunciaba en cada carta. Por lo demas, de Vd. me acuerdo constantemente.

Ha hecho Vd. bien en dejarse meter en la Academia, para que no se hable mas de eso. Pero ni el escándalo de hace meses se borra con la palinodia de Mora, ni Vd. ni Castelar (1), ni otros pocos son *académicos*, aunque lo sean.

Lo que Vd. me dice de su nuevo libro ha despertado mi curiosidad y tengo vivos deseos de que salga a luz.

Yo no trabajo mas que porque me hacen falta los cuatro cuartos que gano con mis articulejos, y si llego a publicar mas novelas, creo q[e] no será mas que por igual motivo. Hay temporadas, muy largas á veces, en que no *creo en mi*, y esta es una de ellas.

Ademas, me rinde esta lucha desigual con el aspecto económico de las letras en España: es muy poco dinero el que dan á uno por trabajar mucho.

Y *esto no es pais*, ni nada. Lo q[e] está pasando en el Congreso nos lo prueba. Esos conjurados son unos mamarrachos ¡Nuestros cónsules y Romero Robledo (2), dan gana de emigrar! Y su gran Canovas de V.V.? Es un mamarracho trascendental.

Mal rayo en la política.

Y en la literatura española. (Fuera de Vd., Pereda y otros pocos.)

Yo ya sé cual es mi vocación, leer. Pero no lo pagan..., y se estropean los ojos y el estómago.

Me decia Vd. q[e] porque no me iba á Madrid ¿A que?

Y ademas ¿como? Dejar la carrera me parece algo fuerte y expuesto, pues es un poco de pan seguro para la vejez. Una cátedra en Madrid exigiria ó nuevas oposiciones, y esto me rebajaria a mis ojos, y ya no estoy yo para escribir programas y hacer toda esa farsa de pasar por sabio durante unas cuantas horas á los ojos de seis o siete pobres diablos:

---

(1) Emilio Castelar (1832-1899), ilustre político y escritor español, citado ya en la página 236.

(2) Francisco Romero Robledo (1838-1906), político español.

o un concurso, y esto exige intrigar, y pedir favores..., y escribir ¡un libro de texto!, ó cosa por el estilo —Castelar siempre me anda con eso mismo de ir á Madrid, pero ¿como?.

A Vd. le agradezco su ofrecimiento de ayudarme, y si llegara el caso claro q^{e} le confiaria lo mas que pudiera de mi pretensión.

Le escribo a Vd. soso y cansado, porque vengo de una romeria, de cenar con curas y tengo ardor de estomago, gracias á los potages *(sic)* del pais.

Mañana por la mañana, si Dios quiere, me levantaré optimista... y á trabajar —Este optimismo lo hago yo ya como el café cargado que creo haber descubierto.

Suyo siempre muy de veras.

Leopoldo Alas

Carreño 29 de Junio 1889.

* * *

Mi querido amigo:

He recibido La Incognita (gracias) y la he acabado de leer anteayer. Suspendo el juicio hasta q^{e} se publique *Realidad.* Escribo hoy con muchísima prisa y no puedo detenerme a señalar lo que más me gusta y lo que me gusta menos. Solo diré que el sistema de cartas familiares y cortas, que es muy oportuno para el propósito de Vd., resulta monótono y molesto para el lector; y q^{e} el estilo familiar de *Infante* no es el estilo familiar de Galdós, sino mucho menos agradable, sobre todo no tiene cosas importantes que decir. Desde q^{e} matan a Federico escribe *Infante* de manera más agradable. Esto no quiere decir q^{e} ya antes no haya dicho cosas buenas y bien dichas: por ejemplo, la descripción de Cisneros (gran tipo, nuevo y *vivo*) el discurso de la *enmienda*, etcétera, etc.

En fin, no se puede decir nada, porque muchas cosas q^{e} la hacen algo pesada, o q^{e} son oscuras y borrosas tal vez importe q^{e} sean así para lo q^{e} viene después. La idea en general es muy feliz, la actualidad de la curiosidad y chismografía *penalista* y *criminalista* está muy bien cogida, muy bien expresada sin incurrir en vulgaridad y prosaismo. La Peri ¡magnífica!, la teoría (y la *práctica*) de la complejidad de los caracteres y su contradicción muy fuerte, muy elocuente y habil, etc., etc., etc.

Pero, si el libro fuera solo, no sería, ni con mucho, de lo mejor de Vd. Como introducción y contraste de lo q[e] venga puede ser muy bueno.

Y en último caso, no me haga Vd. idem, porque apenas sé lo q[e] me escribo; tengo mucha prisa: *debo* una porción de cuartillas y estoy muy atrasado de trabajo. ¿Cómo podría yo ganarme dos millones para no escribir como escribo?

Hablaré de *La Incógnita* en la *Publicidad* de *Barcelona* y de Madrid. Conviene, dejando el hacerlo más extensamente en mi folleto *Ultimas Novelas* para cuando salga Realidad. Aquí está Armando, que no sé si está haciendo algo, porque nunca hablamos de estas cosas, pero supongo que sí.

Le he escrito á Vd. este verano; no sé si recibió la carta.

De quien no sé hace tiempo es de Pereda. —Le debo carta.

Suyo siempre apasionado amigo y admirador.

Leopoldo Alas

Oviedo, 15 de Octubre 1889.

* * *

Mi querido don Benito:

Carta telegrama. Ocupadísimo entre otras cosas cuestiones Ayuntamiento. ¿Parece mentira? Pues es. Elegiremos alcalde *aquel* Argüelles q[e] le recomendé hace años. Un Argüelles *divino*. Digno de una novela de Vd.

Leí Realidad: Síntesis: muy bien, interés, psicología honda, original, aguda, *fisiología* adecuada y exacta. Viera y Orozco hermosísimo *duo moral* (mejor Viera por cuestión de perspectiva) Augusta muy bien *pensada* pero no tan bien *dicha*, a no ser en los momentos de mucha pasión.

El drama hermoso, mucho. La escena de la catrástofe admirable. La forma semi-dramática habil, ingeniosa, dificil, gran éxito del esfuerzo necesario para dar tanta vida privándose de tantos elementos de la novela, pero..., tan gran novela, por lo q[e] toca al fondo, no debió ser la escogida para el *tour-de force*. Pierde cierta *formalidad* el escrito tratado así. Esto es largo de explicar; lo explicaré en mis artículos. Las relaciones de la Peri y Viera muy bien, la *división de plaza* del amor de Federico muy verdadera, muy bien observada; muy interesante.

Resumen: como *sonda* de las más largas de Vd. En otros respectos, no es de lo mejor, con ser bueno. (Recuérdese q[e] lo mejor de Vd., para mi, es *¡tan* mejor!). Todo lo cual, expuesto con la prosopopeya q[e] el argumento requiere, servirá para varios artículos míos. Uno, el primero probablemente, saldrá pronto en El Globo, donde voy á colaborar dos veces al mes, en adelante. Después hablaré de Realidad en mi revista literaria de la España Moderna. Y además en la Publicidad, etc., etc.

Mi cordial enhorabuena. Cuídese, que ese Madrid está hecho un matadero. Suyo siempre

Leopoldo Alas

P. D. Es claro q[e] la idea de la relación de la Incógnita á Realidad, es originalísima, interesante, ingeniosa, fecunda en efectos, etc., etc., y q[e] llamará la atención del publico; pero..., no creo q[e] sea para repetida. Los q[e] van á las novelas por el *asunto* se encuentran con que, sin querer, han leído dos veces una misma fábula.

Oviedo 30 de Diciembre - 1889.

* * *

Mi querido don Benito:

Desde ayer estoy en mi aldea y lo primero que escribo «sub tegmine fagi» es esta carta. Ojalá sea de buen agüero, como parece, el comenzar hablando con Vd. Tengo que trabajar mucho este verano, lo mismo aquí que en *la playa*, para cumplir compromisos muy atrasados.

Le doy muchas gracias por haber dirigido al Sr. Lejouane hacia Oviedo en busca de un corresponsal para la Argentina... Ya estamos arreglados y comenzaré desde luego mis cartas que me pagan bien; mejor que el Sr. Lázaro con el cual he tronado, no precisamente por los 20 duros que da por cada articulazo creyendo hacerle a uno de oro, sino por cuestión de fuero crítico. Quería hacerme tributario del furor literario-uterino de doña Emilia ayudándola a fuerza de artículos, ¡figúrese Vd.! Total que ahora publico yo en mis folletos el artículo que él quería postergar y el que me pedía él, pero este no les gustará mucho ni a él ni a D.ª Emilia.

En España todavía no se puede colaborar en los periódicos que quieren agradar a todos; aquí se conquista el favor del público no enseñándole algo nuevo sino adulándole y halagándole sus malas pasiones y sus modales.

Se que ha publicado Vd. otro tomo, «La Sombra» (1), pero no lo he recibido. Espero que me lo mandará para poder hablar de él pronto.

Yo le escribo a Madrid, pero dudo que ésta le coja ahí.

Si tiene algo que decirme con las señas de siempre o con estas —«Asturias, Veriña».

Siempre suyo de todo corazón

Leopoldo Alas

Carreño, 2 de Julio de 1890.

* * *

Mi querido don Benito:

Recibí a su tiempo su carta, que no hay Dios que la lea, y hace dias el primer tomo de Angel Guerra, que leí perfectamente.

Si Vd. quiere hablaré de él en los papeles públicos o si no esperaré al 2.º tomo.

La cosa se presenta bien, hay mucho nuevo, fuerte, real; cada figura es una persona, y se ve la naturalidad de lo recopiado perfectamente explicado, y eso es lo que cada dia va importando mas.

Cuando salga el 2.º tomo hablaré de la obra en *La Correspondencia* que la lee mucha gente, aunque casi toda sin sentido común.

Pereda me ha enviado sus «Nubes de estío» que no he leído todavía. Aquel señor de Buenos Aires a quien Vd. me recomendó para corresponsal del periódico *La Argentina* me ofreció 50 duros al mes por dos

---

(1) «La Sombra» apareció en letras de molde en la *Revista de España*, en 1870, pero aquí se refiere a su aparición en volumen.

cartas, y en eso estábamos y había cobrado ya el primer mes... (la mitad del cual tuve que devolver), cuando el señor bonaerense se disculpa conque me apaga los fuegos, porque «El Nacional» de Buenos Aires publica artículos mios. De modo que quería el monopolio. Si Vd. se cartea con él dígale que no sea animal, y que si quiere nos entenderemos, pues yo le preferiría a él, si me asegura el pago mejor que el otro. Si Vd. no tiene con ese señor tratos ni contratos, nada de lo dicho. De todos modos, valiente borrico.

Ay, don Benito!, ya tengo tres hijos y solo en juguetes me gastan un dineral; de modo que escribo como un cavador, y a veces apenas sé lo que digo.

Venga luego ese otro tomo.

Suyo siempre de corazón.

Leopoldo Alas

Y no vuelva Vd. a escribirme mientras no mude la letra ¿para qué?

Oviedo 30 de Enero 1891.

* * *

Mi querido don Benito:

Dispénseme si no he contestado antes. Cuidados familiares, indisposiciones propias y de mis nenes, mucho trabajo, etc., etc., me lo han impedido.

Recibí y leí a su tiempo la Loca de *la casa*..., lata, es decir, in extenso.

Me gustó mucho la idea, el desengaño de los principios. Creo que sobran episodios incidentales. No puedo formar idea del efecto escénico, pues no la he visto. A Mario le escribí para ver si podía correrse hasta Oviedo, pero no puede. Mi principal objeto era ver «La loca».

Perdóneme si no contesto puntualmente a su carta porque no la tengo presente y he olvidado los pormenores de su contenido. Recuerdo que decía Vd. que no veía el parecido de «La loca» y Angel Guerra. Yo sí, y por eso lo he dicho, no porque lo tomara de ningún *autor*, ni bueno ni malo.

Las circunstancias exteriores, *formales*, varían es claro, pero la *idea madre* es la misma.

Mi enhorabuena por sus ovaciones de Valladolid.

Me alegro de verle a Vd. tan animado a seguir luchando en el teatro. Pero ¿y la novela? No la deje Vd. por Dios.

En el teatro, diga Vd. lo que quiera, lucha Vd. también con los malos cómicos. Son malos, don Benito, créame Vd. a mi. Hacen algo algunos, pero muy poco.

Ya sabía yo que Echegaray era muy bueno, pero me ha gustado mucho verlo confirmado por Vd.

A ver si este verano hace Vd. una escapatoria a Gijón, donde yo estaré bañándome.

Muy cariñosos recuerdos al muy simpático don José Pereda.

Suyo siempre admirador y amigo sincero

Leopoldo Alas

Oviedo, 24 - Abril - 1891.

* * *

Mi querido don Benito:

He entendido la mitad de la carta de Vd. y la otra mitad no. He recibido el 3er tomo de Angel Guerra. Yo he leido el primero y ya le he dicho lo muchísimo que me gustaba y lo retemuchísimo que prometía. Mi mujer y varios amigos inteligentes y de gusto han leido el 2º y me lo alaban mucho. Yo voy a leer los dos —2º y 3º— ahora para hablar de la novela inmediatamente. Es probable que hable en El Imparcial, pues Ortega me ha escrito haciéndo las paces y pidiéndome un artículo al mes sobre libros españoles importantes. Mi primer artículo, si llegamos a convenir en el precio, será para «Angel Guerra» y el 2º para «Al primer vuelo» (1) que tampoco he leido todavía. Esta temporada no he podido leer apenas nada por lo mucho que tengo que hacer. Por un lado, los exámenes, que son la cosa mas parecida a la Inquisición; además la colaboración periódica o sean los garbanzos, que lleva mucho

(1) *Al primer vuelo*, de Pereda.

tiempo, y, por último, el acabar por fin «Su único hijo» especie de novelucho escrito a tirones y que he terminado, creyendo a ratos que allí hay algo en algunas partes, y a ratos creyendo que no es mas que jugo de adormideras (que no sé si tienen jugo). Tendrá una segunda parte y hasta una tercera. Este verano tengo que concluir para Henrich de Barcelona, *Juanito Reseco*. A lo que tengo gana de llegar es al Esperaindeo que le dedico a Vd.

Me dice Vd. no sé que de espiritualismo, y por lo que se barruntaba en el primer tomo y por lo que me han dicho y por lo que he visto mirando las hojas interiores del 3er tomo se me figura entenderlo y creo que ha de gustarme mucho todo eso.

Yo también estoy hecho un místico a ratos, y aunque he notado que es principalmente después de cenar, ya no me apuro por ésto, porque es natural que las ideas mejores y los sentimientos mas profundos y fuertes le vengan a uno cuando está en todo su vigor, y no cuando la dispepsia hace sus estragos.

He visto que habla Vd. de San José y del niño Jesus y mi «Su único hijo» también tiene algo de eso, de otra manera.

Por otoño publicaré «*Doña Berta*» una *nouvelle* q[e] me está publicando la Ilustración Española y que creo q[e] es de lo que me ha salido menos malo. Irá con otras dos o tres. Le doy todas estas noticias para que vea como sigo sus consejos: por lo demás, dinero me dan más los periódicos, a quien voy cobrando caras las puntadas. Pero mi verdadera vocación, a juzgar por esta carta, es la de pendolista; ¿Ha visto Vd. letra más clara?

Lo de Pequeñeces no tiene nombre, por culpa de la prensa, del público y de D[a] Emilia, que ha acabado de enseñar la oreja. ¿Sabe Vd. por que empecé yo a *enfriar* con esa señora? Por una comparación entre Vd. y Cánovas. «Pero, criatura, me escribía, ¿qué quiere Vd. que envidie Cánovas a Galdós? Sería como si envidiara a la Nevada». Es una puta, hombre.

No extrañe Vd. que la prensa hable poco, relativamente, de sus libros de ahora. Para ellos, no hay mas dios que la novedad escandalosa. El genio de Vd. es cosa antigua y no es escandaloso. Pero aunque los papeles hablen poco, el público compra, lee y admira. No se habla de Vd. como no se escriben ya odas al sol, ni se demuestran las ventajas de la república; solo la Iglesia sabe repetir alabanzas sin cansarse. Las *ad-*

miraciones humanas no tienen calendario. Si se les ocurriera algo nuevo acerca de Vd. lo dirían, como el P. Secchi (1) pudo escribir un libro entero al «Sol». Porque lo había estudiado.

Suyo siempre

Leopoldo Alas

Oviedo 17 de Junio 1891.

* * *

Mi querido don Benito:

Ayer acabé de leer el tercer tomo de Angel Guerra. No extrañe que haya tardado tanto en terminar la lectura. Estoy hace mas de un mes haciendo una vida estúpido-recreativa que me sienta muy bien, pero me aleja de todas las ideas racionales.

Haciendo un esfuerzo, escribiré un dia de estos un artículo para el Imparcial acerca de su novela. Allí verá Vd. mi opinión en extremo. No quiero repetirme.

Es claro que la novela *resulta* lo que yo esperaba, todo un mundo nuevo de la imaginación de Vd. Tiene mucha mas miga de la que puede penetrar el buen Urrecha (2), y hasta me temo que yo mismo (modestia aparte) he de dejar algo sin comprender del todo. Me asusta Vd. metido en honduras cristianas con ese positivismo singular de su musa de Vd. No sé, en definitiva, que piensa Vd. del cristianismo y aún de espiritualismo... Pero en fin, ya hablaremos. El final, que era dificilísimo, es magnífico; de un naturalismo de primera. *Cosi va il mondo* efectivamente.

Antes de continuar diciendo majaderías lo dejo. ¿No es mas sencillo decir que hoy por hoy tengo la cabeza de corcho y no estoy para filigranas críticas?

Domine, non sum dignus de hablar hoy de Angel Guerra.

Lea Vd. El Imparcial de uno de los próximos lunes y acaso allí no esté yo tan disparatado.

---

(1) P. Secchi (1818-1878), jesuita italiano, famoso astrónomo.

(2) Federico Urrecha, escritor español, redactor de *El Imparcial* durante dieciocho años.

Le envio a Vd. el retrato de mis dos hijos (tengo además una hija de diez meses).

El mayor, Leopoldo, es muy bueno y me temo que ya es novelista sin decirlo. El segundo (Adolfo) de color de oro y gules, es el mismísimo diablo. Hoy decía. Quiero manteca, si no la hay.

Me da rabia terminar esta carta sin poder decir lo muy bien que me parece Angel Guerra y porqué me lo parece; pero es imposible, no diría mas que bobadas.

Vea Vd. la vida que hago: dormir mucho, nadar, comer, jugar al monte y bailar rigodones.

Suyo siempre

Leopoldo Alas

Salinas (Aviles) Agosto 16-1891

* * *

Mi querido don Benito:

Estilo telegráfico, porque son las 2 de la madrugada y acabo de escribir 10 cuartillas. Le supongo a Vd. en Madrid dirigiendo los ensayos de *Realidad.* ¿Cuando se estrena eso? Necesito saberlo, porque pienso presenciar la *prémière.* Voy de juez a unas oposiciones, y según el dia que se estrene Realidad adelantaré o retrasaré el viaje. No deje de contestarme a esto.

Mucho he sentido que Vico no haga el Orozco. Vd. a estas horas acaso esté convencido de que Cepillo le sustituirá con poca diferencia. No lo creo. Estimo muchísimo a Cepillo (1) a quien vi hacer un *Mr. Alphonse* muy aceptable, pero Vico es el típico actor español inspirado y con *intuiciones.* De fijo hubiera Vd. hecho mejor en dejar a Mario y seguir á Vico á la Princesa.

También me escama la intervención de Dª Emilia. Me han dicho que anda muy metida en eso. ¡Malo!. Hay un epigrama de Racine a que ella se acogerá si es malo el éxito. Quisiera llegar a tiempo para ver algún ensayo.

(1) Miguel Cepillo (1845-1902), notable actor español; actuó con Emilio Mario en el Teatro de la Comedia.

La idea, en general, de intentar algo nuevo en nuestro teatro me encanta y muchas veces he pensado en los dramas que había en Leon Roch y otras obras de Vd.

Supongo que le habrán mandado mi Doña Berta.

Hasta la vista. Suyo siempre

L. Alas

Haga Vd. letra clara.

Oviedo — 11 de Febrero — 1892

* * *

Mi querido don Benito:

Ya me iba yo temiendo que se hubiera perdido mi carta. Yo creo haberle escrito cuando lo de *Su unico hijo*, pues es claro que su voto favorable fué de los que mas me importaron. Extraño que La Gaceta no le haya enviado *Dª Berta*. Me alegraré de que la lea.

Muchas gracias por las localidades que me ofrece y que, si Dios lo permite, ocuparé en su dia, o sea en su noche. Figúrese si haré esfuerzos para que ningún motivo me impida llegar a tiempo. Hasta quisiera ver algún ensayo.

He tenido enfermos en casa, pero ya están bien, de modo que ésto ya no me retiene. No tengo licencia, ni el rector facultad para darla, pero pronto tendré que ir a unas oposiciones, de juez, y por adelantar unos dias el viaje no me procesarán.

Me alegro de que Vd. confie en los cómicos. Yo, que soy muy franco, no confio nada en esos señores. Había uno bueno, Vico, y ya no trabaja. Confio más en la obra, en el interés real del fondo, que acaso el público ingenuo pueda vislumbrar.

De todas suertes, y pase lo que pase, la tentativa es honrosa y merece insistir en ella. Yo veo dramas y novelas muy fáciles de *sacar* (trabajo de marquetería escénica) en muchas novelas de Vd. Pero cómicos no los hay.

Hasta que le abrace su amigo constante que le quiere mucho

Leopoldo Alas

Oviedo 2 de Marzo 1892.

* * *

Mi querido don Benito:

Como se ha descompuesto lo de las oposiciones, que sabe Dios cuando serán, y yo sin embargo no renuncio a ver el estreno, me alegro mucho de que Vd. trate a Macuso (1), que es, en efecto, el director y no vacilo en molestarle para que, sin pérdida de tiempo, le hable o escriba diciéndole que despache favorablemente una instancia mia pidiendo licencia de 15 dias por enfermo, que recibirá en breve, y autorizándome por conducto de Vd. o por telegrama o carta al Rector (Aramburu) para ir desde luego a Madrid.

Pensaba salir el jueves para llegar el viernes, pero Genaro, que va conmigo no puede ir hasta el viernes, de modo que llegaré el mismo del estreno y deseo que deje Vd. en su casa las localidades a mi disposición, o en casa de Fé. Dos por lo menos, para Genaro y para mi. Supongo que Armando la tendrá.

Hasta el viernes o el sábado. Suyo

Leopoldo Alas

No olvide lo de Macuso.

Oviedo 6 — Marzo — 1892.

* * *

Mi querido don Benito:

Mucho le agradezco que se acuerde de mí y que desee que vaya a presenciar el estreno de su comedia. Ya había yo pensado en ello. De bonísima gana... pero le tengo muchísimo miedo al frio, que este año me hace muy mal efecto. Si fuera allá hacia San José no vacilaría. Además, (pero esto es secundario) estoy escribiendo

un plan
en el tiempo que me dan,
plazo y breve y perentorio

(1) Don José Díaz Macuso.

o sea... programa de D[ro] Romano para las oposiciones a la Cátedra de Madrid; lo llevo muy atrasado y antes de quince dias tiene que estar allá. *Además* (y esto es *terciario*) van a empezar ahora unas oposiciones, aquí, a unas notarías, y yo soy juez del tribunal. Pero lo principal es lo del frio; no por el frio si no por lo que pudiera ocurrir cogiendo frio. Todo ello importaría poco si yo participara de la ilusión de Vd. de que importa un pito que yo esté ahí o no esté. Ni yo tengo autoridad, ni aunque la tuviera contra esos mamelucos hay autoridad q[e] valga.

Estoy leyendo Torquemada; voy en la página 109 y estoy encantado *como suele acontecer*.

Si no fuera q[e] temo enfadarle le diría que me parece que progresa Vd. todavía. Lo que es en el estilo y en la poesía *real* sin duda. ¡Que páginas aquellas en q[e] se pinta el culto de Don Francisco a su hijo difunto! Me parece de lo mejor de Vd.... acaso porque esto lo tengo presente y tantas otras cosas no. Otrosí: no noto en Vd. cansancio, agotamiento de ningún género; parece la primera novela de uno q[e] va a escribir muchas buenas y empieza por una de las mejores. Al menos hasta ahora. En Zola mismo (a pesar de su inmensa vena) noto ya los *nodos* del chorro de la inspiración. (Bonita frase hidrodinámica).

De Torquemada hablaré, es claro, en muchas partes, entre ellas El Imparcial. Suyo siempre

Leopoldo Alas

Oviedo - Enero - 7 - 1894

* * *

Mi querido don Benito:

El mismo dia que supe el triunfo de Vd. en San Quintin le puse un telegrama felicitándole dirigido a la Comedia, porque no sé las señas de su casa.

No me ha enviado Vd. La de San Quintin. Del Imparcial me piden un artículo acerca de la comedia, ¿Quiere Vd. que hable de ella de *leidas* o que espere a verla? ¡Si Vd. y Mario viniesen a Oviedo por el

bollu (Pascua, la segunda)! Lo *pondríamos* todo aquí y se le recibiría bien.
No necesito decirle que alegría sentí leyendo lo del *exitazo*.
Suyo siempre de corazón.

Oviedo, martes

NOTA.—Sin fecha de año y mes, en este lugar por la ordenación de Galdós y de acuerdo con la fecha del estreno de *La de San Quintín* en el Teatro de la Comedia (27 de enero de 1894).

* * *

Mi querido don Benito:

Recibí su carta con las tarjetas que repartí por el correo.
Ayer le mandé a Vd. las fotografías del banquete, certificadas. Aquí siguen los periódicos neos discutiéndole a Vd. y a los carlistas que fueron a la comida, y de camino me insultan a mi.
Que trabaje Vd. mucho.
Recuerdos de mi mujer, los niños y los amigos. Suyo siempre

Leopoldo Alas

24 - Junio - 94

NOTA.—El original en papel con membrete del Casino de Oviedo.

* * *

Mi querido don Benito:

Le contesto a Vd. en Nochebuena, mientras cena mi familia, porque yo estoy malito, con un poco de calentura, cosa nueva en mi; tan nueva que acaso no sea calentura, sino miedo. Pocas palabras hoy por consiguiente, por higiene; porque escribir, podría escribir mucho y todo en verso. Acabo de hacer medio dormido tres escenas de drama a lo Rojas y unas cosas sentimentales para Rueda... Figúrese si echo chispas. A Dios gracias no estoy nervioso, ni ese es el camino.

Leeré, si no estoy malo de veras, mañana mismo *Los condenados* y pasado irá todo lo que Vd. me pide y como lo pide. Como le dije bien francamente que para mi La de San Quintin, a pesar de sus grandes, grandísimas bellezas, es inferior a *La Loca* y sobre todo á Realidad que sigue siendo *quand même* lo mejor de Vd. y el mejor camino para Vd. ¡Si viera Vd. que tristeza me dió oirle admirar *todo* el *drama nuevo* y hablar de los *efectos necesarios*!

Sinceridad la podrá haber completa, poque cosas de veras desagradables solo se le podrían decir a Vd. si hubiera en su obra lo que no puede haber por aquella *geometría* de que habla Pascal. Si Vd. se vuelve loco o tonto algún día, ya nos conocerá la sinceridad en que le pondremos en cura. Y a propósito ¡No sea Vd. tonto! ¿Como ha de ser malo los *Condenados*, per se? Pero no se trata de eso; no se trata de las reses y los toreros fisiológicamente, en *historia natural*, sino de la lidia. Y ya que Vd. se ha metido a Chiclanero y yo a muleta (sin completa sinceridad, aunque con mucha escama y humildad de ocasión) hay que ir al *Corral* a ver como se hace eso; y si los toros en la plaza parecen tan grandes como dicen.

Y todo lo demás para mañana, porque si sigo hablando, hablaré en verso, como aquellas poetas tan *heróicos* que no rompian nunca *moldes fijos* ¡Horror!

Suyo

Leopoldo Alas

Nochebuena

NOTA.—Sin fecha, en este lugar según la ordenación de Galdós. Por la fecha de la carta siguiente tiene que corresponder a la Nochebuena de 1894.

* * *

Mi querido don Benito:

He tenido un poco de trancazo, o cosa así, y por eso no le escribiré tan largo como desearía. Anoche leí «*Los Condenados*». Empiezo por advertirle que en una de las cosas en que menos me fio de mi juicio y precisión es en la condición de *representables* de las obras dramáticas, con relación a un público como el nuestro particularmente. Si no supiera yo nada del éxito de *Los Condenados* y me mandaran adivinar, dado el público de los estrenos, diría: Se habrá aplaudido el final del primer acto, mucho mas el final del segundo y el final de la obra. Algunas escenas, en todos los actos, habrán parecido largas, otras sosas, otras oscuras. La idea capital no habrá sido bien apreciada. Si los actores eran buenos concibo momentos de entusiasmo, si malos cierta frialdad general. Por último: no me sorprendería equivocarme y que hubiera sido un gran éxito, con actores buenos, sobre todo Leon, Paternoy y Salomé.

Por lo cual, creo que el *parti pris* de los enemigos ha contribuído mucho al mal éxito. También habrá contribuído la mala representación. Vd. tiene un optimismo deplorable en este punto. Ha ido Vd. muy poco al teatro, ha visto muy pocos actores, y con su gran imaginación y benevolencia y *deseo* de que lo hagan bien, ve lo que no hay.

Tomar a Cepillo por un actor bueno de verdad es un absurdo. La Cobeña (1) (muy guapita) ¡que sabe la Cobeña! Thuiller (2), muy simpático y a quien yo quiero mucho, tiene intención, instinto... pero no tiene ni voz ni cara expresiva ni inspiración. Si hubieran trabajado Vico, Rafael Calvo (†) (3) y la Guerrero (4) se hubiera aplaudido la obra, sin entender lo principal y aburriéndose a ratos el público.

Hasta aquí, las culpas ajenas. Ahora las de Vd. La idea capital era muy sutil para nuestro público, sobre todo en su elemento religioso; porque este pais de los grandes místicos es uno de los que mas terre-à-terre entiende la religión y la ven solo en los símbolos que les hablan a los ojos o al interés personal.

La sutileza ideal del asunto pedía, además, un *medio formal*, claro, trasparente, en que no se distrajera la atención a objetos externos extraños, pintorescos, poco familiares; un medio en que estuviera mas identificada la *forma* con el fondo, en que no hubiera lugar a discutir (con razón o no) la verosimilitud de tales acciones y palabras en tales personajes, ni a discutir si quedan explicadas sus transformaciones. A

---

(1) Carmen Cobeña, famosa actriz española que trabajó primero en la Compañía de Ricardo Calvo y posteriormente en la de Emilio Mario.

(2) Emilio Thuiller, notable actor español que trabajó con Cepillo y Emilio Mario y posteriormente con la Compañía Guerrero-Mendoza.

(3) Rafael Calvo y Revilla (1842-1888), eminente actor dramático español que ya había fallecido cuando *Clarín* escribía esta carta.

(4) María Guerrero, la eminentísima actriz dramática española que debutó en la Compañía de Emilio Mario.

mi entender una de las cosas que mas ha dañado a los *Condenados* es la relación del *medio* al asunto interno. ¿Sugirió a Vd. la idea la vista del *lugar* o buscó el lugar para la idea? De todos modos hubo a mi entender equivocación. No discuto la verosimilitud, no niego la posibilidad de que todo esto pase en Ansó, pero tengo por seguro que al público le desorienta encontrar tales cosas místicas en un escenario que parece el de Zaragüeta (1). Para una doña *Perfecta* dramática, servían el lugar, las costumbres etc. etc.; la venganza familiar germánica de Arbues (2), muy bien, yo he visto casos en Zaragoza... pero no para cosas tan superfinas. No estoy seguro de tener razón, pero si respondo de que extrañan, desorientan y enfrian el lugar del *cuento*, los incidentes *románticos* del cuento. Aquel Roque Guinart que parece un P. Bourget cuando habla y un héroe de Dumas padre cuando obra, y tiene la *vaguedad* selvática del *Niño de la Bola* y una oscuridad histórica (hasta el final en que se explica ésto, *tarde* ya para la estética, si no para el argumento), es un personaje que no puede compararse con un Federico Viera; me parece falso, antipático (estéticamente) hasta el final... cuando ya no se le puede *perdonar* sino a fuerza de reflexionar.

El verdadero Paternoy nace y muere en el primer acto, es una efímera; solo resucita en los momentos en que se vuelve a tratar de su *moral* con motivo de él mismo: en la escena del juramento (muy hermosa *per se* y muy nueva en cierto modo, a pesar de la monja de Victor Hugo que miente en igual caso) y cuando se trata de su cólera y de su soberbia. Por lo demás, su *drama*, que parecía que iba a ser el drama, se acaba en el final del primer acto. Por cierto que hay contra su conducta en tal situación un argumento *de escalera abaio*, de D^{ho} civil y *canónico*, que no sé como no lo aprovechó la crítica (?).

Paternoy era santo... cristiano, por lo menos acataba la religión y las costumbres. ¿Cómo dá aquel veredicto? Bueno que renuncie a Salomé, que la entregué a León... pero casada; no dejándolos marchar juntos sin casarse. Esto no podía ser bueno ni para Paternoy, ni lo podían consentir Gastón y los demás, pues la gran autoridad de aquel (algo hipnótica) no llegaría a hacerles ver como santo y bueno un *amontonamiento*. Es más, desde el momento en que se conviene que Salomé sea de León,

(1) *Zaragüeta* es el título de una obra del autor dramático Vital Aza (n. en 1851).
(2) Así en el texto. Debe escribir equivocadamente Arbues por Barbués.

ella misma debe portarse de otro modo, no como si hubiera habido que recurrir a la fuerza. León para engañarla debía recurrir a otro expediente.

Volviendo a lo principal: Paternoy no debía pasar a 2º término, como pasa, haciéndose algo abstracto, dejando en parte de ser santo-hombre, para ser un esquema-ético; la santidad de la viejecita, mas natural y mejor reflejada, pase porque fuera incidental, por su índole poco reflexiva. Salomé no sé que tiene que no llega a entusiasmar. Dice cosas muy bonitas, muy naturales y fuertes cuando cuenta su amor a Santamona, cuando siente celos, cuando está loca (esta parte es la que no debiera estar perdida para composición mas feliz, porque, a pesar de que la *mujer* es repetición en Vd. y la locura en tal caso está muy usada, hay aquí un nuevo aspecto hondo, místico, de mucha hermosura, apenas vislumbrada *entre* los dichos ingeniosos) pero en la balumba de *cosas exteriores*, precipitadas, fragmentarias se pierde el interés de su carácter.

La psicología en el teatro, sobre todo cuando ha de haber transformaciones, es muy dificil. Cuando no se tiene el *secreto* de *Shakespeare*, o cuando el asunto no ofrece feliz invento, *momento crítico*, típico (como lo hubo en Realidad) es muy fácil caer en uno de dos inconvenientes; en el análisis *extensivo*, novelesco, o en las elipsis convencionales que matan el interés exigiendo demasiado del espectador. En Salomé y en Leon se ve esto último. Los *acontecimientos* externos que causan, o mejor, determinan el cambio, son suficientes, pero no se ve, y lo que es peor no se siente, no se *con*siente (*sin*-patiza) con la trasformación interior.

Todas estas triquiñuelas se hubieran sentido con buscar para tan sutil *idea*, medio mas a propósito; en lugar, costumbres, almas y acción. No olvide Vd. que hablo desde el punto de vista de la representación; que trato de explicarme porque no gustó, y por eso dejo a un lado el mérito intrínseco y no tomo en cuenta los argumentos que mas honda reflexión pudiera acaso tener en defensa de todo lo hecho por Vd. Pero ya sabe Vd. que no es a fuerza de sutileza lógica y de complicados distingos como se puede defender el buen éxito que merece un drama.

Ademas, creo que esta vez ha pensado Vd. mas que sentido (como artista) su obra. Noto cierta sequedad simbólica. (No siempre: cosas hay tiernas) Otrosí; Vd. quiere agradar en parte con medios de antigua tramoya que ni Vd. maneja bien, ni pegan con la índole natural de su teatro. En todo lo que se refiere a las relaciones de la escena le veo a

Vd. demasiado metido (con angelical candor de gran artista y buen hombre) en el oficio. Mire Vd. que antes no enterraban a los cómicos en sagrado (no lea Vd. esto a Maria Guerrero a quien yo no enterraría en ninguna parte, porque le deseo eterna vida). Hay que pensar menos en los *Morenos* (1) y en los Pirracas (2) y hasta en los Sellés (3) y Cepillos. No le hablaría a Vd. de esto a no ser por la relación que tiene con nuestro asunto. Trabaje Vd. con mas espontaneidad, sin procurar amalgamas imposibles; sea Vd. siempre *mas Galdós*, aunque digan los necios que *eso no es teatral. Realidad* no era teatral y le gustó de veras al público. Las aventuras y el medio pintoresco de «Los Condenados» contribuyeron principalmente al mal éxito. Y para que no crea Vd. que le adulo y que no quiero ver ningún defecto de fondo, le repito lo de antes, ahora mas pedantescamente: que en los Condenados ha llegado Vd. a lo que Platón llama la *dianoia* (διανοια) pero no a lo que llama la noésis (νσηρισ).

Estoy muy fatigado y no prosigo. Prescindo de halagarle a Vd. el oido enumerando las *bellezas de estilo*, *los rasgos de autor* etc. etc. que abundan en la obra, porque no es eso *lo que no ha gustado* (serán a lo sumo lo que no han visto) pero Vd. no necesita que yo se lo señale. En una crítica para el público es claro que hablaría mucho de ésto, y de la *idea principal* etc. etc. pero no es de ésto de lo que Vd. quiere que yo le hable.

No le escribí porque Vd. me dijo que no lo hiciera. No consulté con Vd. mi Teresa porque no sabía donde estaba Vd. cuando la escribí. Lo hice del 7 al 12 de Julio, por sugestión de una persona a la Guerrero, el día que despedimos a Vd. en Gijón, y por *inspiración* de una carta cariñosa de Echegaray. A este envié mi obra y antes de 24 horas recibí un telegrama suyo que decía: «Hermosísimo. Teresa belleza suprema» Este último adjetivo querría decir otra cosa, pero en fin, a Echegaray no le parecía mal la cosa, pues es sincero, y por eso me animé. Por eso,

(1) Esteban Moreno, maestro compositor y director de teatros de Madrid después de la Guerra de la Independencia, citado por Mesonero Romanos en *Memorias de un setentón*.

(2) El «Abate Pirracas», seudónimo de Matías de Padilla y Clará (1851-1899). Al trasladarse de La Habana, donde nació, fue crítico teatral en el *Heraldo* y la *Correspondencia de España*.

(3) Eugenio Sellés y Angel (1842-1926), autor dramático español.

y porque Maria lo sabía hacer y porque a mi los *Morenos* y los Pirracas no me llegan muy adentro; y Vd. lo verá.

No doy gran importancia al *éxito* y por eso ve Vd. que no le acompaño mucho en el sentimiento (Flaubert daba importancia a la legión de honor) porque Galdós tiene poco que ver con esas vicisitudes en que casi todo se debe a la suerte. Las comedias, aquí sobre todo, se escriben en décimos de la lotería.

Esta carta, por los paréntesis y ciertos *voquibles* parece krausista; pero no lo es; es obra de un ex-trancacista y de un verdadero amigo y aún más admirador que le quiere mucho

Leopoldo

Cosa rara: cuando yo escribí, en Julio, Teresa no conocía Maria-Rosa (ni ahora) ni los Condenados; pero en Teresa hay como en Maria Rosa: una carretera, un borracho, un cuchillo afilado, (incruento) un hombre escondido; y como en Los Condenados: una herrada, la Foz, y una escalera en cuyo hueco se esconde uno.

Por lo que mas quisiera que Teresa gustara es por dar después. «Esperaindeo» en tres actos.

Oviedo - 26 de Diciembre - 1894

* * *

Mi querido don Benito:

Hace dos dias recibí su carta y «Los Condenados». Culpa de la nieve. Yo estuve en *efecto* con el trancazo, y recaí por salir, y, pasé 6 dias en cama, llegando a 40 grados de fiebre, y quince dias sin salir de casa después. Ahora empiezo a pasear.

Por culpa del correo, no sabía nada del *prólogo* y las contestaciones. Vinieron todos los periódicos juntos y me he tomado el trabajo de ir leyendo todo lo q[e] han dicho los *chicos*. Arimón raya en lo sublime, es pre-rafaélico. Puedo jurar que es el hombre mas hieráticamente imbecil del mundo. Su estilo me recuerda la iconografia bizantina pura. Dios mio que santa sencillez de *posturas*. No le falta mas que el esmalte. Los demás son venenillos insípidos.

He visto algunos artículos de modestos escritores que le defienden a Vd. muy bien. Aramís (1) en El Globo, y en el *Dia* un B. Navarro q^{e} ha hecho una carta a Marcelino magistral. ¡Vaya una pluma! Debíamos averiguar quien es, porque de fijo vale y merece que se le ayude (2).

Yo he escrito (antes de conocer el prólogo) en la Ilustración Ibérica, y mas en extenso en La Publicidad. Lo de esta lo copia el Correo de Ferreras (3), pero suprime mucho, trunca el sentido y no lo advierte al lector.

Si Vd. quiere salgo de estampia en El Imparcial mismo, en la Revista literaria. Pero esto acaso no convenga por ahora por no estar Ortega en Madrid. Podrían oponer dificultades, ofenderme yo y tener que dejar aquello... Y eso si que no conviene. Vale mas diplomacia, y tiempo hay para todo.

He leído el prólogo magnífico de sinceridad, buena fé y desprecio. Yo lo que Vd. *(sic)*, escribía en caliente algo y se lo daba a Maria Guerrero. Papel para ella. No hay mas remedio por ahora. Maria me da mil quejas de Vd. (secreto). Vaya Vd. a verla; es de las pocas mujeres listas *de alma* que tenemos. Le quiere a Vd. mucho. Merece desagravios. Yo tengo alguna esperanza en Teresa si me la hacen bien... pero de esto tengo poca esperanza, fuera de Maria que me la hará hasta ganar en ciertas cosas. Tiene el peligro de que hay que hacerla muy bien, con exactitud matemática tal como yo lo digo en los paréntesis indicadores. *Sin quitar nada.* Quisiera que pasara bien sobre todo para hacer despues *Esperaindeo* en tres actos.

Si Vd. ve un ensayo de *Teresa* dígame algo.

Toda la opinión, hasta aquí en *provincias*, está con Vd. Los hombres de letras también, es claro. ¡Pero con estas costumbres nuestras de no escribir los libretos a no ser de pontifical!

Debía Vd. escribir a Ortega. Yo no le escribo porque no sé la dirección. El *enemigo: Mellado* (4), *Canalejas* (5), Compañía de usureros del

---

(1) Seudónimo de Luis Bonafoux, escritor y periodista español que fue redactor de *El Globo* en esa época.

(2) Este párrafo referente a B. Navarro aparece señalado por don Benito con lápiz azul.

(3) *El Correo*, diario liberal dirigido por don José Ferreras.

(4) Andrés Mellado (1846-1913), periodista y político español.

(5) José Canalejas y Méndez, el famoso hombre de estado español, abogado y literato.

Liberal, *Gasset Cª* (1) (secreto), *Salmerón* (2), *Silvela* (3), *Cánovas*, *Romero* etc. etc. y los empresarios de periódicos estúpidos.

Suyo siempre de corazón

Leopoldo Alas

* * *

Muy estimado señor mio y amigo:

En el número del miércoles, 16, me honra Vd. copiando en su ilustrado periódico un artículo mío de la *Publicidad* de Barcelona. Pero como deja de copiar varias cláusulas y no lo hace notar ni por medio de puntos suspensivos ni de otra suerte, se pierde el hilo del discurso, no se entiende bien cierto periodo,... y me conviene hacerlo constar, por si acaso.

Suyo affmo. a y s. q. l. b. l. m.

Clarín

NOTA.—Sin fecha; el original en papel timbrado del Casino de Oviedo. En este lugar en la ordenación de Galdós. Fecha probable: 1895. *Clarín* debió enviar a Galdós esta copia de la carta que dirigía al director de *El Correo*, don José Ferreras.

* * *

Mi querido don Benito:

Mucho le agradezco el interés qᵉ demuestra por mis cosas y ahora particularmente por mi conato dramático. Como Vd. no ha de engañarme a sabiendas, lo qᵉ me dice de la impresión general y provisional qᵉ le produjo *Teresa*, me tranquiliza mucho; pues yo a estas horas ya no puedo juzgar por mi; a veces me entran ganas de retirarme por *patosa*... pero no hago caso ya de mi juicio ni para bien ni para mal.

Lo mismo Vd. que don José me harán el favor de *guiar* la cosa, y si

(1) Se refiere a la familia Gasset, propietaria del célebre diario *El Imparcial*, fundado en 1867 por don Eduardo Gasset y Artime (1832-1884).

(2) Nicolás Salmerón y Alonso (1838-1908), político y filósofo español.

(3) Francisco Silvela y de la Vielleuze (1845-1905), político, jurisconsulto y literato español.

hay algo que *pese*, q^e tengan cuidado como se dan los cortes, porque puede ser en carne viva, aunque no se lo parezca a los sastres de entre bastidores.

Yo iré, si se ponen en franca convalecencia mis tres hijos, pues a los tres los tengo con gripe o no sé que: ello es cosa que no ofrece cuidado, según el médico ¡pero es tan largo! y los tres!

De modo q^e todo eso del *estreno* lo veo ahora como una puerilidad lejana y solo pienso en la respiración de mis hijos. Van mejor, pero que tensión de espíritu y de nervios!

De esto no diga Vd. nada; mas quiero q^e Maria y los demas crean que voy de seguro.

Los mismos efectos del *Prólogo* q^e Vd., había notado yo y de ellos habia hablado ya en mis artículos de América y de por acá.

Mucho me alegro de su reconciliación con Gasset, y a este le agradezco sus buenas intenciones respecto de mi. ¡Que cosas se podian hacer con el Imparcial si ellos dejaran y pagaran sin quitarles esa parte del *savoir faire* y de la política, noticias etc. etc. q^e ellos saben manejar.

Si llegan V. V. a hacer el periódico es claro q^e pueden contar conmigo.

En fin, si voy (y ojalá Dios sí, porque será q^e ya están bien mis nenes) ya hablaremos mucho.

Me escribe Pereda dos cartas muy cariñosas —*Peñas arriba*, en todo lo *natural* y lo del *interior* de D. Celso es cosa grande, magistral.

Tenía que decirle a Vd. otra porción de cosas q^e he olvidado.

Yo no he escrito de *Torquemada en la Cruz*, porque espero al final de la serie ya.

Suyo de corazón

Leopoldo Alas

Oviedo - 23 de Febrero - 1895

* * *

Mi querido don Benito:

Como Vd, me pedía, le anuncio mi viaje a esa. Salgo el viernes, de modo q^e llego en la mañana del sábado. Teresa se estrena el 20, de modo q^e todavía puedo ver algunos ensayos y corregir algunos *voquibles*.

Ya ha llegado la hora del valor teatral, es decir, de apariencia y allá voy con los ojos cerrados.

Me parece algo ridículo ir para eso, pero quiero ver como son esas cosas de cerca.

Ya he visto cuanto ha vuelto a gustar Realidad. ¡Ya lo creo! Ahí si q[e] hay miga sin cubiletes.

Hasta q[e] le abrace su leal

Clarín

Oviedo - 13 de Marzo 1895

* * *

Mi querido don Benito:

Llegué sin novedad y ya estoy muy contento porque mi Adolfin está mucho mejor, sin calentura y alimentándose. Creo q[e] en franca convalecencia.

Por eso tengo humor para hablarle de otras cosas.

Ahora, pienso como Vd., que debo decir algo de lo de *Teresa*, para ayudar á la venta y para demostrar q[e] los críticos la han juzgado sin conocerla, porque esto puedo probarlo por a + b. Uno de ellos dice q[e] Roque cae muerto. No oyó nada de lo demás.

Es más, no renuncio á cambiarla un poco en el sentido q[e] Vd. indicaba, abreviando, *recalcando* algo lo q[e] no se ha entendido, quitando el colchón, animando el principio y mas adelante intentaré q[e] se represente en Barcelona, por ejemplo, y la misma Maria en provincias.

Otrosí, estoy decidido a continuar pues lo peor q[e] puede suceder es lo que sucedió ahora y es un disgusto muy pequeño, si no se me hubiera combinado con lo del niño, no hubiera sentido mas que la novedad de la pena de verme tratado como un imbécil por una porción de imbéciles y rencorosos. Pero, según el ánimo en que estoy me suscribo á una bronca de esas aunque solo sea por los derechos de la primera representación. Por supuesto, cuando esté tranquilo respecto á la opinión de hombres como Vd., Echegaray, Balart (1), Marcelino, etc. etc.

También creo necesario, tal como se ha puesto la cosa, tomar por sistema contestar siempre, y dar cien palos por uno, no al público, q[e] no se puede, sino con circunloquios, sino á los criticantes.

---

(1) Federico Balart (1831-1905), poeta y crítico teatral español.

Este verano escribiré de fijo algo y si me sale á mi gusto y al de VV. allá va también.

Que salga cuanto antes Teresa; reportando mucho y á Oviedo mande por lo menos un veinticinco á Martinez, una docena á Galan y a mi 25. A Lavandera algunos también. A Gijon mande también.

Ya han salido varios en provincias (Barcelona: la Publicidad; Gijón, Leon etc.) á la defensa, aun sin conocer la obra.

No deje de mandarme en cuanto salga *Torquemada*. Hablaré de ello el próximo lunes (el mismo dia q[e] de lo mio) si llega a tiempo. Si ve a Gasset dígaselo para que cuenten con el artículo.

A Genaro (1), si le ve, q[e] el niño está mejor. Si va al Español cariñosos recuerdos a todos.

Leopoldo

Oviedo - 25

Nota.—Sin fecha de mes y año, en este lugar en la ordenación de Galdós. Fecha probable: marzo de 1895.

* * *

Mi querido don Benito:

Ante todo: *Torquemada* y *San Pedro* me ha gustado muchísimo; es una novela muy bien compuesta, muy bien parlada y muy profunda de sentido. Graciosísima y muy sentimental según los casos. Mi juicio va en el artículo q[e] envié al Imparcial, 2º de los consagrados ahora á Torquemada. No sé como no salió el lunes pasado, pues creo q[e] llegó a tiempo. Pero hay allí un señor *Zeda* (2) q[e] ha de perjudicar en lo poco q[e] puede todas mis cosas. Si Vd. tuvo alguna parte en la entrada de *Zeda* mucho le agradecería q[e] á la primera ocasión q[e] tuviese diera á entender a Gasset q[e] no tiene ningún interés en q[e] ese marmolillo continue allí, pues me estorba infinito y puede llegar a ocasionar disgustos. Ortega y yo estamos contra él, y hemos de echarle si podemos. Yo he entrado en El Imparcial, á mas de los lunes, para escribir (y cobrar) todo lo que

(1) Genaro Alas, hermano de *Clarín*, ya citado.

(2) Francisco Fernández Villegas (1856-1916), literato y autor dramático conocido por el seudónimo de *Zeda*.

quiera en el número ordinario. Pienso tomar la cosa con entusiasmo, pues á mas de convenirme económicamente, tengo mucha propaganda que hacer de muchas cosas literarias y no literarias q^{e} tengo en el buche.

También el *Heraldo* me pidió un artículo semanal. Mas *tribuna* no sale.

Hidalgo está haciendo la 2ª edición de Teresa. Pero no acaba; aquí se necesitan ejemplares y no vienen, se está perdiendo mucha venta. Si Vd. puede avisarle q^{e} me mande luego los 50 ejem. q^{e} le pedí de la 2ª edición.

Recibo de toda España multitud de cartas y periódicos felicitándome por Teresa y por la campaña. Los estudiantes de Oviedo firmaron (mas de 100) una protesta contra Arimón por no sé q^{e} majaderias q^{e} decía de la cátedra. Por supuesto, fué sin saberlo yo hasta después.

Sanchez de León queria poner aquí Teresa, pero no le he dejado. De Barcelona me escriben q^{e} desean verla allí. María me dice q^{e} la quiere poner (con grandes cortes) en Valladolid; pero yo, sin oponerme en redondo, no la animo allí, Temo á los de Vallaulí *(sic)*.

¿Estará Vd. en Madrid todavía? Si no, supongo q^{e} le enviarán esta á Santander.

Suyo siempre

Leopoldo Alas

Oviedo - 1º de Mayo - 1895

* * *

Mi querido don Benito:

Ya sabía yo por Tolosa Latour q^{e} Vd. no vendría, y la triste causa. Quiera Dios que su hermana política se alivie por completo.

Mucho me alegro de q^{e} Vd. haya trabajado tanto y tenga concluída una comedia y ésta sea para la Guerrero. Esta me escribió al marcharse y yo no le escribí todavía. Supe, por un señor de Berlin (español) q^{e} había estado allí viendo teatro aleman. La compañía me dice ella q^{e} es la misma del año pasado, + Jimenez (D^{n} Estentor) (1). Poca cosa. Debía llevar á C. Cobeña, ó á Rosario Pino (2) mejor. Está demasiado

(1) Donato Jiménez (1846-1910), actor dramático español que trabajó en el Teatro Español con Rafael Calvo y más tarde en la Compañía de María Guerrero.

(2) Rosario Pino, actriz española.

sola, y tiene una dama de carácter, que no es mas que un temperamento linfático-imbecil. Yo no he hecho nada, ni lo haré, si no me sopla la musa, para lo cual será necesario que el estómago calle. Tengo que pensar tamto en los intestinos, que no hay poesía posible. En todo el verano no he hecho mas que cumplir con los periódicos (Heraldo inclusive). Este otoño pienso publicar «*Cuentos morales*» probablemente por mi cuenta; y por cierto que he de pedir a Vd. consejos y *datos* administrativos. Con Genaro he hablado de un proyecto mio de publicar una «Revista barata», barata de veras, en folio, á dos columnas, papel satinado, buena letra, unas 32 páginas, muy variada, de filosofía, literatura, política de alto vuelo, crónica de ciencias etc. etc., en fin, amena, popular, intencionada, valiente... viva. Empezaré acaso por reanudar mis *folletos* y acabaré por ahí. Yo figuraría como director y responsable de todo lo q^e^ me firmaran otros.

Si sus antiguos proyectos de Vd. coincidieran algo con los mios, entonces podríamos juntarnos, y es claro que cambiaría mi plan. Vd. diría q^e^ era lo q^e^ le gustaba de él para conservarlo. Editores nuestros, sería acaso lo mejor; pero si parecía uno bueno y que nos dejara algo mas q^e^ un jornal, podría pasar.

No es que yo no esté contento con el Imparcial, Heraldo, Publicidad, Madrid Cómico, Novedades, etc. etc. pero es q^e^ la libertad q^e^ gozo en esos papeles es relativa y yo tengo algo que decir de muchas cosas de que ahí no hablo. En fin, ya tengo gana de mandar en algo mio. O de trabajar en algo *nuestro*. Para el caso de q^e^ Vd. quisiera juntarse (y ponerse en *su sitio*, naturalmente) yo cuento en varias partes de España con jóvenes de estudio e inteligencia, fé y calor que me ayudarían. La cosa habría de sorprender y acaso se vendería bien. Piénselo bien. Si no allá voy yo solo, á mi manera.

En cuanto al teatro, y por lo *que á mi toca*, tengo varios proyectos, que me gustan. Pero los proyectos no son *arte*. Ahora el mas *viable*, el más próximo al telar es «La millonaria». Me gusta el asunto, la charpente, *(sic)*, q^e^ está hecha de una pieza; pero les tengo miedo á los pormenores *técnicos*. Me hace falta un negocio en q^e^ un gran ricazo se coma el dinero y la honra de otro; y yo entiendo poco de estas cosas; no quiero un negocio vago, de *melodrama*, sin *realidad económica*, y al mismo tiempo temo la frialdad de los detalles y mi *desconocimiento del asunto*. En fin, ya veremos. De otras cosas no hablo, porque por ahora, están mas *lejos*. Si yo tuviera lo que tienen todos los mozos de cordel, un *recto* enérgico y no decadentista y aprensivo, estoy seguro de que en 4 meses despachaba Esperaindeo, *Julieta* (Shakespeare - Lope - Tirso) Clara Fé y la Millonaria.

Pásmese Vd. Armando Palacio y yo *no nos saludamos* ¿Por qué? no sé. No hemos reñido. Pero, al parecer, hablo poco de él; y además ha hecho caso de una calumnia de un periodista americano q^e dice q^e yo encuentro á Armando agotado en su último libro... Y no he leido ese libro, ni he hablado de él, ni creo en tal agotamiento, ni hablaría de él, aunque creyera. Y así acaba (para siempre, eso sí) una amistad de treinta años entre hombres de cuarenta. ¡Las letras envenenadas! Para algunos, pero para mi, juro que no.

Cariñosos recuerdos al queridísimo Pereda. Que mejore su señora hermana.

Escríbame y quiérame. Suyo de corazón

Leopoldo Alas

Oviedo - 22 - Septb - 95

* * *

Mi querido don Benito:

Mucho le agradezco su cariñosa carta. También Pereda me escribió otra que me supo muy bien. En efecto, Armando vuelve a ser mi amigo. Supe q^e no descansaba desde q^e empezó la cuestión, y andaba paseándose por delante de mi casa. Figúrese Vd. si así era fácil el arreglo.

De los marinos (1) no le hablaré porque es tema que equivale ya para mi al vomitivo mas eficaz. En efecto, por *casualidad* el *gran* público esta vez se hizo cargo y prensa y juzgado se pusieron de mi parte. Lo mas gracioso es la multitud de cartas de *marinos mercantes* que recibí estos dias hablándome en términos de mar q^e no entiendo siquiera. Los *representados* lo hicieron muy mal, y por amistad a Villaamil (2), excelente

---

(1) Se habla de la cuestión que tuvo *Clarín* con la Armada Española, motivada por un «palique» publicado en *El Heraldo de Madrid* en el cual se refería a la catástrofe del crucero «Barcaiztegui».

(2) Don Fernando Villaamil y Cueto, capitán de Fragata que formaba parte de la representación que los jefes y oficiales de la Armada enviaron a Oviedo para exigir a *Clarín* que se retractase.

persona y muy torpe jurisconsulto del *Código del honor* no les puse en ridículo. Figúrese Vd. q^e^ hubo por su parte cartas falsas, fechas cambiadas, y lo q^e^ es peor de todo en una cita solemne, secreta, grave, en q^e^ se me amenazaba con publicar el hecho si yo no acudia... quien no acudió fue el contrario, que *estaba* hacía dos dias en Gijón y a quien en vano esperé horas y horas pasada la de la cita. ¡Figúrese Vd. si yo publico esto! Y tengo una docena de testigos entre ellos Villaamil y un teniente de navio. Por supuesto, q^e^ yo no haré nada. Mi madre no supo nada; mi mujer tuvo malos ratos, por mas q^e^ al verme á mi tan tranquilo asegurándole q^e^ no era caso de tragedia, sino una partida de ajedrez con unos chambones, algo se tranquilizó.

En fin, basta. Mi pueblo, si. Todo Oviedo conmigo. Tuve que contener a la gente.

Tengo q^e^ contestar a muchas cartas *sobre* lo *mismo* y mucho trabajo atrasado.

Maria me pidió *título* y le di «La Millonaria» pero reservándome el derecho de escribirla ó no. Va avanzando dentro del cerebro y creo q^e^ pronto podré empezar á escribir. El asunto me gusta mucho, es de psicología de actualidad social, de golpes de efectos naturales, lógicos, legítimos, y de final fortísimo. Maria tendría que echar el resto. Pero la ejecución (la mía) por ciertos pormenores y por la composición es dificil. En fin, veremos. Hábleme, cuando tenga tiempo, de lo suyo.

Yo le escribiré otro dia más largo.

Suyo siempre amigo de corazón

Leopoldo Alas

NOTA.—Sin fecha, en este lugar en la ordenación de Galdós. Fecha probable: 1895.

* * *

Mi querido don Benito:

En este momento recibo carta de Genaro que me dice: Voluntad es muy buena; el 2° acto hermosísimo.—Aunque lo que decía la prensa (que en general se portó bien, y yo ya lo dije en el Heraldo) ya me hacía pensar que la cosa era de las escogidas, estas palabras de Genaro, en privado, de hermano a hermano, y no siendo él, aunque profano, tonto, me hacen afirmarme mas y mas en la idea de que ha acertado Vd. de veras. Y esto me alegra mucho. Pero aumenta mi impaciencia por tener aquí la comedia. Venga cuanto antes.

He hablado de Halma en el Imparcial; aunque *pour la galérie* recargo el capítulo de reparos, en el fondo digo lo que siento. No es que esté mal; es que no es de lo mejor. Nazarin perjudica a Halma. Halma perjudica a Nazarin —En el conjunto de lo que llegue a ser el *ciclo nazarista*, Halma, como episodio, parecerá mejor.

La Guerrero no me escribe hace un siglo. Aun no sé si quiere ó no *La Millonaria*. Ella la anunció pero no me dice si quiere hacer de anciana.

Yo de la idea y del plan estoy contento; creo que á Vd. le gustaría también y ¡que bien haría Vd. la parte en que yo me noto con miedo y poco gusto, la técnica de un negocio, de varios!...

Le advierto q[e] por mi modo de vida interior, por mis lecturas y pensares actuales esto del teatro es para mi episódico, secundario. Lo tomo con calor solo á ratos.

Escríbame.

Dentro de unos dias le mandará La España Editorial, de mi parte, mis «Cuentos Morales».

¿Por que no habíamos de emprender Vd. y yo una «*Revista barata*, corta, *ceñida*, clara; la base: Vd. con novelas por partes y lo demás que que quisiera, v. gr. viajes, memorias... *críticas nuevas* y yo con crítica, cuentos, información de filosofia, letras extranjeras... y los buenos y escogidos amigos q[e] nos ayudaran, sobre todo, entre los *jóvenes* que valen (Altamira (1), Unamuno (2), Pereda, Soler (3), R. Marin (4) etc. etc. etc.). Empezando sin grandes pretensiones de lujo editorial; en combinación,

(1) Rafael Altamira (n. en 1866), eminente crítico e historiador español que fue catedrático de la Universidad de Oviedo.

(2) Miguel de Unamuno (1864-1936), el ilustre pensador español.

(3) Debe referirse a Eduardo Soler Pérez (1845-1901), jurisconsulto y escritor español, que figuró como adepto de las escuelas liberales extremas. Ya no era un joven en 1895, pero tampoco lo era Pereda, incluido en esta enumeración.

(4) Debe referirse a Francisco Rodríguez Marín, nacido en 1855, poeta, crítico e historiador literario español, aunque aún no el reputado erudito y cervantista que fue después, cuando precisamente a partir de este año de 1895, Menéndez Pelayo le encargó de la reimpresión de la 2.ª parte de *Flores de poetas ilustres*, de Pedro de Espinosa, labor que le empujó a consagrarse de lleno a la erudición clásica.

por ejemplo, con la venta de sus novelas etc. etc. á Vd. le sería fácil plantear la cosa administrativa.—Y si había quien ayudase mejor.

Piénselo.

Suyo de corazón *Leopoldo Alas*

Para la *Revue* de Mme Ratazzi (1) me han pedido un artículo sobre nuestra literatura actual. Lo hice largo y digo mi opinión francamente.

¡Felices Pascuas y todo 1896!

Oviedo - 31 - D. 1895

* * *

Mi querido don Benito:

Mi enhorabuena mas cordial por el gran triunfo de Doña Perfecta. Acabo de leer veinte periódicos, militares, inclusive, y resulta q[e] ha sido un gran triunfo y q[e] la cosa es de grandísimo efecto. Creo q[e] creerá Vd. de mi gran alegria.—Opino q[e] tiene Vd. una mina de aplausos y otra de plata en su obra novelesca, Episodios inclusive. Sin perjuicio de que Vd. escriba *teatro nuevo* y sin *novela*, debe estudiar sus obras todas para ir sacándoles dramas patrióticos, comedias de costumbres antiguas (cosa nueva en el teatro, fíjese) (Pipaon - Balaguer, v. gr.) comedias y dramas *contemporaneos*. Acertará Vd. unas veces mejor q[e] otras con el jugo y la forma dramática, pero lo general será acertar y sobre todo interesar al gran público. Vaticino para doña Perfecta muchas representaciones en toda España y muchos años de repertorio.

Lo q[e] debe Vd. hacer, sea teatro nuevo, sea de novela, es imponerse á empresas y cómicos, no consentir que nadie le *peine* las obras como si fueran carros de hierba, ni le mutile los caracteres, disloque las frases y convierta en anodino lo que no lo era según Vd. lo ideó. Trabaje Vd. sin pensar en el público, dramáticamente, sí, pero como si la escena fuese cerrada, pero con cuatro paredes. Cuando Vd. hace eso le sale mejor.

Necesita Vd. mucha energía en su trato con los cómicos. Me ha hecho gracia lo q[e] me dice del Español y del caballo —padre de Maria—. Yo tengo todo un poema del tal papá, que acaso publique si

(1) Madame Ratazzi (1833-1902), escritora francesa, nacida en Inglaterra, nieta de Luciano Bonaparte, que dirigió la *Revue Internationale*.

Mariita no vuelve en si y me trata como merezco. No saben quien soy yo. A mi no me enfadan de veras nunca las injusticias de las personas á quien considero imbéciles, despreciables; pero cuando un ser racional á quien, sin fianza, he dado algo de mi aprecio leal, (y Maria estaba en ese caso) me hace una... yo le sé cobrar intereses enormes. Tal vez la habilidad y la calma y espera que tengo para casos tales sea una de mis condiciones, si no mas meritorias, mas sobresalientes.

Es el caso que Maria no contesta a mis cartas hace no se cuantos meses: una era urgente, de respuesta necesaria, con un documento q^e le mandaba devolverme... y nada. Además, temo q^e ha recibido mal a un recomendado mio. ¿Por qué está enfadada? Creo que por un artículo de la Ilustración, q^e adjunto le remito, para q^e Vd. juzgue, pues dá la casualidad q^e lo copia un periódico americano.

Si, dice Vd. bien; es muy desgraciada la pobre Maria. Hay allí mil causas de descomposición y ruina, si no se remedia todo con energia.

Después de anunciarme «La Millonaria» (título q^e me pidió ella por telégrafo) nunca me contestó á esto: Mire Vd. que yo no trabajo si no me dice Vd. que está dispuesta á hacer de anciana. Y la *Millonaria* (que creo q^e es buen asunto; nuevo y fuerte) está sin hacer, á no ser allá por dentro, donde nació con principio medio y fin.

El caso es q^e yo era tan amigo de Palencia y la Tubau (1) (el preceptor de sus hijos yo se lo busqué) creo que los tengo algo torcidos, por mis aficiones *guerreras*. Y además aunque la edad de la Tubau era mejor, y la compañía es mejor... no me puedo figurar mi doña Carmen en la Tubau. Y en la Guerrero sí... en calidad de tortas (2).

No transija Vd. ¡Abajo el tapicero! Si viera Vd. que cosas dijo... ¡en Berlín! Llamaba *latero* á Goethe!

Le escribo á la Comedia, pues está Vd. á menudo allá.

Todo lo dicho de Maria, secreto.

Un abrazo de su entusiasmado amigo q^e le quiere mucho

Leopoldo Alas

Oviedo, 30 de Enero - 96

* * *

(1) María Alvarez Tubau (n. en 1854), actriz española, casada en segundas nupcias con el autor dramático don Ceferino Palencia.

(2) Palabra de lectura dudosa.

Mi querido don Benito:

Ya tengo los discursos de Vd. y de Marcelino que me envió este y en mi próxima revista del Imparcial acuso recibo y ofrezco hablar de ellos.

Recibí también la Fiera q^{e} no he podido leer todavía porque no sé quien me la llevó para leerla.

Debía á Vd. carta, como á otros muchos amigos. Apenas he escrito después de mi desgracia q^{e} cada día me tiene mas triste (1).

Me alegro de q^{e} ya esté bueno.

Suyo siempre de corazón

L. Alas

Oviedo - 18 - F. 1897.

NOTA: El original en papel de luto.

* * *

Mi querido don Benito:

Mucho me ha alegrado ver carta de Vd.—Estoy leyendo Zumalacárregui, q^{e} interesa mucho. Hablaré del libro en todos los periódicos en q^{e} colaboro, en El Imparcial muy pronto... si me dejan sitio.

Mucho me alegro q^{e} le gustara la novela de Ochoa —Lo mismo me han escrito Pereda y Menendez Pelayo. Es un joven excelente el tal Ochoa, por todos conceptos.

De buena gana iria á Madrid unos dias, pero por la mañana yo no soy una *inteligencia* con vida por organos, sino *un vientre afligido por molestias nerviosas.*

Suyo de corazón siempre

Leopoldo Alas

4 de Junio

NOTA.—Sin fecha de año, en este lugar en la ordenación de Galdós. Fecha probable: 1898.

* * *

(1) Se refiere a la muerte de la madre de *Clarín* (29-Sep-1896).

Mi querido don Benito:

Suponía yo q^{e} estaba Vd. en Santander, y ha venido a asegurármelo Victor Lobo, quien ademas me anuncia la visita de un francés, de parte de Vd. Todavía no le he visto. Mañana o pasado vuelvo a la aldea, á Carreño. Si Vd. me escribe, la carta á Oviedo.

Ahí le envío los retratos de mis dos hijos Adolfo y Elisa, en traje de carnaval. El mayor, Leopoldo, no tiene ahora retrato.

Escribí hace meses para el Imparcial un artículo, no largo, sobre Zumalacárregui, pero yo no sé lo que pasa allí, y el artículo no acaba de salir. Puede q^{e} si Vd. se lo pidiera á Ortega acabasen de publicarlo. No sé q^{e} gente es esa; me piden la mar de colaboración... y suspenden la hoja literaria.

Dígame lo que hace, lo que proyecta. Yo nada mas que el garbanceo. Escribiría con mucho gusto de filosofía lo mas literariamente que pudiera, pero aquí ¡quien lee eso!

Ofrecí una novelita «Elegia» la muerte de un hijo mezclada con las noticias de la guerra triste; pero no creo q^{e} la escriba, porque tengo miedo á *imaginarme* al hijo muerto. Se me ocurrió una noche de insomnio, la hice *toda* y me gustó; pero ahora temo á que salga fria, falsa, ó que me haga daño escribirla.

Si ve al queridísimo Pereda el saludo mas cordial, de mi parte.

Suyo de corazón siempre

Leopoldo Alas

Salinas 31 de Agosto 1898

NOTA.—El original en papel de luto.

* * *

Mi querido D^{n} Benito:

Estoy leyendo con gran interés La Estafeta (dándole la preferencia respecto de Fecondité). Excuso decir q^{e} hablaré de la Estafeta en *innúmeros* periódicos. En el Imparcial hay un paro literario, q^{e} no sé á que obedece. No hay *lunes* hace meses, y en cambio anuncian «Candelas».

Voy, sin embargo a enviarles el artículo sobre La Estafeta á ver si lo publican con ó sin lunes. Una advertencia de Vd. acaso les decidiría.

Ahora á otra cosa.

Ha llegado la ocasión de pedirle a Vd. un favor muy grande —Voy a publicar una nueva edición de *La Regenta* y quiero que lleve un prólogo de Vd.— Sé... q^{e} Vd. ha hablado bien de la Regenta *á espaldas* del autor, y quiero que conste. Además, el libro, con el prólogo de Vd. se venderá mejor. Sé q^{e} es un sacrificio, no por el asunto, sino por los renglones. Pero fíjese Vd. en que no se trata de un discurso. El recuerdo de una impresión eso me basta. No admito excusas.

Le supongo a V. en Santander— Velay, cariñosos recuerdos al gran Pereda— Suyo siempre

Clarín

27 de Octubre

NOTA.—Sin fecha de año; en este lugar en la ordenación de Galdós. Fecha probable: 1899.

* * *

Mi querido don Benito:

Le he escrito á Vd. á Santander y ahora averiguo q^{e} está Vd. en Madrid. Por si la primera no llega á poder de Vd. ó tarda, ahí va la 2ª edición de mi carta, en resumen.

Estoy leyendo La Estafeta, con mucho interés. Hablaré de ella en muchos papeles. El Imparcial tiene de huelga *los Lunes;* sin embargo, enviaré artículo de «La Estafeta» y Vd. mismo puede indicar á Ortega ó Gasset q^{e} lo publiquen, aunq^{e} sea en n^{o} ordinario.

Tengo una pretensión *atroz*, mortificante. Que Vd. me haga un prólogo para la nueva edición de *La Regenta* que voy á publicar. Tengo en ello vivísimo empeño. El libro lo publicará Fé, probablemente. Sé el trabajo q^{e} á Vd. le cuestan estos casos de escrituras *extravagantes* (sentido coleccionista canónico), pero no puedo pasar por otro camino.

Dígame si acepta; digo no, dígame que acepta; y escriba (claro para decirlo).

Suyo de corazón

Leopoldo Alas

Oviedo - 29 de Octubre - 1899

* * *

Mi querido don Benito:

Gran alegria me ha dado Vd. diciéndome *por fin*, q^{e} me escribirá el prólogo para la Regenta. Lo que hay es que prisa si corre. Hágalo lo mas pronto que pueda. Fé, q^{e} es el editor (yo no soy *automovil!*) está ya imprimiendo el libro; de modo q^{e} el prólogo no puede tardar.

También me ha causado mucha alegria, creálo Vd., el saber lo bien que va el negocio de la 3ª serie. También yo creo por aquí que *interesa* mucho el publicar.—Hoy envio los pliegos al *Heraldo* hablando de Zola y de Vd. De *La Estafeta*, q^{e} me gustó mucho, en muchas partes, sobre todo al *transformarse* Felipe, hablaré en muchas partes, pero no en El Imparcial, por lo visto, pues parece q^{e} han suprimido *Los Lunes*. Yo lo siento, mas q^{e} por el dinero, por el lugar, q^{e} era muy buena tribuna.

No le robo mas tiempo.

¡Al prólogo!

Suyo de corazón

L. Alas

Oviedo - Nov^{e} (1) - 23 - 99

* * *

Mi querido don Benito:

Gran alegria me causó hoy su cariñosa carta, y buena falta me hacía, pues ando tristucho y aburrido, no por ninguna cosa grave, sino por el pícaro estreñimiento que me acoquina, y no me deja emprender nada serio y que requiera esfuerzo y constancia.

Gracias de todo corazón por lo seriamente que toma el trabajo del prólogo. Tengo cierto remordimiento al robarle tanto tiempo, que según es Vd. sería gloria y oro empleado en sus cosas.—Pero, vence el egoismo y estoy muy contento.

Algo temo que al leer ahora *La Regenta* no le guste tanto como antaño. Yo que no la había leido nunca entera, palabra de honor, la leí ahora y... en unas cosas quedé satisfecho y en otras no. Hoy no la escribiría así... Puede que la escribiera peor.

---

(1) Aparece corregido encima de *Octubre*.

Tengo gran curiosidad de leer esas cosas que Vd. quiere soltar, y el público también las leerá con avidez. Ventaja para el libro... Y para Fé.

Seguí con afán y entusiasmo las noticias de su estancia de Vd. en Paris, sintiendo orgullo con los legítimos triunfos de Vd. ¿Por que no me habla Vd. nada de ésto?

No he recibido *Montes de Oca*. ¿Qué es Montes de Oca? Es el señor aquel que fusilaron creo q[e] en Vitoria o Pamplona? O es lugar? Ya veremos. Es claro q[e] en cuanto salga hablaré del libro en muchas partes. En El Imparcial, en cuanto reaparecieron Los Lunes, hablé de los últimos episodios varias veces. Ahora Ortega, director, quiere artículo mio para todos los lunes y para el número ordinario. Mejor. Pagan bien y es la mejor tribuna. Y a mi no me faltan ideas y alguna lectura, vieja y fresca pero ¡estos intestinos! —Se acuerda Vd. de aquella *Millonaria*? Creo, por mas tiempo q[e] pasa, que es un drama, que tiene cierta novedad y fuerza y... nada; aunque acabada y peracabada in mente, no pasaron al papel mas que algunas escenas... por culpa del estreñimiento. ¡Esto de ser un espíritu y una alcantarilla!

En cuanto reciba la traducción de los *Ensayos*, hablaré, en varias partes, del libro y del traductor, a quien puede Vd. decir de mi parte que basta que Vd. me lo recomiende para que yo haga en su obsequio todo cuanto pueda.

¿Sabe Vd. si hay alguna otra traducción de Montaigne, total ó parcial, en castellano? Yo soy muy poco bibliólogo y no quisiera hacer una plancha. El traductor debe de saberlo, y si no pregúntenlo Vds. á Valera o a Marcelino, q[e] lo sabe todo.

Montaigne es en estos últimos años, uno de mis autores favoritos; de los q[e] llevo siempre á Carreño por el verano. Hasta tuve la idea de escribir unos *Ensayos* imitados, modernos; es decir, tratar las mismas materias q[e] él con citas de autores posteriores al famoso alcalde de Burdeos —Lo que creo es que es muy dificil de traducir... bien. En fin, trataré el asunto con mucho gusto.

Perdon por tanta cháchara.

Suyo de corazón

Leopoldo Alas

Oviedo - 28 de Abril - 1900

* * *

Mi querido don Benito:

Pues, si señor, le voy a hablar del prólogo, q[e] no escribió Vd. entre *Montes* y *los Ayacuchos*, ni habrá escrito entre estos y las *Bodas*, Por Dios, despáchelo Vd. en cuanto pueda; y, si ha casado Vd. ya, malamente, á Isabel 2.ª, hágame el favor de volver los ojos á este republicano y escribir el prólogo, que Fé me pide con mucha necesidad. En Octubre debe salir el libro, y si Vd. se retrasa no puede ser.

Escríbame algo de sus planes de novela y teatro. Opino q[e] no debe ir ahora la 4.ª serie, sino otra cosa. Yo he hablado en el Imparcial de todos los episodios últimos. Suyo y del prólogo.

Clarín

Muy cariñosos recuerdos á Pereda y á M. y Pelayo.

Salinas, 20 de Agosto - 1900.

* * *

Mi querido don Benito:

Estoy leyendo «De Oñate» y hablaré de él enseguida.

En el último Lunes del Imparcial hablé de Mendizabal. Recuerdos al Sr. Pereda. Otro dia le escribiré mas largo. Suyo.

L. *Alas*

NOTA.—Tarjeta de Correos dirigida a:

La Magdalena
Santander

Matasellos del 9 de enero de 1899.

* * *

Estimado amigo:

Recibo la suya de 14 d/c: yo no se que hacer para que Galdós me entregue el Prólogo, que me ha prometido 20 veces sin que hasta la fecha lo haya cumplido.

Todo está listo y solo falta la impresión de ese Prólogo y encuadernación del tomo 1.º, como es natural. Aquí estuvo hace unos días, le supliqué, una vez más, que lo haga, me lo prometió formalmente, pero como ésto viene haciéndolo siempre no confío mucho en su promesa. Escríbale Vd. y veamos si se consigue algo mas práctico.

Suyo afmo. s. s.

q. b. s. m.

Fernando Fé

Madrid, 19 de Oct[e] de 1900.

NOTA.—El original en papel con membrete de la Librería de Fernando Fé. Carrera de San Jerónimo, 21. Carta del impresor Fernando Fé, que *Clarín* envía a Galdós.

* * *

Mi querido don Benito:

Lea Vd., al dorso, lo que me dice Fé y á ver si el remordimiento le hace despachar ese prólogo tantas veces ofrecido. Un esfuerzo, y despache, pues, á Fé y á mi, nos perjudica su pereza.

Si Vd. cree q[e] un prólogo es como un discurso, estamos perdidos. Pero no, Vd. ya ha hecho prólogos ¿no me merezco yo uno?

Pronto, por Dios.

Acaso vaya á Madrid pronto con el pretexto del Congreso hispanoamericano.

Suyo, *Leopoldo Alas*

* * *

Mi querido don Benito:

Me he leido de un tirón Bodas reales. Muy hermoso. Arte *apretado*, fuerza, entonación estilo. D.ª Leandra y su nostalgia magníficas.

Una cursi parienta mía acabó así, llamando *tal* á su hermana y *cabrón* a mi tio. Y era una hormiga santa.

Hablaré de la novela en muchas partes, y por lo pronto en los *Lunes*.

Y ahora que supongo que descansará Vd. un poco ¿no me hará el prólogo? Mire Vd. q^e nos convendría mucho a Fé y á mi q^e el libro saliera pronto.

Un esfuerzo, y a ello. Si no tiene tiempo para lo que pensaba, una cosa corta.

¿Y Electra? Es la Electra griega, ó una invención de Vd.?

Por Dios mire quien se la hace. ¡Supongo que no será la Cirera rediviva! (1).

No siendo Maria Guerrero yo no veo Electras posibles. Si no se trata de la hija de Agamenón, no digo nada.

Pensaba ir a Madrid, con el frívolo pretexto del Congreso ese, pero tengo miedo al frio y a las fondas. Probablemente no iré.

Escríbame. Por lo menos, el prólogo.

Suyo.

Leopoldo Alas

11 - Noviembre - 1900.

Nota.—El original en papel con membrete del Casino de Oviedo.

* * *

Querido don Benito:

Felices Pascuas. Salud y prólogo.

Fé desesperado, es decir Fé sin esperanza. Vd. sin caridad, yo sin fé en q^e Vd. tenga caridad. Cinco cuartillas tiene Fé, del prólogo. ¡Dé Vd. las demás! Por Dios, Don Benito; por Dios y por la diosa Razon...

Suyo.

Clarín

26 de D. de 1900.

Nota.—El original en papel con membrete del Casino de Oviedo y cruzado por una raya de lápiz azul.

* * *

---

(1) Julia Cirera Roca (n. en 1859), actriz española.

Mi querido don Benito:

Figúrese si estaré contento y entusiasmado con el gran éxito, *único* de Electra. Aquí tampoco se habla de otra cosa. Todos me preguntan si conozco ya la obra.

Si se hace algo *general*, en Oviedo no nos quedaremos atrás. Si nos autorizan el mitin del 11, hablaremos en Campoamor Melquiades Alvarez y yo de *Electra*... de oidas. Mándeme la obra en cuanto se imprima. Por estos primeros dias es claro que no estará Vd. para nada, pero cuando pase el barullo, por Dios acabe el prólogo, porque Fé está que trina. Además, *La Regenta*, que muchos jóvenes no conocen, sobre todo con el prólogo de Vd. es también de relativa actualidad. Un esfuerzo, y nos complace Vd. a Fé y a mí.

No le canso más. Suyo de corazón.

Leopoldo

La *Millonaria*, que probablemente será novela y drama, también trata lo *religioso* social. Pero mi Pantoja es un Alejandro Pidal, y su madre (la Millonaria) una santa. Yo necesito, sin falta, á la Guerrero. Estoy atascado en un *Panamá*, *pivot* del argumento *exterior*, y no sé como hacerlo. Ya le hablaré.

Supongo que recibiría mi telegrama.

Oviedo - 5 de febrero de 1901.

* * *

Mi estimado amigo:

He visto en un libro anunciada la Regenta en 2 tomos á 8 ptas. Por mi, en efecto, puede Vd. publicarla cuando quiera, pero antes mande de mi parte a don Benito el *último aviso*, por si quiere completar, aunque sea con cuatro palabras, el prólogo comenzado, y sino, aunque muy doloroso sea, habrá que prescindir de él. Suyo affmo.

L. Alas

Transmitir esta tarjeta á D. Benito (1).

Fé

Oviedo - 25 de Marzo - 1901.

NOTA.—El original en tarjeta postal de Correos dirigida a:
Sr. Don Fernando Fé.—Librería
Carrera de San Jerónimo, 21.—Madrid

* * *

Mi querido don Benito:

Repito mi enhorabuena por la variedad de triunfos crecientes de Electra. Tengo vivos deseos de verla representada, á lo menos medianamente.

He escrito á Fé para que diga a Vd. que remate la suerte, aunque sea de un golletazo, y ya que dió algunas cuartillas dé otras pocas. Figúrese Vd. cuanto sentiré tener que consentir que la Regenta salga sin el prólogo de Vd.; pero ya está anunciada, y si Vd. sigue olvidado de mí, tendrá que salir el libro solito, y yo, es claro, quedaré muy incomodado. He traducido 710 páginas de Zola, que podían ser 400. ¡Qué tormento! Pero, á ratos, creo que la cosa no suena mal. Estoy malucho hace tiempo. Y Vd., con las glorias...

Suyo quand meme *(sic)*. *L. Alas*

Oviedo - 26 de Marzo - 1901.

NOTA.—El original en tarjeta postal de Correos dirigida a:
Hortaleza, 132
(Madrid)

* * *

(1) De letra de Fernando Fé.

Mi querido don Benito:

Figúrese lo que me habrá alegrado su tarjeta en que me anuncia la terminación del prólogo. Muchas gracias y perdón por la molestia. De fijo el prólogo es cosa buena; solo que Vd. se juzga mal a sí mismo.

Me gustó, y lo he dicho, su carta de Viena. Perrin me escribe que tiene la exclusiva de *Electra* para nuestro *Campoamor;* pero Ruiz tiene el teatro, y otra compañía. De modo que sabe Dios cuando se verá la obra en Oviedo. Y es lástima que no sea en esta temporada. Yo he concluído la traducción, bastante *concienzuda* de «Trabajo» de Zola. ¡Qué trabajo! Los capítulos 3.º y 4.º del tercer libro tuve que darlos a varios amigos, por la prisa. Es obra muy pesada, con muchas repeticiones y demasiado *doctrinaria*, pero tiene tipos y escenas de mucha fuerza.

Yo he estado malo mas de un mes (no en cama) y todavía *toseis* (1). Ahora me mudo a una casa con una gran huerta, muy ancha y alegre. En ella tendría Vd. (no en la huerta) su habitación independiente, sin ruidos. Gran sitio para cuando Vd. quiera *variar* y dejar su quinta una temporada. Para trabajar, magnífico.

Le quiere de veras su amigo invariable.

Leopoldo Alas

Oviedo - 18 de Abril - 1901.

* * *

Mi querido don Benito:

Gracias, gracias de todo corazón por su cariñoso prólogo, en que se vé al amigo leal antes que nada. Está muy bien escrito y pensado, es sobrio (menos de alabanzas) sencillo, sereno, clásico. Lo único malo que tiene es el elogio hiperbólico, pero aún ésto se atenua algo, poco, por las consideraciones q[e] Vd. dedica a la oportunidad de la crítica benévola.

Me hizo llorar (verdad es que con la enfermedad de *tres meses* estoy

(1) De lectura dudosa.

muy blando; pero de todos modos hubiera llorado) lo q[e] Vd. dice de mis afectos, los *enterrados* y los vivos. Es verdad, apenas pienso en otra cosa. En Oviedo vivo cerca de la sepultura de mi padre; en Carreño cerca de la de mi madre. Mi mujer es como el aire que respiro, y mis hijos como una lira, que Dios me conserve intacta. Yo ya, mas que un hombre, soy una planta. No podría estar mucho tiempo lejos de esta tierra, donde intelectualmente no echaré nunca raices.

Extraño que Ortega no haya copiado ni dicho nada en El Imparcial. Este Ortega me empieza á preocupar mucho. Por ahora, silencio.

Su alusión á la Academia se la agradezco, pero eso ¡importa tan poco! Ha entrado allí cada bicho! Además, como no soy vecino de Madrid *oficialmente* no puedo considerarme postergado. Y ¡he hablado tan mal de la casa y de los mas de sus inquilinos! Lo de Armando si que no tiene explicación ni disculpa.

Estoy *al fin* de la mudanza; sin un libro en casa.

Escribo al *Heraldo*, a ver si dicen algo del prólogo.

No trabajo. Si sano de veras, entonces veré de volver a hacer libros y procurar q[e] sean de alguna sustancia y de algun arte.

Le quiere mucho su amigo de siempre.

Leopoldo Alas

Oviedo 17 de Mayo - 1901.

CARTAS DE FRANCISCO NAVARRO Y LEDESMA
A
GALDÓS

Navarro Ledesma

Facsímil del epígrafe autógrafo de Galdós
a las cartas de Navarro y Ledesma

Mi querido amigo:

En este momento recibo la carta de usted, y el ejemplar de Angel Guerra, que le agradezco muchísimo. El retraso há sido motivado por haberme mudado de casa á la calle de Goya, 18, principal izquierda, donde tiene usted la suya; me apresuro á contestar á usted, antes de leer la obra, para que sepa usted que estoy aquí y que me puede escribir, pidiéndo cuantos datos, noticias y pormenores de todos órdenes y harinas necesite, pues á todos procuraré contestarle, ya en uso de mis propios conocimientos escasos en este punto, ya aprovechando los de mi padre, que son bastante extensos y los de otros *toledólogos* competentes á quienes puedo consultar. Insisto en que no tenga usted inconveniente ni reparo alguno en pedir, á rajatabla, cuantos datos puedan servirle, morales, psicológicos, políticos, culinarios, etc., etc., pues será mi mayor satisfacción el poder servir á usted de algo, lo mismo en esto que en todo cuanto se le ofrezca.

El libro ese del Sr. D. Antonio Martín Gamero se titula «Los cigarrales de Toledo, *recreación literaria*» y creo que muy poco ó nada podría servirle á usted, pues se trata de una especie de disertación histórico-erudita que el señor Gamero, abogado, académico C. é historiador de Toledo, y hombre sumamente pesado y concienzudo escribió para bibliográfico y académico solaz suyo y de otros amigos suyos pedantes, como él, y perdóneme su memoria. Datos interesantes, reales y vivos, aprovechables no contiene ninguno y sí solo algunas citas apreciables de varias obras en que se hace alusión ó descripción de los cigarrales, todas antiguas. En este asunto, creo que lo mejor es la comedia de Tirso y algunas otras comedias y novelas de este mismo autor, pero nada que pueda dar idea directa, como es natural, de lo que son hoy los cigarrales. Si le tuviera aquí, inmediatamente le enviaría á usted, á pesar de todo, el libro de Gamero, pero le tengo en Argés (1): sin embargo,

---

(1) Pueblo de la provincia de Toledo.

diré qué me le manden, por si quiere usted verle. Una ventaja tiene: que es bastante breve.

Ya comprendo que quizás sea ya tarde para hacer variaciones, pero á veces hay cosas de detalle, que tienen importancia y bueno es atar los cabos posibles.

Me hé pasado cinco meses en Alcalá de Henares (ya lo habrá usted comprendido por *la forma*) desde donde le escribí á usted, por Septiembre, y, á lo que veo, no recibió usted la carta, en la cual le contaba mis impresiones, ó mejor dicho, mi no-impresiones, y mis búdhicos *(sic)* aburrimientos complutenses. Ello son cosas para contadas despacio y de las cuales hablaremos, cuando venga usted por acá, que deseo sea lo más pronto posible, pues yo ya estoy aquí de una, otra vez.

Sin perjuicio de escribir á usted, contándole lo que me parezca del primer tomo, quedo esperando su carta y sus órdenes y me repito su muy afecto admirador y amigo.

Francisco Navarro y Ledesma

13 - I - 91, Madrid.

* * *

Mi querido amigo:

En rigor, tomadas las cosas con toda solemnidad, debía empezar hablándole á usted del tomo de Angel Guerra que ya hé leido, pero creo que no es cosa de meterse en análisis ni críticas y me voy al bulto. Ello es que el libro me há parecido de perlas y en lo referente á Toledo no hé notado más que dos ó tres detalles equivocados, como el de afirmar que el padre de Leré se alquilaba para salir, vestido con armadura, en la procesión del Viernes Santo, siendo así que los *armados*, como allí se dice tienen necesariamente que ser individuos del gremio de listoneros, ó sea del arte de la seda que forman cofradía, así como los que llevan las andas ó *pasos* son carboneros todos y los escribas y fariseos (*mariquitas negras*) son sastres. Algún otro pormenor de ménos importancia aún hé notado. El típo de D.ª Sales es toledano puro y los escondrijos de dinero que guardaba son la realidad misma. Ejemplos de ello tengo en la familia. Item más, debo advertirle, y usted me dispense, que en la ortografía oficial se escribe *Bargas*, así.

Sr. D. Benito Pérez Galdós.

Mi querido amigo: en rigor, tomadas las cosas con toda solemnidad, debía empezar hablándole á usted del tomo de Angel Guerra que ya hé leido, pero creo que no es cosa de meterse en análisis ni críticas y me voy al bulto. Ello es que el libro me há parecido de perlas y en lo referente a Toledo no hé notado más que dos ó tres detalles equivocados, como el de afirmar que el padre de Leré se alquilaba para salir, vestido con armadura, en la procesión del Viernes Santo, siendo así que los *armados*, como allí se dice tienen necesariamente que ser individuos del gremio listoneros, ó sea del arte de la seda que forman cofradía, así como los que llevan las andas ó *pasos* son carboneros todos y los escribas y fariseos (*mariquitas negras*)

Facsímil de carta autógrafa de Navarro y Ledesma a Galdós del 17 de enero de 1891

Ahora voy á contestar á las preguntas de usted, por su orden y con la brevedad y exactitud posibles.

El traje de los bargueños, como los de todos los pueblos, há perdido casi todo su carácter local: antes se componía de pantalón largo, chaleco abierto y chaqueta corta, todo de pana fuerte azul, labrada á rayas, con los botones de plata ó de imitación; alpargatas abiertas y media azul: faja negra de lana y sombrero de veludillo, de ala ancha: capa parda y no capote, que es lo que se usa ordinariamente. Hoy día lo único que se conserva casi invariablemente es el pantalón de pana azul, de trampa, no de compromiso, alpargata, faja y sombrero. En cuanto á las bargueñas, llevan tres ó cuatro, y aún más, refajos amarillos ó encarnados, ó verdes y la saya de encima es de estameña basta negra, con la cual suelen taparse cabeza y todo: el corpiño también es de estameña y pañuelo de talle, de sandía las jóvenes, y azul ó verde las viejas. Van ordinariamente descalzas y siempre llevan cesta al brazo, donde también llevan los zapatos que se calzan al entrar en Toledo. El peinado consiste en echar todo el pelo para arriba, sin raya, con gran moño de pícaporte, de trenzas hasta de diecisiete ramales. Lo mismo los hombres que las mujeres son tipos muy hermosos, por lo general. Las bargueñas se dedican bastante al comercio de huevos, medias y antigüedades, videlicet, alhajas, pinturas, objetos religiosos, etc., y los bargueños á la arriería y á panaderos.

El nombre de los de la Sagra es ese, sagreños.

La posada de Remenditos es efectivamente de uso y servicio ordinario de los arrieros que entran por San Martín, pero no pueden entrar carros en ella. Los bargueños no ván nunca á esta posada y sí, más bien á las de Santa Clara y la Sillería.

El Cristo de las Aguas es muerto y no lleva enagüillas, sino sólo lienzo blanco, como la generalidad.

Desde el puente de San Martín á los cigarrales más próximos, que son los de Crespo ó de Calonge, ó de Labandero podrá tardarse unos diez minutos ó, lo más, un cuarto de hora.

La extensión de los cigarrales es muy varia: los hay que casi son una dehesa, pero los ordinarios, de recreo tienen de cuatro á diez fanegas. Todo el cigarral está cercado con pared baja de piedra y tapiales de tierra, pero no hay cerca especial para los plantios de un mismo cigarral. Olivos y albaricoques están mezclados y son casi los únicos árboles que hay: almendros también hay muchos. Algún azofaifo (ó como se llame) ciprés, bastantes chumberas, verdelirios y rosales, lilas, claveles, alelies etcétera y toda clase de flores, que suelen vender las cigarraleras en los reviérnes del Cristo de la Vega. Monte bajo, no es lo general que haya: en los peñascos se cria cornicabra, tomillo y cantueso. Fuentes, ó pozos casi todos tienen, siendo lo más común manantiales sin caño ni nada. No se siembra nada en los cigarrales. Ganado, no hay ninguno, á no ser alguna cabra aislada; gallinas siempre.

Los pastores de la ciúdad y de sus inmediaciones visten como los demás jornaleros: son casi todos de Sonseca: los que hay en las dehesas y pueblos visten generalmente de correal ó sea piel de cabra sobada.

En los cigarrales, no hay caza de ninguna clase.

En las casas de los cigarrales hay una gran variedad: por lo general son de un solo piso y constan de una cocina de hogar bajo, un dormitorio para los cigarraleros, una cuadra y una habitación mejor que las otras, para los señores. En los cigarrales de más lujo, que son el de Labandero y la Quinta de Malpíca, el de Alegre, el del Vizconde de Palazuelos, el de Molero, y el de los Carneros, hay casa con dos pisos y en ellos buenas habitaciones para vivir, como un gran comedor, sala, gabinete y alcobas: estas habitaciones suelen amueblarse con los trastos desechados o sobrantes en la casa principal. Algunas están empapeladas, pero por lo general están de yeso blanco. En algunos de estos hay molino aceitero. En todos, hay vivienda para el cigarralero y su familia. Antes solían pasarse temporadas los dueños en los cigarrales, pero hoy día sólo se vá á pasar un día ó más bien, de merienda, en las tardes de primavera y otoño.

Los almendros empiezan á florecer de mediados á últimos de Febrero según la crudeza del tiempo y los albaricoques quince ó veinte días despues que los almendros.

Chochas, no se encuentran cerca de Toledo. Hay que alejarse tres leguas lo ménos, hácia sitios donde haya prados húmedos, como las dehesas de Ventosilla y Torrecilla, en Polán, Guadamur y Layos y más bien en los pueblos que pertenecen ya á los montes de Toledo, como Las Ventas con Peña-Aguilera, San Pablo, etc.

Con esto quedan contestadas, en lo que cabe, las preguntas de usted, pero creo se formaría usted mucho mejor idea de todo eso y de otras cosas también interesantes, en el mismo terreno. Sin embargo, como, todo lo que yo pueda explicarle, lo haré, siga usted preguntando, sin reparo, que ya veremos de satisfacerle, con toda la buena voluntad y el gusto posibles.

Sabe usted que es su más apasionado admirador y amigo

Francisco Navarro
y Ledesma

17-1-91 Madrid

Ah! Le advierto que es difícil ir en coche á muchos de los cigarrales por lo accidentado del terreno y por no haber caminos. Y que no se considera parte de la Sagra á los pueblos de Bargas y Olias. El primer pueblo sagreño es Cabañas de la Sagra.

* * *

Mi querido amigo:

Apenas recibí su carta, es decir, el mismo día 17, escribí á usted contestando detalladamente, en lo que cabía, á sus preguntas. Como el correo há andado mal estos días, no me extraña no haber recibido nueva carta con las demás preguntas anunciadas, pero mi contestación abultaba algo y temo no se haya perdido, por lo cual le aviso á usted, por, sí aun es tiempo, repetírla.

Un detalle se me olvidó recordar á usted: que las casas de los cigarrales un poco lujosas suelen estar pintadas exteriormente de algun colorín fuerte, azul ó rojo. Las que no, encaladas, como todas las casas de campo.

Siga usted preguntando, si algún dato más necesita, pues en complacerle tiene el mayor gusto su siempre afectísimo amigo

Francisco Navarro
y Ledesma

24-1-91 Md

* * *

De Francisco Navarro y Ledesma

Mi querido amigo:

Recibida su carta y mil gracias por sus gracias exageradas, y sonsoniche.

Estuve en Madrid hace ocho días á verificar la *intrincada* operación del sorteo de *trincas* para las oposiciones á la cátedra de Retórica y Poética, de Valencia, en las cuales voy á tomar parte, inflamado del más belicoso ardor. Pero como sólo estuve ese día y el anterior y las horas de usted las tenía ocupadas, no puede tener el gusto de saludarle con el cariño y la satisfacción con que siempre lo hago. (Nota: esto no es retórica, ni poética, sino lo contrario, es decir, verdad pura) Calculo que dentro de catorce ó quince días tendré que volver á Madrid, para verificar los ejercicios esos y entonces, más despacio, echaremos una charladita, que buenas ganas tengo de ello, ayuno como estoy aquí de todo trato y roce con personas siquiera medio racionales, cuanto y más con quien discurra á derechas en materias de arte, etc. Me parece que esta es lata anunciada con anticipación conveniente para que no le coja á usted de susto.

¿Que si iré al estreno de *Realidad*? Pachasco! Aunque tuviera que ir en globo! No le perdono á usted un billetito de gallinero y por esa noche me proclamo jefe de la claque.

Ah! Estuve á ver el castillo de Guadamur y merece que se venga usted un día por acá para visitarlo. Tengo la seguridad de que le gustaría á usted mucho.

Me siento ordinario y mazapánico y no escribo más. Hasta dentro de unos días.

Siempre suyo cariñoso amigo

Paco Navarro y Ledesma

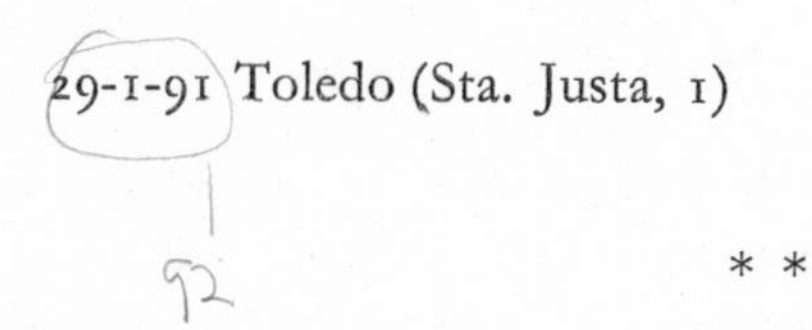

29-1-91 Toledo (Sta. Justa, 1)

* * *

Mi querido amigo:

Le escribo á usted nada más que para darle cuenta de mi existencia, lo cual no es poco, pues he estado bastante malo, con una gastroenteritis de todos los demonios, aquí en medio del campo, donde no son muchos los recursos. A Dios gracias, me encuentro ya mejor, aunque hecho una gelatina y, si usted se detiene aún algunos días en Madrid, es muy probable que tenga el gusto de saludarle. Pensé hacerlo en Toledo el día del Córpus ó por entonces y no pude, por la razón dicha.

Tambien hé de participar á usted que según mis noticias, que aún no hé confirmado oficialmente, hé sido trasladado del Archivo de Alcalá, donde estaba, ó mejor, donde figuraba servir, al de la Imperial ciudad á la cual me trasladaré en breve, dii faventes *(sic)*, y donde tendré el gusto de ofrecer á usted un apeadero, si nó más cómodo, tanto al menos como el de la Sra de Figueroa. Si nos vemos ya hablaremos de esto y de otras cosas. Conque, no se vaya usted á largar á todo escape, sin que tenga la satisfacción de verle su egoista amigo que le quiere

Paco Navarro
y Ledesma

16-6-91 Debesa del Quintillo de Ben-Querencia. (Villasequilla—Toledo)

P. S. Como no leo periódicos, ignoro si há salido á luz la 3ª parte *del Guerra,* como dice D. Marcelino.

* * *

Mi querido amigo:

Soy un descortés, un ingrato, etc. por no haberle escrito á usted antes, ni haberle aún dado las gracias por los dos tomos de Angel Guerra que me remitió después de vernos por última vez. Pero la verdad es que en este pueblo hay una atmósfera de polvo, de herrumbre y de vejestoriez tal que, á poco de vivir aquí parece que se há convertido uno en carne momia y se vé obligado á hacer un violentísimo esfuerzo de voluntad para recordar siquiera que vive uno y que no es de los pocos sabios que en el mundo hán sido, los cuales sabios siempre me hán hecho el efecto de figuras de bajorrelieve, pues se hán quedado ahí esculpidos en ese verso tan hermoso y ahí se estarán siglos y siglos existiendo, pero sin que nadie sepa quiénes son, ni aun ellos mismos, por culpa de la eufonía. Pues, no le digo á usted nada, si ese trabajo cuesta el darse uno cuenta de la existencia propia, metido aquí entre el polvo y las telarañas, cuán difícil no será el recordar que estamos á *fin de siglo* y que aún se escriben novelas y que sus autores son personas tan respetables y queridas como usted. Así, hoy, aprovechando un intervalo de lucidez, en que hé despertado de este letargo de moscardón... mudejar, gracias al ruido de las zambombas, hé recordado que eran las Páscuas y estaba próximo el fin de año y ahí van esos cuatro garabatos para expresarle mi cariño y mi deseo de que pase usted felizmente y con salud estos dias y todo el año venidero y de que, durante él, pára usted cuatro ó cinco tomos, que buena falta nos hacen á todos y particularmente á mí, para espilirme (1) y desempolvarme algo.

Hé leido no sé donde, que anda usted arreglando para el teatro su drama Realidad. Recuerdo que hablamos de esto una vez y que, le dije á usted, me parecía la idea excelente, aunque algo expuesta. Quizá este arriesgo sea otra excelencia. Yo no hallo más que un inconveniente grave y es que para representar Augusta, creo que hay una actriz que ni de encargo, la Tubau, en cambio no puedo figurarme que ninguno de los malos comediantes que por acá gastamos sea capaz de comprender ni de representar á Tomás, al sublime Tomás Orozco, ni al delicadísimo é intrincado Viera. Las demás dificultades todas están en manos de usted y por consiguiente no hay para qué hablar de ellas. Pero una duda se me ocurre. ¿Vá usted á suprimir la sombra de Orozco? No lo veo fácil, si no se há de mutilar el final hermosísimo del drama, que es una apoteósis moral de incomparable elevación, y si se há de conservar con fidelidad el modo de ser de Viera. Y si no la suprime usted, ya usted sabe cuán poco amigo es nuestro público de sombras y apariciones, cuando estas no van acompañadas de los buñuelos de los Santos. En fin, esto usted lo verá, mejor dicho lo tendrá visto, y yo soy un pedante impertinente y un provinciano entrometido, de los que tocan con el dedo los

(1) La lectura parece clara, pero desconozco el vocablo; en Castilla la Vieja se usa con este sentido el vocablo *espurrirse*.

cuadros de los Museos y no respetan ni los sagrados momentos de la gestación de una idea poética. ¡Uf! qué frasecica!

Dispénseme usted, como siempre lo há hecho, con su amabilidad acostumbrada y créame siempre su más cariñoso y agradecido amigo q. l. b. l. m.

Paco Navarro
y Ledesma

27-12-91 Toledo. (Santa Justa, 1.)

Esta carta y una anguila de Labrador que le remití á usted el otro día, las envío á su casa de Madrid, ignorando si estará usted ahí ó en Santander

* * *

Mi querido D. Benito:

Como, según hé visto no es fácil verle á usted estos dias más que en el teatro y á las horas en que usted tiene ensayo, tengo yo función, es decir, oposiciones, le pongo estas dos letras para rogarle que, si le es posible, haga el favor de encargar en contaduría que me reserven cuatro butacas para el día del estreno de Realidad, pues tengo cuatro amigos, entusiastas alabarderos de usted, que desean ir allá á romper un par de guantes.

¡Ah! se me ocurre que lo mejor sería que usted me dejara en su casa una tarjeta ó volantito para poder recoger los billetes esos en contaduría ó en el despacho, pues la cosa es no tener que sujetarse á la tiranía de los revendedores.

Si tuviera uno de estos dias desocupado, procuraría verle á usted en el teatro; si no, hasta despues del estreno, y usted me dispense las impertinencias con que contínuamente le estoy mareando.

Suyo siempre

Paco Navarro
y Ledesma

9-3-92

S/c. Serrano, 21-3.º izq.

Nota.—El original en papel con membrete del Ateneo de Madrid.

* * *

Francisco Navarro y Ledesma, que se marcha á Toledo esta tarde, saluda a su querido amigo D. Benito y le participa que no ha tenido éxito en sus oposiciones de Literatura.

Si tiene V. que darme algún encargo para Toledo, hasta las 5 estoy en casa, Serrano, 21-3°.

NOTA.—El original en tarjeta de visita de Francisco Navarro y Ledesma.

* * *

Mi querido amigo:

Ya es hora que escriba á usted para darle cuenta del resultado que produjo su recomendación la cual llegó a tiempo para proporcionarme un voto, el del Sr. Apraiz, único que hé tenido para la cátedra. Los demás me hán concedido el número uno despues de los agraciados (es decir, el 1° de los desgraciados), lo cual no es poco otorgar dadas las fuertes recomendaciones que se habian *entripulado.* como dicen aquí. En fin, otra vez será. Pero, aunque me hayan dado con la puerta en las narices, no por eso estoy menos obligado á usted por su amabilidad y al Sr. Apraiz por su condescendencia. Y no digo más.

Yo quisiera escribir á usted ahora una carta que le sirviera de distraccion un rato, pero, por más que hago, maldito si me sale un mísero conceptillo con tanto así de sustancia, cosa muy natural, en razón á que aún no se me há quitado de la boca el amargor y la frialdad de la Retórica, Poética, y ya estoy metido en... ¿lo dire? en la faena *ingente* de redactar dos programas, de latin uno y otro de psicologia, lógica y filosofia moral para otras oposiciones en que tomaré parte, probablemente, el año que viene. Ya puede usted figurarse el desequilibrio y la espantosa jarana espiritual que esto produce: asi es que tengo las entendederas demadejadas como si me hubiesen aporreado la cabeza. Además el calor se deja caer por estas tierras, tan implacable y despótico como Urrecha (*) sobre los desprevenidos y desaconsejados lectores. ¡Qué gusto! Usted estará tan fresquito y tan terne, preparándose á escribir un libro ó una hermosa comedia, ó á concluir su buena casita, si no lo está ya, ó á emprender un viaje agradable: en resumen á hacer algo bueno y útil. De seguro no se acuerda usted de tales psicologías ni de tales éticas como estas en que yo ando metido. ¡Qué cosas tan viejas, tan prosáicas, tan cursis estas que se ve uno obligado á hacer para ganarse los santos garbanzos!

Y vaya una jeremiada inoportuna que hé ido á descargar sobre usted. La amabilidad grandísima de usted, mi querido don Benito, me perdonará. Si otro día puedo contarle á usted algo alegre ó curioso ó interesante de lo que ocurre en este apolillado poblachon, donde nada ocurre, ya le escribiré. Entre tanto aquí está esperando lo que usted quiera ordenarle, su siempre cariñoso amigo y admirador

Paco Navarro
y Ledesma

23-5-92 Toledo.

(*) Apropósito de "Urrecha". Ya habrá usted sabido que su comedia tan aplaudida y celebrada *porque no intentaba ninguna fórmula nueva*, según *El Imparcial*, duró en el cartel las tres noches de reglamento y una de gracia.

Nota.—Federico Urrecha (1855), escritor español; debe referirse a la comedia *Tormento* que publicó en este año.

* * *

Mi querido amigo:

Hé estado unos días en el campo, sin leer periódicos y hoy, al llegar á Toledo, me dicen que há tenido usted una desgracia de familia, aunque no me hán sabido dar pormenores acerca de quien fuera el fallecido. No quiero dejar pasar el correo, sin escribirle cuatro letras diciendo á usted cuánta parte tomo en el sentimiento que por tal desgracia le aflija y repitiéndole lo que ya sabe: que, siempre, en las satisfacciones como en los disgustos, estoy á la disposición de usted con el mayor cariño.

Supongo que vendrá usted á Madrid á ver las Exposiciones, en las cuales de seguro habrá algunas cosas de mérito y entonces tendré el placer de saludar á usted y de que echemos un largo párrafo.

A la Exposición histórica-europea se hán enviado de aquí bastantes antigüallas notables y curiosas: de la Biblioteca provincial hemos remitido muchos libros, algunos con preciosos grabados y miniaturas, y dos retratos originales del Greco, de los que tiran para atrás, que usted no debe de haber visto. Tambien para la de Bellas Artes hán trabajado los toledanos: Arredondo (1) y Muriel (2) envían, y Matias Moreno (3) lleva un retrato á caballo que, en mi concepto, llamará la atención, aunque no tanto como los cuadros que presenta su hija Mariquita, una pollita que viene empujando de firme.

En la iglesia de S. Justo se descubrió una capilla, mejor dicho, una habitación con cuatro arcos árabes como los de la Alhambra y un precioso artesonado: la están destrozando abominablemente *so color* de restaurarla. Basta decirle á usted que dirije la obra el párroco, hermano de Granullaque el pastelero.

La última vez que estuve en Madrid se susurraba que la Comedia iba á empezar la temporada próxima estrenando una obra de usted y yo tengo una curiosidad y un interés inmenso é inmensamente indiscreto por saber más detalles. Perdóneme usted que le moleste preguntándoselo, y rogándole que al último mequetrefe que vea usted en el muelle le mande que me escriba media página dándome noticas de usted, es decir, de su persona y de que tenga usted en el telar, porque, en estos eriales venanciovisigóticos que habitamos, nada se sabe de nadie, excepto de Sagasta cuyas andanzas no me interesan lo más mínimo.

Ea, esto es mucha cháchara para usted. Dispénseme todo lo dispensable, siquiera por el cariño y respeto que le tiene su devoto amigo y admirador

Paco Navarro
y Ledesma

15-9-92 Toledo (Santa Justa, 1)

* * *

Mi querido amigo:

Muchísimas gracias por su cariñosa carta de usted y por el recuerdo de reservarme la butaca, para el estreno de *La loca de la casa*.

Claro está que iré ¿pues, no hé de ir? Aunque cayesen capuchinos

(1) Ricardo Arredondo, pintor, nacido en Sella, provincia de Toledo.
(2) Luis Muriel y López (n. en 1856), pintor español.
(3) Matías Moreno (n. en 1840), pintor español.

de bronce ó Urrechas de cabeza. Pero como ahora estoy encargado del Museo Arqueológico de San Juan de los Reyes, no puedo faltar más que veinticuatro horas, por lo cual, llegaré á Madrid el lúnes á las siete y media de la noche, para irme derecho al teatro, dispuesto á romperme, no ya los guantes, si no las falanges en clase de *claqueur enragé*. En atención á esta premura del tiempo ruego á usted me haga el favor de dejarme la butaca en un sobre á mi nombre en la librería de Guttenberg, como el año pasado. Y si puede usted dejar además un par de anfiteatros de arriba tendrá usted dos entusiastas más y dos corazones agradecidos, aunque faltos de recursos.

No quiero entretenerle más. Repito que muchas gracias y hasta el lúnes en que tendrá el gusto de abrazar á usted y felicitarle (de seguro) su más devoto amigo y admirador

Paco Navarro
Ledesma

12-1-93 - Toledo (Santa Justa, 1)

P. S. Como perdí las señas de usted en Madrid, no hé podido enviarle hasta hoy los números publicados de una especie de publicación que dirijo aquí, los cuales supongo que recibirá usted al propio tiempo que esta.

* * *

Mi querido amigo:

No quería haber escrito á usted hasta publicar un estudio, tan malo como cariñoso y entusiasta, que voy á escribir acerca de *La loca de la casa,* porque se me figura que a esta admirable obra le ha ocurrido casi lo mismo que á Realidad: es decir, que los señores críticos de oficio no han querido tomarse el trabajo de pensar detenidamente y decir todo lo bueno que se debe decir acerca de ella. Pero, con objeto de que este trabajo mío tenga más resonancia en Madrid, donde mi periodiquejo *El Heraldo Toledano* tiene algunas suscripciones y circulación, se me há ocurrido tirar un número ilustrado, aprovechando la circunstancia de haberse establecido aquí un taller de fototipia tal vez el mejor de España, para sacar vistas de estos monumentos. De esta manera el papelucho éste provinciano parecerá más agradable y podrá venderse bastante en Madrid.

Bueno, pues lo que suplico á usted encarecidamente es que me haga el favor de remitirme enseguida un retrato de usted en fotografía, de los más grandes que tenga, para sacarlo en fototipia y colocarlo en el centro de la primera plana, en medio del artículo sobre *La loca de la casa*. ¿Lo hará usted? Yo se lo ruego, confiando en su amabilidad, para mí tan demostrada.

¡Pues no digo nada, si además quisiera usted enviarme una escenita de *Gerona*! Entonces colmaría usted de felicidad á este pobre solitario, condenado por sus pecados, á mazapan perpétuo. Ande, querido Don Benito, enviémelo también!

Y ya no pido más que indulgencia para mis contínuas importunidades, que únicamente puede atenuar con el grandísimo cariño y la respetuosa admiración que por usted siente su siempre afectísimo y devoto amigo

Paco Navarro
30-1-93 Toledo (Santa Justa, 1). *y Ledesma*

* * *

Mi querido amigo:

Por el amigo Pepe Cubas (1) recibí la cariñosa invitación de usted, y por no saber si seguía usted viviendo en Chamberí, no hé escrito antes, dando á usted las gracias por su recuerdo que estimo y aprecio en todo lo que vale.

Sí señor, iré allá á aplaudir como un desesperado, como supongo que lo harán todas las personas de buen gusto que asistan al estreno. Ahora ¿habrá en todo Madrid el número de personas de buen gusto, suficiente para llenar el teatro de la Comedia? Eso, allá lo veremos.

Estoy estos días refocilándome á mis anchas con el amigo Torquemada, cuya llegada al Purgatorio ansío. Si tuviese dónde, escribiria extensamente acerca de esto, que á mí me parece muy importante, mucho más de lo que le há parecido á Cavia (2). Tambien quisiéra tener algun

(1) José Cubas, amigo de Navarro Ledesma y luego cuñado suyo e ilustre diplómatico español.

(2) Mariano de Cavia (n. en 1855), literato y periodista español.

hueco por donde meter la cabeza cuando se verifique el estreno. Mas ¡ay! que los Bofiles (1) y Arímones (2) lo invaden y acaparan todo.

Comprendo que no le sobrará á usted el tiempo para leer tonterías y me callo, repitiéndome antes muito obligado *(sic)* y poniéndome, como siempre, de pies á cabeza á la disposición de usted para todo lo que se le antoje ordenar á este su más grande admirador y amigo afectísimo que le besa la mano

Paco Navarro
y Ledesma

19-1-94

NOTA.—El original en papel con membrete de El Jefe del Museo Arqueológico de Toledo.

* * *

Mi querido amigo:

Mucho siento que mis estúpidas ocupaciones pedagógicas me priven del gusto de asistir al beneficio y se lo aviso á usted para que disponga de esa butaca, cuyo ofrecimiento agradezco á usted en el alma.

Le supongo á usted tirando líneas ya para el discurso de la Academia. Si, por causalidad, necesitara usted, para ello, molestarse en chinchorrerias bibliográficas, no olvide á esta humilde hormiga, que tiene obligación de husmearlas y revolverlas, y cuyo mayor placer sería servir á usted de algo, poco ó mucho.

Por aqui, no hay novedad sensible. Ahora, veo casi todos los días al agregio Don Tomé, (en el mundo, el beneficiado Don Wesceslao Estéban y Díaz, capellan de las Agustinas de Santa Ursula) que vá á la Biblioteca, con el cándido designio de informarse al pormenor de la Cronología de los reyes y amíres árabes de la península. El bendito señor se pasa dos horas mano á mano con Casiri (3) y Conde (4), sin mover pestaña ni ceja, y sin hacer al salir ni al entrar más ruido del que haría

(1) Pedro Bofill (1840-1894), escritor y periodísta español.

(2) Joaquín Arimón y Cruz, periodísta español, que colaboró entre otros diarios, en *El Liberal*.

(3) Miguel Casiri (1710-1791), orientalista siromaronita, que nació en Trípoli pero trabajó en España, fue Bibliotecario del *Escorial* y murió en Madrid.

(4) José Antonio Conde (1765-1820), arabista español.

una mosca correteando sobre una mesa. Por supuesto, que ni él sospecha la existencia de Angel Guerra y de usted, ni siquiera tiene la menor idea de que en el mundo existan novelas y noveladores.

Espero que caerá usted por acá hacía los días de Semana Santa. Para entonces espero que venga Cubas tambien. No deje usted de avisarme. Quisiera que viese usted el castillo de Guadamur y algunas otra cosa si algo le há quedado á usted por ver, que no lo creo.

Mientras tanto, ya que no pueda darle á usted pasado mañana un apreton de manos, se lo envia por escrito su más entusiasta amigo y admirador.

Paco Navarro y Ledesma

20-2-94

Nota.—El original en papel con membrete del «Museo Arqueológico de Toledo».

* * *

Mi querido amigo:

Supongo que recibiría usted en Cádiz el telegrama de pésame que le remití, el cual confirmo hoy con igual sinceridad.

Le creo á usted atareadísimo con los ensayos de la nueva obra. Mariano Díaz, el ingeniero, me dijo que pensaba usted estrenarla á mediados de este mes, pero lo dudo, pues la época no parece muy á propósito, estando tan encima las pascuas. Sea cuando sea y aunque sólo dispusiera de unas horas, conste que me plantifico en Madrid para darle á usted un buen apretón de manos, que ya será razon, puesto que desde hace no sé cuántos siglos no tengo de usted noticias sino por los periódicos y por nuestro desterrado Pepe Cubas, quien ahora me escribe unas cartas que parten los corazones. El hombre se encuentra endemoniadamente *saudoso* y nostálgico y eso que ahora está empezando. Cuando lleve, como yo, tres años y pico en Samarcanda, será ella. Es decir, *ella*, para mi que *há sido* ya. Y no hay que hablar más de esto.

Es muy problable que antes del estreno me llegue á Madrid unos días. Quisiera hablar largamente con usted de algunos asuntos mios que ya le indiqué en otra ocasión, y si tardo mucho, es fácil que antes pierda el habla, por falta de uso, pues para la gente de por acá, con gruñir ó verraquear basta.

Aquí, es decir, en Samarcanda, no ocurre nada: es más, yo ya voy creyendo que no há ocurrido nunca y que las pretendidas grandezas de la historia de esta ciudad son pura paparrucha, una guasa histórica. Esto me parece un magnífico escenario sin actores ó un *fondo* sin figuras. Para un canónigo rollizo y hermoso ó una buena Celestina que se encuentra uno de páscuas á ramos entre los pliegues de cualquier callejón, se topa uno en cambio con diez cadetes ó concejales de levita ó empleadillos de mala muerte. Toledo se va adulterando, como la Suiza de Tartarin. Vá faltando la huraña y castiza hostilidad que antes distinguía á estos hidalgos venidos á menos. En fin, hasta el seráfico Don Tomé, hay quien dice que acaba de emplear en amortizable los ahorrillos que antes prestaba, á módico interés, á algunas beatas y viudas menesterosas. Esa uniformidad que, segun Bourget, vá á ser la única grandeza de los tiempos venideros, invade ya hasta estos últimos mechinales del mundo. Claro, que no es cosa de entristecerse demasiado, ni menos de prorrumpir en elegías arqueológicas, pero motivo para aburrirse, ya le hay. Y como no otra cosa sino fastidio y cansancio puedo comunicar á usted, me callo, saludándole con el mayor cariño y despidiendome hasta muy pronto;

Paco Navarro
y Ledesma

2-XII-94

S/C. Santa Justa, 1.

* * *

Mi querido amigo:

Momentos despues de echar la carta de ayer, veo en «El Liberal» que el estreno vá á ser pasado mañana Jueves. Yo llegaré ese mismo día por la mañana y ruego á usted que en su casa me deje recado de dónde podremos vernos, por la mañana ó por la tarde.

No canso más. Hasta el jueves. Animo y á ellos. Suyo apasionado amigo,

Paco Navarro
y Ledesma

4-XII-94 y en Toledo

* * *

Mi querido amigo:

No quería haber escrito á usted tan pronto, pero el canallesco suelto de Arimon que acabo de leer me há encendido la sangre hasta el último extremo. Tengo pensado y casi hecho un artículo pegando fuerte á esa gentuza. ¿Quiere usted que se lo envíe para publicarlo en *El Correo*? ¿Le parece á usted más discreto aguantar todavia ancas de esos señores indocumentados? Me parece un delito que cuantos le queremos á usted, y somos muchos, muchísimos, no hagamos algo en son de protesta contra esas barbaridades. Bien es verdad, que las coces no deben dar lugar á protestas, pero tambien lo es que esa indecencia de *El Liberal* es de las que no se hán hecho con nadie. Eso es un refinamiento de saña de los que sólo se tienen con quien está por encima de todo. A tout seigneur, tout honneur *(sic)*. Eso ya no puede aguantarse. Bien sabemos todos y principalmente el público de buena fé que á usted no le alcanzan los tiros de esas nulidades, por mucho que empinarse quieran; pero, prácticamente, tampoco hay que perder de vista que millares de *personas* adquieren su cerebro todos los días por el perro chico que les cuesta el periódico y llevan su respeto hasta donde llevarlo quiere uno de esos tiranuelos endiosados. Si seguimos tolerando semejantes excesos, esto vá á ser no ya la demagogia, sino la anarquia artística. ¿De cuando acá, no ván á significar nada en este país veinte años de gloria conquistada á fuerza de trabajo y de genio? Aún podía pasarse por lo que ocurria antes; es decir, porque los hombres de valer se elaborasen poco á poco su público entre el silencio de los que *dirigen la opinion*, á quienes ni usted, ni Valera, ni Menendez Pelayo deben la más insignificante deferencia. Pero desde el momento en que tales caballeretes quieren asomar la jeta restando y royendo con el furor criminal de la impotencia, es cosa de procurar defenderse con no menos furia. Por todos los medios posibles, buenos y malos, hay que asaltar las *tribunas* en que esos entes se encuentran encaramados y arrojarlos á escobazos ó á patadas. La imbecilidad no puede prevalecer, á menos que quien tenga dos dedos de frente y dos adarmes de sentido comun emigre de España, maldiciendo de haber nacido aqui. Ya me lo temia yo cuando, acaso indiscreta é irrespetuosamente, insistía con usted en que se retirase la obra. Antes era la horda de los medianos la que todo lo invadía: ahora ya son las nulidades más plebeyas y de seguir así, no sé dónde vamos á parar. ¿Y no se podrá hacer algo para evitar estos desafueros? ¿No se hará ya caso de Echegaray, de Emilia, de Picon, de Clarín en esos periódicos del demonio? La cosa, en mi humilde concepto, merece la pena de hacer una campaña ruda y enérgica y claro está que no la há de emprender solo un oscuro provinciano como yo, aunque mi cariño supliera la falta de talento. Todos esos nombres de tan respetable autoridad ya sé yo que pesan al lado del de usted, pero es menester que todo el mundo los vea ostensible y claramente en esta ocasion para imponer respeto y silencio por la fuerza si es preciso. Con callarse ya vé usted lo que se adelanta. No es volverse contra el fallo del público, ni intentar discutirle siquiera, sino tener á raya á quien debe estar callado en un rincon, y que todo el mundo vea con claridad la cara ruin de esos industriales de mala fé, para que nadie haga caso de sus graznidos. En otro país, ya todos los que algo valieran hubiesen tomado la iniciativa, pero aquí hace falta excitarlos á ello y yo creo que responderán. ¿Qué le parece de esto á nuestro excelente Tolosa?

Perdone usted, mi querido Don Benito mi atrevimiento y mi exaltacion. Tal vez esto que le digo sean disparates, pero he sentido la necesidad de desahogarme y siento aún la de chillar muy fuerte. ¿Quiere usted que chille ó que me aguante los rencores? Lo que usted quiera, mande á su más ferviente admirador y devotísimo amigo que le quiere

Paco Navarro
y Ledesma

14-XII-94 Tol°.

Nota.—El original en papel con membrete de «El Jefe del Museo Arqueológico de Toledo».

* * *

Mi querido D. Benito:

Recibí su carta y el ejemplar de *Los Condenados* que le agradezco muchísimo. Hablando formalmente y sin lisonja, despues de leida la obra, noto en ella una porción de bellezas que en la representación pasaron por completo inadvertidas, gracias al exquisito cuidado que para oscurecerlas y ocultarlas tuvieron los señores histriones y particularmente Cepillo y esa señorita Cobeña, que es *talmente* un pedazo de carne y nada más, dicho sea *inter nos*. Yo no encuentro en el drama nada inverosímil, ni forzado, ni falto de interés. Tal vez sobran algunas explicaciones en el primer acto, y en el tercero, pero lo principal, el corazon de la obra es bueno y robusto, vive y palpita aunque no lo vean así los perspicaces críticos que están ocupados en ver cómo crece la alfalfa. *Item:* la escena principal del tercer acto, es decir, la aparición de Salomé loca, adquiere en la lectura un relieve shakespiariano. Oh! si esa escena la hubiese cogido por su cuenta la Guerrero, otro gallo nos cantára.

Ahí van esas cuartillas para que haga usted con ellas lo que quiera. Han salido acaso demasiado fuertes, por lo cual, dejo en sus manos de usted la decisión para publicarlas ó no. Por mi parte, creo que si algun crítico sério y apreciable, vg. Picon, Clarin, etc., dedicase al asunto un artículo empujando fuerte, no estaría fuera de lugar la publicación del mío: mas si, como es de temer, dada la apatia egoísta de esos caballeros, nadie dice esta boca es mía, acaso ese artículo, dada su índole y la absoluta oscuridad de mi firma, parezca una *pitada* con la cual nada salga usted ganando. En fin, eso, usted lo verá, y dispondrá como guste de ello publicándolo ó no (puesto que hay para ello *El Correo* y *El Día*), con supresiones y cortes ó sin ellos, como en absoluto le dé á usted la real gana.

Lo único que le ruego á usted, si se publicára es que me remita un número del periódico.

En esos antros llamados redacciones hé perdido los pocos conocimientos que antes tenía así es que, por mí no encuentro albergue ninguno para publicar ni aun la cosa más insignificante. Recientemente escribí un artículo rectificando la sarta de simplezas y necedades que dijo Martín Rico (1) en el Liberal acerca de *El Greco en Toledo*, se lo remití á un amigo para que lo llevase á el mismo Liberal ó el Imparcial ó al Heraldo y en las tres partes le dijeron que esos asuntos á nadie le importaban un rábano, ni valían la pena de que se hablase de ellos más de una vez.

Crea usted que me aburro aquí de un modo épico, pero cuando, por casualidad me asomo á eso que llaman la *vida intelectual* de nuestro país, casi casi me alegro de haberme arrinconado en esta venerable ciudad, porque entre ver vivos y efectivos á Urrecha, Dicenta (2), Arimon, etc,

(1) Martín Rico y Ortega (1835-1908), pintor español.
(2) Joaquín Dicenta (n. en 1863), literato y autor dramático español.

y ver muertos y bien quietecitos en sus sepulcros á Don Gonzalo Ruiz de Toledo ó á Don Alvaro de Luna ó á Don Gil de Albornoz ó á *la Malograda*, creo muy preferible esto último.

Tengo casi terminado un tomito de versucos, que no pienso publicar puesto que no hé de encontrar editor para ello (ni le busco siquiera), ni gastarme los cuartos en semejante sandez: pero sí le enviaré á usted el manucristo por si se le ocurre á usted ojearlo para llamar al sueño.

¿Piensa usted permanecer todavía mucho tiempo en Madrid?

¿Qué hay de Torquemada y San Pedro?

¿Y del discurso para la Academia?

Disponga usted como se le antoje de su más devoto amigo que le quiere,

Paco Navarro y Ledesma

10-1-95 Toledo

* * *

Mi querido D. Benito:

Despues de puesta en el correo la carta con el artículo que recibirá usted al mismo tiempo que esta, llega *El Liberal* y veo en él un artículo de Cávia (1) gallardamente escrito, que aun cuando no tiene relación directa en lo principal con nuestro asunto, puede servirme de base para una *Réplica* en forma clásica también y que acaso resulte más oportuna y discreta que no el artículo que ya habrá usted leido y que es tal vez desaforado excesivamente.

Como el asunto me interesa muchisimo, por tratarse de usted, pongo mano en él inmediatamente y con los cinco sentidos, y en cuanto esté forjado se lo enviaré á usted para que lo dé el destino que crea mejor.

Nada tengo que añadir á lo dicho en la otra carta, sino rogarle me dispense por molestar tanto su atención y ponerme de nuevo á sus ordenes.

Suyo siempre afectisimo

Paco Navarro
y Ledesma

11-1-95 T°.

* * *

(1) Mariano de Cavia (1855-1919) insigne periodista español.

Mi querido Don Benito:

Ahí vá eso que acabo de fraguar. Si le gusta á usted y no le parece muy fuera de sazon, creo que pudiera publicarse en *El Correo* ó donde á usted le parezca.

Inútil repetir que puede usted disponer, sin más razones y como se le antoje del artículo y de su autor que cariñosamente le saluda.

Paco Navarro
y Ledesma

13-I-95 Toledo

* * *

Mi querido D. Benito:

Hé recibido su carta y dos ejemplares de *El Día*. Me alegro mucho de que le haya gustado á usted el artículo y más me alegraría de que produjese el efecto apetecido.

Ya habrá usted recibido mi contestación á Cávia. Cómo en ella, aunque en distinta forma, se repiten los conceptos del artículo, no sé si convendrá publicarla en el mismo sitio y con la misma firma. Eso, usted há de decidirlo, con entera libertad. Si le parece á usted, puede publicarse, únicamente con el nombre del bachiller Pedro de Rúa, que, como usted sabe, fué el mayor impugnador de Fr. Antonio de Guevara, fechándola en Burgos, desde donde aquel escribía. De todos modos, haga usted lo que guste, cortando ó suprimiendo del todo.

Me alegro mucho de que Peña saque tambien la cara en favor de usted y muy útil sería la intervención de Clarin. ¿Quiere usted que *alguien* se lo indique particularmente?

Disponga usted en absoluto de su devotísimo

Paco Navarro
y Ledesma

16-I-95 Toledo.

NOTA.—El original en papel con membrete de «El Jefe del Museo Arqueológico de Toledo».

* * *

Mi querido Don Benito:

Mucho le agradezco á usted el haberme remitido la carta de Clarin, y á este señor el buen concepto que de mí há formado. Hace algunos años, con motivo de un artículo que publiqué en El Globo, me escribió tambien particularmente en son de elogio, le contesté con el mejor comedimiento que supe y no pasó de ahí la cosa, pues ya sabe usted que á mi esto de la literatura me dá con intermitencias. No aspiro á ser nada *en el oficio* y sólo saco los pies de las alforjas cuando se trata de algun amigo á quien quiera y respete tanto como á usted, verbigracia, á mi buenísimo maestro Don Marcelino. Usted y él únicamente pueden disponer de mi inutilidad. Respecto de *los demás*, quiero conservar toda la independencia posible, porque aun sin haber hecho otra cosa que asomar las narices á la mal llamada vida intelectual de España, hé sufrido algunos chascos desagradables que no hay para qué mentar. Pero, repito, si algún día puedo servirle á usted para algo, conste que lo hago con mil amores y, aunque sea de cabeza, me traslado á Madrid ó á donde haga falta, para lo que usted me mande.

La carta de Clarin, como tiene usted tanto interés en conservarla, no la quiero confiar al correo. Dentro de tres ó cuatro dias, se la llevará á usted, á la mano, un amigo mio que vá á Madrid. Al mismo tiempo, le mandaré á usted un cuadernito de versos, el cual contiene todos los que hé compuesto desde el 91 á acá. No se asuste usted, que no soy tan político como D. Alejandro Pidal. Le ruego á usted que los lea, cuando tenga algún rato de sobra y que me diga, con toda ingenuidad, si le parece que la cosa merece la pena de insistir, porque como no se los hé enseñado más que á algunos amigos tan cariñosos como malos críticos, no tengo ni idea de lo que ello pueda valer. Lo que más le agradeceré á usted es que acerca de esto me hable sin miramientos y con toda la franqueza posible, para, en su caso, colgar la péñola y no perder el tiempo inultilmente.

No estoy conforme con Clarin en lo de que escriba usted deprisa y corriendo otro drama para la Guerrero. El primero que haga usted si que debe ser para ella, porque verdaderamente, la compañía de Mario se há puesto imposible; pero á nadie ménos que á usted, que está colocado en la cima, le están bien los apresuramientos. Bueno que quien pierde todo su capital á una carta, busque el desquite inmediatamente, pero á quien le sobran reservas metálicas, deben sobrarle tambien agallas y *correa* para esperar una sazon oportuna.

Bien señalados están *los enemigos* que indica Clarin, pero como él vive tan lejos, sólo se fija en *los gordos*, que, ni para bien, ni para mal se dignan ocuparse en estas cosas, y no percibe la pestífera influencia de los de escalera abajo, que son los verdaderos causantes del daño: no Mellado, ni Fernanflor, ni Gasset, sino Pirracas y Arimon y Urrecha. Aquellos, hombres olímpicamente hueros se contentan con vivir arrellanados confortablemente en su propia estupidez, mientras que éstos á modo de mosquitos, como no gozan de tal comodidad, se ven obligados á chupar la sangre y el jugo de quien lo tiene.

Esto ya es demasiada carta. Por acá se espera con impaciencia el fin de los sucesos del glorioso y memorable Torquemada, ante quien mudos se postran Gobseck y Sylock *(sic)* y el avaro de la Aulularia, cuyo nombre no recuerdo ahora. Aquellos sólo eran avaros de dinero. Torquemada además, por un fenómeno muy frecuente en nuestros tiempos, lo es de consideraciones y vanidades sociales, de *relaciones*, en fin, de todo este mundo de apariencias que hoy valen tanto ó más que el capital sonante. Así, al menos, entiendo yo el tipo.

De usted devotisimo amigo, que le quiere,

Paco Navarro y Ledesma

26-I-95 Tol°.

* * *

Mi querido Don Benito:

Supongo que recibiría usted la carta de Clarín y el cuadernito que le envié, por un amigo.

Estuve el otro día en Madrid solamente seis horas, por lo cual no pude tener el gusto de saludar á usted. Pensaba haber ido al estreno de Echegaray, pero una infinidad de ocupaciones me lo hán impedido. Como há de representarse bastante, segun veo, puede ser que el mes que viene vaya y entonces nos veremos.

Atendiendo á la indicación que usted me hacía y porque realmente me há parecido admirable el último libro de Pereda, *Peñas arriba*, hé forjado un artículo encomiástico, que remití hace días á Vicenti (1), para que lo publicase en *El Globo:* pero veo que no lo publican ó que siguen con la antigua costumbre de obligarle á uno á hacer antesala durante el tiempo suficiente para que las cosas se vuelvan fiambres, cosa que tratándose de un antiguo y *gratuito* colaborador me parece una descortesía. Puesto que usted conoce á ese Sr. Linares, que llevó mi primer artículo ¿será usted tan amable que, si le ve, le pregunte qué hay de eso? Y si no lo publican en *El Globo*, como tengo borrador, lo que hago es enviárselo á usted para *El Correo* ó *El Día.* ¿No le parece á usted? Por mi parte, no tengo empeño alguno en que se publique y si me salen con dificultades, cuelgo la péñola y no vuelvo á chistar sino cuando se trate de usted ó de Don Marcelino, á quien ví el otro día y tambien me animó mucho, como usted y como Clarín, á que siguiera escribiendo. Pero para andar por estas encrucijadas de la prensa, segun veo, la benevolencia y la amistad de los grandes hombres son de tanto provecho como sería el llevar la cartera repleta de billetes de á mil francos para andar por las aldehuelas de la Mancha. A bien que yo, como Cervantes, digo que me viva el Veinticuatro mi Señor: vívame Don Benito, que es mi conde de Lemos y mi ilustrísimo Don Marcelino y siquiera no haya imprentas ni papeles periódicos en el mundo.

Y con esto, no canso más. A Torquemada y San Pedro quedamos esperando con ansioso deseo.

Soy siempre de usted afectísimo y obligado amigo, que le quiere.

Paco Navarro
Ledesma

10-II-95 Toledo

* * *

(1) Alfredo Vicenti (1854-1916), periodista español que dirigió *El Globo.*

Mi querido Don Benito:

Pensaba haber ido á Madrid y darle á usted personalmente las gracias por el pinchazo al Sr. Vicenti, sin el cual (pinchazo) no se hubiera publicado el artículo sobre «Peñas arriba»; pero un monton de chinchorrerías y ocupaciones y además la fabulosa crecida del Tajo, que há interrumpido todas las comunicaciones con la corte, me han impedido realizar mi deseo. Esta vez el río de las arenas de oro (dónde estarán?) há hecho una verdadera hombrada saltando por encima de molinos y tenerías, arremolinándose con furia en las angosturas de Alcántara y convirtiendo en un lago la huerta del Rey y en una isla los palacios de Galiana. Por las alamedas de Safon se podía navegar.

Me hé mudado y le ofrezco á usted mi nueva casa en la calle del *Arco de Palacio*, 5 es decir, entre el Hombre de Palo y la Trinidad, frente á la Catedral y al Palacio del Arzobispo, en un sitio de los más característicos de Toledo, por donde pasan todas las procesiones y se escucha á diario el abejoneo de los canónigos y beneficiados que bajan al coro, el de las larvas eclesiásticas que acuden al seminario y la sazonada plática de los «nobles discretos varones» del Ayuntamiento. Anímese á venir por acá en Semana Santa ó Corpus y verá lo que desde mi *camón* (mirador) puede verse.

Le participo á usted el fallecimiento de Mariano (a) el Sordo, el campanero de la Catedral, aquel hombre de serena cabeza que subió a colocar el pararrayos sobre la veleta y que dirigía la colocación del armatoste para el Monumento de Semana Santa. El perro de Terranova está inconsolable y el Cabildo perplejo, porque no todos pueden desempeñar misión tan delicada como la del buen Mariano.

Un día de estos se le presentará á usted un joven *local*, á quien me hé visto precisado á darle una carta, con objeto de que le recomiende á Mario, nada ménos. No haga usted el menor caso de la recomendación, que es de las de puro compromiso, ni se moleste lo más mínimo en complacerle.

¿Quién es ese Z. que oficia ahora de crítico en *El Imparcial*? Me figuro que será Villegas. Del mal, el ménos. ¿Ha visto usted lo que dice

Sánchez Pérez (1) á Blasco (2), en el último número de «La Ilustración Artística» de Barcelona? Todavía colea la cuestión. *A pesar de todo*, el viejo Sr. Pérez elogia como se merece el prólogo de usted. Y eso que el pobre hombre tiene que *estar bien* con *los chicos*, por aquello de la *mantenencia*, que decía el Archipreste de Fita.

¿Qué hay de Torquemada?

Dispense usted las impertinencias de su muy obligado y cariñoso amigo.

Paco Navarro
y Ledesma

3-III-95 Toledo (Arco de Palacio, 5)

* * *

Mi querido Don Benito:

Hé recibido á Torquemada y San Pedro, me los hé tragado inmediatamente y al mismo tiempo que esta, le envío á Vicenti un artículo tratando del asunto, rogándole que lo inserte pronto. Antes hubiera ido el artículo, pero vinieron hace tres días los del Blanco y Negro (Royo, Huertas, etc.) y me han traido como un zarandillo de una parte para otra, sin dejarme respirar. Y ahora me alegro del retraso, porque me há permitido tirarle una puntada á Cavia, cuyo artículo me há sabido agridulce, con más de ágrio que de otra cosa: además está escrito *en evangélico* de la clase de idiotas. Efectos alcohólicos. Espero que hablará alguien en *El Imparcial*: Clarin ¿no es verdad?

Y á propósito: *la salida* de Clarin me há parecido excelente. No hay, de fijo, quien se atreva á rechistar. Pero lo malo es que *los gordos* á quienes él cita, no hay medio de que acudan, ni rechisten tampoco.

No sé si recibirá usted esta en Madrid ó en Santander, pero supongo que se la enviarán. El artículo se lo remitirá á Madrid, cuando se publique. Me há salido algo corto y me alegro, para que no pongan dificultades, pues á nosotros los pelagatos, en cuanto se nos escurre un poco la pluma ya están soltándonos el manoplazo, y hasta cortando por donde quieren.

---

(1) Antonio Sánchez Pérez (1838-1912), literato español.
(2) Eusebio Blasco (1844-1903), periodista, literato y autor dramático español.

Me figuro que ahora se dedicará usted á componer el discurso para la Academia. Si viene usted á Madrid con ese objeto, no deje de avisarme, para plantificarme en el lugar de la ocurrencia, si me es posible.

Por aquí no ocurren más novedades que el trasiego de puestos y prebendas en favor de la conservaduría. Sin embargo, aún no há sido cosa mayor la sangre derramada, gracias á la vigilancia del Abuelo (D. Venancio) que cuida de sus piaras en todos tiempos y contra todas las ventoleras.

Que usted se divierta en su Santander, con salud y humor, es lo que desea su más fiel devoto,

Paco Navarro
y Ledesma

3-IV-95 Toledo.

* * *

Mi querido Don Benito:

Hé recibido el Evangelio, digo, Nazarín, que me há llenado de entusiasmo y hoy mismo le envío á Vicenti un artículo sobre el asunto, rogándole que lo publique pronto.

Hoy no puedo escribir largo. Le envío á usted un abrazo por el excelente rato que me há hecho pasar y quedo, como siempre, de usted entusiasta y agradecido amigo,

Paco Navarro
y Ledesma

12-VII-95 Toledo

* * *

Mi querido Don Benito:

Me supongo á usted dando los últimos toques á esa obra ú obras dramáticas de que nos hán hablado los periódicos. La temporada se anuncia tremenda: tres teatros sérios abiertos! porque segun mis noticias, Vico tambien se queda, ó mejor, el público *se quedará* con él. Eso me recuerda aquellos últimos y tristísimos días de mendicidad artística de D. José Valero (1), quien, sin embargo, valía mucho más que Vico.

Creo que recibiría usted mi artículo y otro que le remití despues acerca del precioso libro de D. Marcelino. Este querido maestro cada día está más joven y más fuerte. Sus libros son, con toda verdad, de los que ahorran una biblioteca y su sentido artístico cada vez es más noble y depurado. Yo no encuentro crítico extranjero, de los vivos, con quien compararle por ningun concepto. Si en Francia tuviesen un Menéndez y Pelayo, la torre Eiffel les hubiera parecida baja para que le sirviera de pedestal.

Yo, dentro de unos días, voy á solicitar el traslado á Madrid y creo que lo conseguiré; pero como mi situación es muy apurada, por que aquí apenas si hé podido ir viviendo, y como además, el sueldo que tengo es muy corto, no puedo irme á la corte sin contar con algun otro recurso para poder vivir y para encontrarlo ruego á usted, como ya le tengo indicado, que me preste su ayuda cariñosa y eficacísima, única cosa en que confío, pues no conservo en Madrid relaciones para poder colocarme en ningun lado. De usted solamente depende el que yo pueda salir adelante en este paso grave y decisivo que voy á dar. Ya sabe usted mejor que nadie las dificultades enormes de la lucha á plumazo limpio, dificultades que se centuplican cuando no es uno ningun ave fénix: quien no tiene la suerte de encontrar algun auxilio ó protección eficaz que venga de arriba, ya está aviado. Y yo no cuento con más auxilio sino el que usted quiera prestarme.

Hé sabido con certeza que en el *Heraldo* se vá á hacer una gran reforma, publicándole por la mañana desde el próximo Setiembre ú Octubre. Sé también que há habido quien há arrimado bastante guita á la empresa, y que la cosa marcha á pedir de boca. ¿No sería posible meter ahí la cabeza como redactor literario ó si no, como colaborador fijo? ¿Tendría usted algun medio de proporcionarme la entrada? Creo que no le sea á usted difícil y por eso se lo indico, rogándole me diga francamente si puede hacer algo de esto y suplicándole al mismo tiempo

---

(1) José Valero (1808-1891), actor español.

me perdone la molestia que con ello pueda causarle, por la positiva y perentoria necesidad en que me encuentro.

Espero la contestacion de usted y, cualquiera que ella sea, no dude usted del respetuoso é invariable afecto de su devotísimo

Paco Navarro
y Ledesma

26-VIII-95 Toledo

S/C. Arco de Palacio, 5.

* * *

Mi querido don Benito:

Por mucho que rebuscase, no podría expresarle mi agradecimiento por su carta y por los excelentes deseos que en ella me manifiesta. Hé pasado en Madrid unos días no ya buscando, hasta mendigando colocación en todas partes y volví ayer muy desanimado, pero su carta de usted me alienta y me fortalece. *Vívame el Adelantado mi señor*, diré una vez más, y vayan todos los malandrines que tocados de mitra y orejeras, se complacen en reconstruir la vieja pared en que tropezó y cayó Fígaro.

Claro está que mi mayor deseo y mi satisfacción más acabada sería entrar en El Imparcial, aun cuando ahora al princípio fuese en condiciones modestas. Allí podría hacer no sólo crítica sino algunas otras cosas: versos, articulillos de composición, cuentos etc. Además tengo en el magin un proyectillo de *Diccionario crítico* como el de Gallardo (es decir, por el estilo) que se habría de publicar por palabras sueltas y en el cual se estudian (con toda la amenidad posible y evitando la machaconeria) y consignan las variaciones que la mayor parte de las palabras de uso hán experimentado en su sentido y valor literario, psicológico, moral y mundano, durante estos últimos tiempos. Bien hecho, eso podría ser cosa interesante y ayudar á la novela y al teatro en la faena de hacer la historia interior del país. Pero esto nada tiene que ver con la entrada en El Imparcial, idea acertadísima como de usted, y que me tiene loco de entusiasmo. Desgraciadamente, por mi parte no conozco á nadie que pueda prestar ayuda y tengo toda mi confianza puesta exclusivamente en usted y en el amigo Tolosa y con esto creo que bastará. A Ortega Munilla le dí un bombo hace pocos días en *El Globo*, del cual no sé si se habrá enterado. El bombo era de mayor cuantía. Si le escribe usted y le parece oportuno, puede indicárselo. Se trataba de *La viva y la muerta*, que, en efecto, merece elogios y ya quisieran escribir así muchos que le roen los zancajos á Ortega.

Yo probablemente estaré en Madrid dentro de doce ó quince días, pues también tengo que gestionar mi traslado, para lo cual aguardo á que venga D. Marcelino, que puede hacerlo, si quiere. Pero si antes fuese necesario ir, dígamelo usted. En Madrid ya va habiendo bastante gente y es preciso empezar pronto la campaña.

Mucho, muchísimo me alegro de que active usted su entrada en la Academia. Claro que á usted maldito si le hace falta, pero es muy conveniente por varias razones. Acaso lo mejor sería entrar allí unos días antes del estreno. Esa segunda salida de *Nazarín*, venga pronto que sin duda há de ser tan buena y provechosa como la segunda del hidalgo manchego.

Creo no haberme metido con Reina (1) y le agradezco á usted la indicación para no hacerlo. Tiene usted razon en lo que dice del Heraldo y sobre todo de los Figueroas, quienes tienen la virtud de indisponerse con todo aquel á quien sacan el jugo. En poco tiempo se hán desprendido de Burell, de Ibáñez Marin, de Canals y de otros varios buenos periodístas. Con Cávia acaso no lo hagan, porque comprenden lo necesaria y y útil que es su colaboración. Sin embargo de todo, el Heraldo vá á poder con El Liberal, aun cuando no con El Imparcial, único periódico que en realidad tiene fuerza propia.

No canso á usted más. Reciba de nuevo las expresiones de mi agradecimiento y de mi cariño, con un abrazo de su muy obligado

Paco Navarro
y Ledesma

22-IX-95 Toledo.

* * *

(1) Manuel Reina (1856-1905), poeta español.

Mi querido D. Benito:

Aquí estoy desde hace diez ó doce días, haciendo los posibles y aun los imposibles por lograr que me trasladen á cualquier Museo, Archivo ó madriguera bibliográfica de las muchas que en Madrid existen, y trabajando al mismo tiempo, para ver de ganar algunas monedas que me son necesarias para poder vivir aqui donde la vida es tan difícil.

Al primero que hé visto y hablado, naturalmente, há sido á nuestro bueno y querido doctor Tolosa Latour, por cuya mediación pienso conseguir que me admitan con frecuencia artículos en El Imparcial. El otro día estuvo (Tolosa) almorzando con Ortega Munilla para hablarle del asunto mío y de otros varios asuntos que ya referirá él á usted, segun me há dicho, y parece que quedaron muy conformes. Esta noche ó mañana me presentará á Ortega y ya le llevo un artículo, para ver si quiere publicarlo, como há ofrecido. Esto ya será cosa buena, si se consigue, que buena falta me hace.

Tambien me encarga Tolosa que le diga á usted que le parecería mejor el título completo y no *Halma* solamente, y que no venga usted con aplazamientos para entrar en la Academia. A esto último uno yo mi súplica. Creo que conviene muchísimo que entre usted cuanto antes en la *docta casa* y que no debe usted diferirlo de ningun modo. Y por último, ambos le rogamos á usted que venga á Madrid cuanto antes, pues su presencia aquí es muy necesaria.

Ya habrá usted leido que el Español há empezado brillantemente. En cambio, á la Comedia no vá un alma, pues la pareja ó *tandem* Tubau-Palencia se há hecho antipática á todo el mundo y parece ser que á Mario no le dejan meter baza en nada. No cabe duda; Guerrero *for ever*, ó al ménos, algunos años.

Madrid ya está completamente animado: ha vuelto ya todo el mundo y la actitud es de general expectación.

Tengo algunos motivos para creer que no se debe confiar demasiado en el amigo *Zeda*. No puedo concretar, pero conviene estar alerta y tenerle bien preaprado para cuando sea preciso, porque va tomando sobrados humos.

Unos amigos habrían hablado en favor mio para entrar en *El Nacional*, periódico ministerial que ahora *pega* y paga bien; pero hay enormes dificultades, pues sobra gente allí y ademas no creo que sea muy duradero ese periódico, porque es imposición gubernativa y, por añadidura, lo dirige un Figueroa y estos son gente que todo lo echa á perder. Si lograse colar en el Imparcial, bien como redactor ó como colaborador *fijo* y constante, esto sería mejor que nada ¿no le parece á usted?

Hé escrito un monólogo en prosa para una actriz. Ya se lo leeré á usted y espero que me dirá usted su opinión imparcial, sin rodeos. A Tolosa se lo hé leido y le há gustado, indicandome algunas correcciones de poca importancia. Pero ambos aguardamos que venga usted para que dé su fallo inapelable en última instancia.

Conque, á animarse y á venir pronto por acá, que con los brazos abiertos le esperamos á usted el exímio doctor y el último de los aprendices, que le abraza á usted cariñosamente

Paco Navarro
y Ledesma

20-X-95

Si tiene usted que escribirme para algo, dirija la carta al Ateneo.

NOTA.—El original en papel con membrete del «Ateneo de Madrid».

* * *

Mi querido Don Benito

Ya habrá usted visto que Villegas salió del *Imparcial*, de modo que la ocasión es bien oportuna para que el Sr. Ortega haga algo en mi favor, si quiere. Claro está que no me forjo ilusiones de ocupar el puesto de *Zeda*, pero la verdad es que hay un hueco, lo cual es cosa muy poco frecuente y que ahora se podía aprovechar la ocasión. Quería haberle visto á usted hoy, pero no hé tenido ni cinco minutos de respiro y por si no le veo á usted esta noche, allá ván estas dos letras.

El monólogo lo llevo conmigo y se lo daré á usted así que nos veamos. Mañana iré á buscarle á usted al teatro, pero no puedo precisar á qué hora.

En sus manos de usted y en las de Tolosa encomiendo mi asunto' que para mi es de importancia tremenda, de importancia vital - aza.

Conque, hasta mañana, mi querido Don Benito: siempre de usted devotísimo

Paco Navarro
y Ledesma

11-XII-95

Me dicen ahora que entrará Cávia en el puesto de Villegas.

Parece que Ortega tenía curiosidad por saber quién hace la cuarta plana de Gedeon. Soy yo.

* * *

Mi querido Don Benito:

Siento mucho no haber podido ver á usted ayer ni hoy, pues cuando hé ido al teatro ya se había usted marchado. Por esto, comprendo que no se habrá adelantado nada en mi pretensión. Hoy me há dicho uno del mismo *Imparcial* que Cávia no quiere hacer la sección de teatros y que Picon probablemente no la hará tampoco, por lo cual Ortega está indeciso y sin saber qué hacer.

Si usted no sale mañana de su casa antes de las diez, allí nos veremos y si sale usted antes, haga el favor de dejar recado de dónde podremos vernos y á qué hora.

Yo haré por ver esta noche á Tolosa.

Leída la mitad de *Halma*, pues no hé tenido tiempo para más. La concluiré esta noche. También hablaremos de eso.

Hasta mañana, le envía un apreton de manos su muy obligado

Paco

14-XII-95

NOTA.—El original en papel con membrete del «Ateneo de Madrid».

* * *

Mi querido Don Benito:

Llegué aqui el sábado por la noche y hoy hé recibido el número de *Gedeon* en el cual se ataca algo á usted y mucho á D.ª Emilia y á otras personas que merecen mi respeto. Como no veo en ello nada que parezca censura de carácter artístico ni sátira literaria, sino un desahogo del encono personal de Roure (1) (que es el autor de todo ello) contra los que se hallan colocados más altos que su impotencia, inmediatamente me hé apresurado á escribir al Director de *Gedeon*, diciéndole que dejo de formar parte de la redaccion de un periódico que parece iniciar una campaña de difamacion personal.

Le digo á usted esto, aunque no le importe, porque soy muy claro y deseo hacerle ver que de ninguna manera consiento bromas de mal gusto acerca de sus obras de usted, ni de ningun autor, si los hubiera, digno de tanto respeto. Así se lo digo al *Gedeon*, pidiéndole haga constar que me separo del periódico.

El domingo próximo iré á Madrid y hablaremos de esas y de otras cosas.

Por hoy, no hago sino repetirme de usted muy obligado amigo que le quiere y le admira

Paco Navarro y Ledesma

25-XII-95 Toledo.

* * *

Mi querido D. Benito:

Esta noche me es imposible ver á usted, por hallarme ocupadísimo. Ya hé hablado con su sobrino, y este le habrá dicho á usted lo que quería.

Mañana noche irán á sacar fotografías para Blanco y Negro y convendría un retrato de usted que no fuera de los ya publicados. Si le ue a á usted posible proporcionarnos para mañana tres butacas ó un

f

(1) José de Roure, literato español que colaboró en *Gedeón*, m. en 1909.

palco de cualquier clase, se lo agradeceríamos, pues Moya desea tomar apuntes para hacer una revista en un periódico de Barcelona y además queremos sacar algo de la obra para la cuarta plana de *Gedeon*. Mucho le agradecerá, pues que me haga el favor de dejarme esas localidades, porque todo se há de hacer con urgencia.

Ya nos veremos mañana en el teatro.

Siempre suyo

Paco

29-I-96

NOTA.—El original en papel con membrete del «Ateneo de Madrid».

* * *

Mi querido D. Benito:

Aunque no nos vemos, creo que tampoco nos olvidamos. Espero, pues, que no se olvidará usted de mi para proporcionarnos butacas para el estreno á Luis Royo y á este cura.

Haré por ver á usted antes de pasado mañana, pero por si no pudiera hacerlo, le agradeceria á usted infinito que, segun costumbre de todos los estrenos anteriores, me dejase usted las localidades en casa de Guttenberg.

Mil y mil gracias por ello, y allá iremos á aplaudir todos como un solo hombre.

Siempre suyo devotisimo

Paco Navarro
y Ledesma

21-XII-96

Tengo el gusto de remitirle á usted un Almanaque de Gedeón.

NOTA.—El original en papel con membrete del «Ateneo de Madrid».

* * *

Mi querido D. Benito:

Muy ocupado esta noche, con la confección y ajuste de *Gedeón* de mañana, me es imposible ver á usted en el teatro. Si puede usted enviarme un recado aquí á la redacción de *El Globo*, en donde estaré *clavado* hasta las dos de la madrugada, se lo agradeceré. Si no, mañana procuraré ver á usted.

¡Ah! y las butaquitas... Que cuento con ellas.

Hasta mañana pues.

Suyo del todo

Paco Navarro y Ledesma

22-XII-96

* * *

Mi querido Don Benito:

¿Cuando podremos vernos pronto? Necesito hablar *in extenso* com usted.

¿Puede usted dejarme esta tarde en casa de Guttenberg un palco para esta noche? Se lo agradeceré á usted infinito así como también que me deje allí indicado dóndo y cuándo nos veremos.

Estoy muerto de trabajo, con *El Globo* y las demás cosas.

Siempre suyo devotísimo

Paco Navarro
y Ledesma

11-II-96

NOTA.—El original en papel con membrete del *Continental Expréss* (Transportes terrestres y marítimos).

* * *

Mi querido D. Benito:

Le envío á usted *El Globo* en que hablo de *Misericordia*. Tambien lo hice en *La Revista Moderna*, que ya vería usted.

Tenemos que echar un párrafo muy largo de multitud de cosas. Tengo grandes proyectos que comunicar á usted, y quisiera hacerlo muy pronto, pero siempre estoy atosigado de ocupaciones.

Le abraza cariñosamente su siempre afectísimo

Paco Navarro
y Ledesma

17-V-97

Nota.—El original en papel con membrete de *Gedeón*, Semanario Satírico Ilustrado, tachadas las señas impresas del Semanario y manuscritas las de: Fuencarral, 23-1.º.

* * *

Mi querido D. Benito:

Le ruego que, si há recibido usted ya el nombramiento de individuo del tribunal de oposiciones, no envíe la renuncia todavía, hasta que hablemos, porque tal vez me convenga más que no presente usted la renuncia á tiempo, con objeto de que entre Picón como suplente.

Mañana procuraré ver á usted para ponerle más en autos.

Siempre suyo

Paco Navarro
y Ledesma

9-I-98

Nota.—El original en papel con membrete del «Ateneo de Madrid».

* * *

Mi querido D. Benito:

Aunque hace ocho meses me encuentro enfermo de la cabeza y los médicos me hán prohibido todo trabajo y ocupación intelectual, sigo *con creciente asombro*, como diría Torquemada, la serie de *Episodios* que hé ido recibiendo con puntualidad. Acabo de leer *La estafeta*, que hacía falta en la serie, como nota ménos cruda y sangrienta que las otras, en las cuales la impresión directa de la narración produce un efecto, á veces, espeluznante, como debió de producirlo la realidad. La opinión vulgar, de que soy representante, aunque indigno, estima que estos episodios son *más roios* que los otros y que en ellos ocurren más cosas extraordinarias. Acaso la opinión vulgar no se dá cuenta de que la época descrita fué una época de exaltación brutal, constante y que por consiguiente, en ella hubieron de suceder cosas nunca vistas, y de aparecer personajes extrambóticos *(sic)* y de revelarse caractéres no previstos en la ciencia novelística.

Pero esto no viene á cuento. Lo que yo quiero decirle á usted, por lo mucho que le quiero y le respeto y tambien porque llevo ocho meses viéndole las orejas al lobo y aun el lobo entero, es, que, terminado ese sexto volúmen, aun cuando usted crea que no lo necesita, se impone un descanso de algunos meses, que bien se lo há ganado usted. Mire usted que, con tales excesos de trabajo, el día ménos pensado le empieza á uno cierto ruidito en el oido y tras ello, el vértigo y los vómitos y las fiebres... y hombre inutil durante un año lo ménos, como me sucede á mi, que no soy un genio como D. Benito, pero, en cambio, soy más robusto, por más jóven.

Y esto no es meterme en lo que no me importa, porque la salud de usted importa á toda España y más á los que tan bien le queremos.

Venga, pues, á pasar el invierno *por aquí abaio*, y á descansar una temporada. Aqui tiene usted á Pepe Cubas, hecho el primer vago de Madrid y decidido á *sacarle á usted de paseo* por las afuera ó por donde guste y le convenga.

Además, si viene usted antes del jueves de la semana próxima, tendrá el gusto de votar á Picón para la Academia; y tengo entendido que su voto de usted es el decisivo, porque hay empate.

De todos modos, conste que tiene ganas de darle á usted un apreton de manos su inutil y mareado admirador y amigo que mucho le quiere

F. Navarro
y Ledesma

17-X-99

NOTA.—El original en papel con membrete del «Ateneo de Madrid».

* * *

Mi querido D. Benito:

Por si no lo sabe usted, le partícipo que há sido usted nombrado juez del tríbunal de oposiciones á las cátedras de Retórica y Poética de los Institutos de San Isidro, Badajoz y Teruel. Como yo tomo parte en esas oposiciones, le ruego encarecidamente que no le dé á usted la mala idea de renunciar, privándome de su eficaz auxilio, que me hará muchísima falta. Por si no puedo verle á usted, como píenso, dentro de dos ó tres días, se lo aviso anticipadamente. Creo que las oposiciones no se verificarán hasta octubre próximo, pero de esto y de otras cosas tenemos que hablar largamente.

Siempre suyo invariáble

Francisco Navarro
y Ledesma

25-XII-99

* * *

Mi querido D. Benito:

Por los clavos de Cristo y por las Once mil vírgenes, hágame el favor de aceptar el nombramiento de juez ó lo que fuese para el concurso del *Blanco y Negro*. Mire usted que hay un cuento mío y que no tengo otra defensa síno usted. Se lo suplíco de la manera más formidablemente interesada, y espero que atenderá usted mis ruegos. En último resultado, eso no le va á proporcionar á usted trabajo nínguno y le puede dar ocasión para hacerme un favor importante.

Sé que Ortega há aceptado ya y D. Marcelino está dispuesto á ello, pero si usted se niega tal vez D. Marcelino también se eche atrás, y entonces, nos hemos fastídiado.

Escribo á usted, en vez de verle, por la urgencía del caso y por no hacerle perder tiempo.

Siempre suyo de corazón

F. Navarro
y Ledesma

3-XI-900

NOTA.—El original en papel con membrete de «Obras de Pérez Galdós», Hortaleza, 132.—Madrid.

* * *

Mi querido D. Benito:

Envío á usted los tomos de las obras de Pastor Díaz que pueden interesarle. La novela, creí que la tenía completa y no encuentro más que el primer tomo. En el tomo III hay otra novelucha corta, titulada, *Una cita*, que aún me parece más interesante y típica.

Hé marcado algunas páginas que le pueden servir á usted. Las *obras en proyecto* de Don Nicomedes son todo un poema. Tambien hé señalado unos rídiculos versos del Sr. Burgos, *congrius maximus*. Todos estos escrítores parecen americanos del Sur.

Siempre suyo apasionado

Paco

(Vuelta)

4-XI-900

Ve *Los Ayacuchos*.
«*Ramón Nocedal*.» Pág. 42.
«... en la Plaza de la Cebada, donde hoy está Novedades» - Págs. 76 y 77.
«... el *Tratado de la Paciencia*, de Malón de Chaide, la *Vida de Cristo*, del padre Nieremberg.» Pág. 124.

LOS DISCURSOS DE LA PACIENCIA CRISTIANA *muy provechosos para el consuelo de los afligidos en cualquiera adversidad* y *para los predicadores de la palabra de Dios* fueron compuestos por el Mtro. Fray Hernando de Zárate, agustino.
La vida de Christo, *Nuestro Señor*, por el P. Pedro de Ribadeneyra, jesuita.

Vale

NOTA.—El original en papel con membrete de *Gedeón*, Semanario Satírico Ilustrado. Colmenares, 7, bajo.

* * *

Mi querido D. Benito:

Dos letras sólo para acusarle recibo de su muy grata y decirle que estoy sobre la pista de esas piezas de teatro pastoriles y mitológicas. Entre los MS. de la Bib. Nac. hay bastantes, pero sobre todo he visto dos títulos que estan diciendo *comedme.*

1.º *Evandro y Alcimna.* Pastorela en un acto, en prosa. Extractada y aumentada copiosamente de las obras de Mr. Gesner.

2.º *Competencias de amistad, amor, furor y piedad.* Comedia heróica y pastoral, para la compañía de Juan Ponce, sacada de la ópera *la Olimpiada*, del célebre Abate Pedro Matastasio y acomodada al teatro español *¡por D. Ramón de la Cruz!* Representóse en 1769. Está en tres actos, verso. Los personajes se llaman Lícidas, Amintas, etc.

Tengo además copiada una escena de *Icaro y Dédalo*, majadería en 3 jornadas, de D. Melchor Fernandez de León. Los personajes son tambien alléchents *(sic)* (Icaro, Dédalo, Tíndaro, Periandro, Lídoro, Sátiro, Leda, Flora, Lídia, La Aurora, Jupiter, Ninfas) Pero esta me parece mas mitológica que pastoril.

En el Catálogo de Moratin (Bib. de AA. EE.) hay la mar de títulos extravagantes cuya lectura podrá servirle a usted para relamerse un rato.

Tengo además numerosos é interesantes datos relativos al teatro en 1780; tambien puede usted verlos en «Iriarte y su época», en «Don Ramón de la Cruz» y en *La Tirana*, de Cotarelo; pero si no quiere usted molestarse, yo le mandaré lo que me parezca útil.

En cuanto al lenguaje de los paletos, era entonces completamente distinto del de los pastores de Encina y aun del de los de Tirso. Si puedo, tambien le mandaré á usted un *specimen.*

Todo ello irá pronto y bien. No tenga usted cuidado.

Muy cariñosos recuerdos á toda esa familia y de todos los congregantes de aqui, y para usted un cariñoso abrazo de su apasionado

Paco

A Gildo (1) escribiré pronto.

8-VIII-901.

* * *

---

(1) Nombre que los amigos daban a José Hurtado de Mendoza, sobrino de Galdós.

Mi querido D. Benito:

Acabo de remitir á Gerardo, para que se los remita á usted en un paquete todos los papeles que, por lo pronto, hé podido reunir relacionados con lo que usted desea.

En todo el teatro español del siglo XVIII no hay una sola *égloga* propiamente tal: lo que hay son cosas parecidas á las muestras que le envío: un diluvio de comedias pastoriles y mitológicas, con más de lo mitológico que de lo pastoril. Lo más aproximado á las *eglogas* es la *pastorela* de *Evandro y Alcimna*, pero, por desgracia, está en prosa. Como verá usted, aun lo más ñoño y lamido se asemeja poco á la idea que tenemos de esas *bergeries sans loup* de la corte de Luis XV, así como nuestro estílo churrigueresco y nuestro barroquismo en general son más pesados y ménos elegantes y exquisitos que el estilo Pompadour.

Entre las obras de que le mando muestra hay una representada en Palacio, pero me parece que de todos modos la mejor es la de D. Ramón de la Cruz, que era hombre elegante y atildado, aunque pobre y no un tio desgarrapizado, como cree la gente. La tragedia y comedias de este se hallan sin imprimir en su mayoría, en la Bibl. Municipal. Lo que publicó el Ayuntamiento hace poco eran sólo doce sainetes.

A lo que me refería yo, hablando de Moratín, no era al prólogo de los *Orígenes del teatro*, sino al *Catálago de piezas dramáticas representadas en el siglo* XVIII *y principios del* XIX, que está en el mismo tomo, y en el cual se encuentran nombres y títulos *desopilantes*.

Ahora, usted lee esos retazos y me dice usted si le conviene más tela de alguno de ellos: se le mandará enseguida. Todas esas obras son de la sección de Ms. de la Bib. Nac.

El *Iriarte* de Cotarelo es útil, porque da clara idea de la sociedad literaria y no literaria de aquella época, aun cuando se vé en él mucha parcialidad contra Aranda.

Acaso le sería á usted muy útil *La duquesa de Villahermosa (Retratos de antaño)*, por el P. Coloma, libro que de seguro tienen Pereda y D. Marcelino: y también la Historia del reinado de Carlos III que acaban de publicar Morel Fatio y Paz y Melia. Sobre todo el primero, que es una verdadera preciosidad, en algunos puntos, me parece que debe usted hojearlo.

Aunque crea usted otra cosa, la salud no es buena del todo. La voluntad es lo único que se conserva recio.

No trabaje usted más de lo que le pida el cuerpo, pues ni necesita usted ni tiene para que hacer *tours de force*.

Muy cariñosos recuerdos del padre, las niñas, Pepe, Constantino (1) y Palomero (2), muchos besos a los niños. Un abrazo a Gildo y usted mande siempre á su más devoto feligrés.

que lo es

Paco

13-VIII-901 M^d.

Ahora padecemos con frecuencia á Icaza. Está inaguantable.

* * *

Mi querido D. Benito:

Una impertinencia. Tengo compromiso de proporcionar á un amigo una papeleta para la recepción de Palacio y no hé podido adquirirla, por más que hé hecho. Si usted tuviera alguna, se la agradecería muchísimo, para lo cual volveré tal vez por aquí esta noche, si no encuentro por otro lado.

De todos modos, muchas gracias y siempre suyo afectísimo

Paco

Un día de estos vendré por acá á darle á usted jaqueca un rato

Nota.—El original en tarjeta de visita, de Francisco Navarro y Ledesma.

* * *

(1) Constantino Román Salamero, distinguido bibliófilo, muy amigo de Navarro Ledesma.

(2) Antonio Palomero (1869-1914), poeta y escritor español que formó parte de la redacción de *El Liberal*.

Mi querido D. Benito:

Tengo ya verdadera ansia de hablar con usted. Me dicen que va usted a ir a Murcia ¿pasando por aquí?... Estuve en Reinosa un mes, me puse malo y regresé a Madrid precisamente el mismo día que usted a Santander. ¿Cuando nos veremos?

Tengo que molestarle hoy con una impertinencia. Hay en el valle de Carranza un indiano bastante bruto llamado D. José Altuna, quien no tiene otra ilusión que la de ver a usted de cerca y estrechar su mano. Para lograrlo se ha dirigido a mi, por medio de mi amigo Virgilio Colchero, a quien no puedo negar este favor, y ambos caeran sobre usted con una carta mía cualquier día de estos. El indiano apenas sabe hablar: pero como a usted le admiran hasta las piedras y los hombres alalos no le extrañará a usted su torpeza y le dispensará lo que de dispensar sea. Mi amigo Virgilio, que escribe en *ABC* interviuvará a usted sobre sus proyectos para el invierno.

No quiero molestarle mas. Muy cariñosos recuerdos de toda esta familia y en especial del matrimonio (que dicho sea entre paréntesis, ya comienza a entrever los horizontes de la sucesión) y usted reciba un abrazo muy apretado de su mejor amigo que mucho le quiere

Paco

27-VIII-903

Nota.—El original en papel de la revista *Blanco y Negro*.

* * *

Mi querido D. Benito:

Muchas gracias por los tomos de Lope, que cuidaré con esmero.

Le envío la *brochure* de Barrès *Huit jours chez M. Renan*. Lo que puede interesarle a usted es *Le regard de M. Renan* (pags. 73 a 83.)

Le desea felícisimo año su apasionado

F. Navarro y Ledesma

3-I-904

* * *

Mi querido D. Benito:

Sé que va usted a estar hoy en casa de Ferreras y como no podré verle y he prometido seriamente a Mauricio López Roberts hablarle a usted con toda la energía y el empeño posibles en favor de su comedia (que es de las recomendadas) ruego a usted que me dé como presente y que, en caso necesario, diga a Mauricio que yo le hablé a usted hoy del asunto con formidable interés, como, en efecto, lo tengo.

Siempre suyo

Paco

Hoy sábado-904.

Nota.—Sin fecha de mes en el original.

* * *

Mi querido amigo:

El Dr. Stener Géza, de Budapesth *(sic)* desea traducir al húngaro *El abuelo* y se ha dirigido a un amigo mio, el Secretario de redacción del *Heraldo de Madrid* para que éste pida a usted el oportuno permiso.

Sirva esta carta mía de recomendación en favor del Dr. Stener Géza, a quien me alegraría de que pudiera usted complacer.

Y ya sabe usted que es siempre suyo apasionado

F. Navarro y Ledesma

30-III-904

* * *

Mi querido D. Benito:

Sin que me lo pregunte, le diré que el primero y el segundo acto me parecen de grandísimo éxito. Los dos últimos ¿no habría medio de reducirlos a uno? Claro que no lo habrá cuando usted no lo ha hecho.

El último acto creo que dejaría entusiasmados a todos los espectadores, si todos los espectadores tuvieran la finura estética de D. Juan Valera o de Anatole France.

¿Por qué escamoteó usted lo de *Alcestes*? Eurípides anda por dentro de la obra, pero hay que tener en cuenta que los críticos y el publico serio-cursi confunden a Eurípides con Sardou (1), que es a quien conocen.

Se me ocurren otras mil cosas, pero como a usted se le habrán ocurrido mil más, no quiero marearle.

He leído la obra yo solo, sin oír a Pepe, que la leyó antes.

Su

Paco

5-X-904.

* * *

Mi querido D. Benito:

Le agradeceré que haga el favor de esperarme en su casa hasta las tres.
Siempre suyo

Paco

Hoy jueves, 26-XI-904.

* * *

Mi querido D. Benito:

Ahí tiene usted el Alcorán. La traducción goza de bastante crédito entre los arabistas. Es un libro que he usado bastante para combatir el insomnio. Sirve para eso mejor que la Biblia y que el sulfonal.

Suyo siempre

13-XII-904.

NOTA.—El original en tarjeta de visita, rubricada.

* * *

(1) Victoriano Sardou (1831-1908), famoso autor dramático francés.

Mi querido D. Benito:

Pensando en lo que usted me dijo y siguiendo en mi trabajo de Cervantes, he creído recordar que usted tiene aquí un ejemplar de las Obras de Lope publicadas por la Academia (excepto el tomo XIII, que le tengo yo).

Todos los días me es necesario consultarlas. ¿Quiere usted dejarme los otros XII tomos hasta que yo concluya mi trabajo? Me ahorrará usted mucho tiempo y engorrosas visitas al Ateneo y a la Nacional. La petición es tan formidable que sólo a usted me atrevo con semejante incumbencia.

Muchas gracias y mande usted siempre a su devotísimo

F. Navarro y Ledesma

31-XII-904.

* * *

Mi querido Don Benito:

Eso que me dice usted por carta podía habérmelo dicho de pico, viniendo a almorzar a casa, como me ofreció.

Me manda usted que haga un artículo y lo haré. Será, naturalmente, de asunto cervantino, que es lo que ahora tengo entre manos. Dígame cual es la última fecha en que pueden recibirle, pues yo comienzo mañana las conferencias en el Ateneo y lo que sea el artículo tendré que hacerlo a pedazos, pues no me sobra ni medio minuto.

Espero esto de la fecha para combinar las cosas de modo que me quede tiempo de complacerle. Aunque parezca mentira, tengo un asunto de gran originalidad, que nadie ha tratado, ni siquiera yo lo menciono en mi libro y que se refiere a Cervantes.

Siempre suyo que le abraza

Paco

27-IV-905.

P. S. Ojo por ojo, diente por diente. *Es absolutamente indispensable* (fórmula galdosiana) que rebusque usted las cuartillas del artículo que dió a Grandmontagne (1) y corregidas o sin corregir me las envíe. No le digo más. ¡*Absolutamente indispensable*... y cartuchera en el cañón!

* * *

Mi querido Don Benito:

El título del articulejo mío será el siguiente: *Cervantes tartamudo.*

El artículo lo recibirá usted, Deo volente, el día 2.

Espero sus cuartillas y sobre todo el título de ellas para anunciarlo. Ya sabe usted que han de leerse antes del día 5. Todo el mundo las espera con gran ansiedad. De Palacio Valdés también tenemos promesas: pero lo que todo el Ateneo y la gente desea es que usted diga algo. Conviene que lo envie usted cuanto antes para que Fernández Shaw (2) pueda prepararse a leerlo.

Siempre suyo devotísimo

F. Navarro y Ledesma

905

NOTA.—El original sin fecha de mes y día; debe ser de fines de abril o primeros de mayo.

* * *

Mi querido Don Benito:

El general Ezpeleta le espera a usted mañana domingo de diez a once y media de la mañana en su casa, para enseñarle las cartas del general Ortega y otros documentos que tiene a su disposición.

Joaquín Moya estará en casa de usted, para acompañarle a casa del general, a las nueve y media de la mañana.

No he podido arreglar esto antes, pero creo que aún será tiempo.

Siempre suyo

Paco

27-V-905.

* * *

(1) Francisco Grandmontagne (n. en 1866), escritor y periodista español, que vivió en Buenos Aires muchos años y colaboró en los principales periódicos argentinos.

(2) Carlos Fernández Shaw (1865-1911), poeta y autor dramático español.

Mi querido don Benito:

Muchas gracias por la devolución de los libros y por la promesa nueva del artículo, que me hará muy al caso, y por el que anticipadamente me postro a sus pies de usted.

¡*Hélas*! Los versos de Vicente Pereda (1), cayeron en las garras de D. Torcuato (2), entre ciento o doscientas estratificaciones de papelorios diversos y, por lo que ha sucedido con otras poesías y prosas entregadas a él en la misma época, infiero que los ha perdido o que los tiene tan *adentro* que no llevan trazas de parecer. Pero tenga usted la seguridad de que Pereda conservará el borrador, porque esos jóvenes *nietzcheanos* lo escriben todo seis u ocho veces.

De Inglaterra, excelentes noticias. Todos estan buenos y contentos. María ha sido la única que ha roto a hablar en inglés hasta ahora. Los demás viven en absoluto mutismo. Eloisa porque no quiere chapurrear y la niña porque no está iniciada en el idioma de Shakespeare ni en el de ningún otro autor. Yo creo que podré ir allá, entrado el mes de julio.

No deje usted de enviarme pronto los pliegos de «*La Rápita*». Colocaremos un trozo en *ABC*, que ha salido con terrible fuerza. Y yo haré un artículo en el mismo diario, que hoy vende 40.000 ejemplares *en Madrid solamente*.

Mandar. Siempre suyo de veras.

Paco

5-IV-1905.

* * *

Mi querido D. Benito:

Recibida la suya y el libro, que ya casi he leído.

El artículo se hará y saldrá el día que usted desea. Y a propósito de artículo..., ¡no digo más!, pero lo digo con verdadera necesidad.

---

(1) Hijo de José María.

(2) Torcuato Luca de Tena, propietario y director del diario *ABC* y del semanario gráfico *Blanco y Negro*.

Irá a ver a usted Ruiz Contreras. Tratamos de formar una gran sociedad editorial. Nada importante podemos hacer sin contar con usted. Piense usted que lo que nos proponemos puede llegar a ser la redención del proletariado, como dijo el otro. Contamos con los herederos de Valera. Con ellos y con usted, la cosa tendría una fase amplísima e insustituible. En fin, usted verá. Yo en eso estoy dispuesto a arriesgar trabajo no más, puesto que dinero no tengo, pero sí mucho trabajo o mucha potencia laborativa. Creo llegada la hora de que no suframos más Gabinos ominosos si que tambien usurarios.

Y no canso más.

Mil gracias por el artículo que habrá usted hecho ya seguramente y mande usted siempre a su ya viejo amigo y monaguillo.

F. Navarro Ledesma

18 - VI - 1905.

* * *

Mi querido don Benito:

Aunque diga usted que me pongo pesado y que abuso de su bondad, le ruego nuevamente y con encarecimiento que se decida a hacer el artículo sobre mi libro. Contra lo que todo el mundo pensaba y usted mismo creía, la venta del libro va muy despacio. Sólo se han vendido hasta ahora mil trescientos y pico ejemplares, según la liquidación de ayer. Un empujón que usted dé puede ser definitivo. En *El Liberal* nadie ha hablado de la obra, porque cuando quisieron hacerlo Vicenti, Nogales (1), y Palomero les atajó Moya (2), diciéndoles que esperaba su artículo de usted. Ese artículo, cuando usted lo haga, se reproducirá por todas partes y me podrá servir de base para propaganda. ¿Qué trabajo le cuesta a usted prestarme esa ayuda?

Espero su contestación *impresa*. Y por ella le doy las gracias. Suyo siempre.

Paco

* * *

(1) José Nogales (1860-?-1908), escritor español que colaboró entre otros periódicos en *El Liberal*.

(2) Miguel Moya Ojanguren (1856-1920), periodista, escritor y político español, que fue director de *El Liberal* hasta 1906.

Mi querido don Benito:

Ha llegado el momento crítico de que intervenga usted sólo o usted con Pepe (eso, como a usted le parezca mejor) en el asunto de mis elecciones.

He hablado con Sergio Novales y aunque él se las promete muy felices, las cosas no van bien para él en el distrito de Toledo. Yo llevo seis o siete días trabajando no más y cuento ya seguramente: 1.º, aquí con el apoyo incondicional del conde de Romanones (1), de D. Segismundo Moret (2) y de D. Amos Salvador (3): 2.º, en Toledo, con los votos de los republicanos, que en la capital son los que triunfan siempre y todos son amigos mios (Perfecto Díaz Alonso, Luis Hoyos (4), Julián Besteiro (5): 3.º, en los pueblos con el auxilio entusiasta del maurista D. Gumersindo Díaz Cordovés, amigo mío particular y persona de gran arraigo: 4.º, con los canalejistas y moretistas, todos parientes o amigos míos. Para combatir esto (sin contar con las simpatías personales que yo tenga en la capital y en los pueblos donde me conocen desde niño) tendrá Sergio que gastarse mucho dinero.

En cambio, sé que en su distrito natural, que es Villarcayo, no quieren de ninguna manera al diputado que tienen, D. Gumersindo Gil, hombre obscuro, seco y analfabeto. Sé que una comisión de liberales del Valle de Mena ha ofrecido el distrito o va a ofrecérselo a Sergio. Este distrito es el natural suyo y el que él podría conservar sin trabajar y sin gasto. Además le convendría mucho ser diputado por Villarcayo para gestionar su asunto de los saltos de agua que le interesa mucho y para el cual suele valerse de un señor Trápaga. Y sí él se decidiera y me dejara Toledo libre los dos saldríamos diputados sin molestarnos mutuamente y sin gastar.

---

(1) Alvaro Figueroa y Torres, conde de Romanones, conocido político y escritor español (1863-1950).

(2) Segismundo Moret y Prendergast (1838-1913), político, orador y jurisconsulto español.

(3) Amos Salvador y Rodrigáñez (1845-1922), político y escritor español, sobrino de Sagasta.

(4) Luis de Hoyos Sáinz (1868-1951), naturalista y antropólogo español.

(5) Julián Besteiro y Fernández (1870-1939), catedrático de Lógica en la Universidad Central y político español.

Las cosas están, pues, hoy a punto de caramelo para que usted escriba a Novales, exponiéndole estas razones y añadiendo las que a usted le parezcan oportunas. En el mismo sentido convendría tambien muchisimo que escribiese usted a Urzaiz (1) y a Bernardo Sagasta. Al gobierno desde luego ha de convenirle más ganar ese distrito de Villarcayo ocupado por un maurista que exponerse a una lucha entre dos liberales como nosotros en Toledo.

Estoy seguro de que todo cuanto usted y Pepe le digan a Sergio, como cosa sabida por ustedes (porque en Santander se saben estas cosas) le hará mucha impresión y le decidirá, pues hoy solo sostiene su empeño por amor propio.

Conque, don Benito de mi alma, a echar toda la carne en el asador para este asunto, y sin pérdida de tiempo, pues ahora los momentos son decisivos.

Yo ya no me muevo de Madrid en todo el verano, pues hay que estar arma al brazo. Tengo grandísimas esperanzas de triunfar y sobre todo si usted y Pepe quieren ayudarme y persuadir a ese hombre.

Muchas gracias por ello y mande usted siempre a su devoto benitoide y candidato.

q.l.q.

Paco

13 - VII - 1905, Madrid.

* * *

Mi querido don Benito:

Recibidas sus dos cariñosas cartas, que le agradezco infinito. Algo bueno había de sacar de mi estúpida intentona política.

Tengo que escribir a usted brevemente, porque sigo cada vez más atareado. El día 26 pienso salir para Burgos. Ya tengo tomada habitación (la última que quedaba) en el Hotel *Morcín*. Pienso estar allí algunos días más que los del eclipse y proyecto visitar los lugares del Cid, de Fernán González y del Maestro Gonzalo de Berceo. Si me queda tiempo y dinero, iré también a León y tal vez a Sahagun y Carrion de los Condes,

---

(1) Angel Urzaiz y Cuesta (1856-1926), político español.

pero esto ya es más dudoso. Necesito esto para preparar el curso de literatura de la Edad Media en el Ateneo. Yo quisiera que en todas las conferencias hubiese que emplear el aparato de proyecciones: meter las cosas por los ojos a las gentes, pues son el único sentido despierto en España, gracias a las corridas de toros, donde la buena vista es lo principal (y tambien, a los autos de fé). El oído ya está mucho más descuidado, como sentido posterior mas progresivo y mas intelectual. No podemos esperar gran cosa de la atención auditiva, por lo cual es preciso manejarse excitando la atención visual.

Tengo muchos y grandes proyectos. El *Lope* lo prepararé este invierno, si los menesteres de la prensa me dejan respirar un poco. Luego, quisiera hacer un libro mas pequeño del Arcipreste y otro de don Alvaro de Luna. Además, proyecto una Historia de la literatura femenina española, para sacar de su error a las gentes creídas de que en España las mujeres no han hecho mas que rezar y multiplicarse. Si tuviera salud y no me obligara la precisión de escribir cuatro o cinco estupideces diarias, me parece que podría realizar estos proyectos y algunos más; pero el arate cavate *(sic)* de todos los días me derrenga.

Perdone estas quejas. ¿Cuando nos veremos?

Ya sabe usted que de veras le quiere su apasionado.

Paco

20 - VIII - 1905.

De Inglaterra, regulares noticias. Vamos a tener otro sobrinito.

* * *

Telegrama

MADRID

PACO HA MUERTO DE REPENTE.

Tomás Cubas

NOTA.—Telegrama dirigido a: Pérez Galdós, Villa San Quintín, fechado el 21 septiembre, 1905.

CARTAS DE EMILIO MARIO

A

GALDÓS

Emilio Mario

+

Facsímil del epígrafe autógrafo de Galdós a las cartas de Emilio Mario

Mi distinguido amigo:

He leido el acto 3.º de Realidad, es muy hermoso pero creo que puede alijerarse algo al escena de Viera y Orozco porque el público conoce ya al trapisondista, y aunque es un dolor quitar de boca de Viera nada de cuanto dice, porque retrata el caracter, y esta hecho de mano maestra; como estamos en el acto 3.º debemos caminar á la acción en cuanto sea posible: En fín estas cosas se ven mejor en los ensayos y pª cortar siempre hay tiempo.

Sabe cuanto le aprecia y admira s. s.

Q. B. S. M.,

Emilio Mario

Madrid 18. Enº 1892.

NOTA.—El original en papel con las iniciales de Emilio Mario.

* * *

Muy Sr. mio y de mi mayor consideración:

Un *trancazo* horrible me obliga á hacer cama, y me priva del placer de la lectura de su obra.

Asi lo participo á la Exmª. Sra Dª Emilia Pardo de Bazán, diciéndole al propio tiempo, que le avisaré con antelación, tan pronto como mejore.

De Vd. siempre atento s. s.

Q. B. S. M.,

Emilio Mario

12 - Febº 1892.

* * *

Telegrama.—

A: BENITO PEREZ GALDOS MUELLE 36

De: VALENCIA

REPRESENTADA ANOCHE REALIDAD GRAN EXITO. LE FELICITA.—EMILIO MARIO

NOTA.—Fecha atribuida: 18-Mayo-1892.

* * *

Muy Sr. mío y distinguido amigo:

Telegrafié á Vd. dandole cuenta del éxito obtenido con Realidad: anoche segunda representación fué muy aplaudida por más, que como usted sabe perfectamente, el drama asusta á las señoras que se retraen de llevar á sus hijas al teatro, por no estar al alcance del publico, *ni de la prensa que es lo más triste*, su tendencia moralizadora. No escribí á Vd. desde Zaragoza dandole cuenta del estreno, por que allí no la entendieron sí bien fué respetada por llevar su nombre de Vd., pero no fué defendida ni discutida como aquí.

Creo, salvo su opinión, que sería muy conveniente que en Barcelona donde Vd. tiene amigos y admiradores no abandonara á su primer hijo que corriéra la suerte que en cualquier otro punto de menor importancia. Su presencia de Vd. asusta á los contrarios y alienta á los defensores y puede ser de un gran resultado tanto artístico como pecuniario, ahora Vd. manda —y yo acato sus ordenes y procuraré defender cuanto me sea posible su obra, pero no tengo ni la autoridad ni el prestigio de el padre de la criátura.

Disfrutamos salud; los negocios se defienden y nada más ambicionamos: deseándole a Vd. todo género de felicidades le saluda su amigo y admirador.

Q. B. S. M.,

Emilio Mario

Remito a Vd. la prensa local con faja, aparte.

Valencia 22 Mayo 1892.

* * *

Mi distinguido amigo:

En mi poder su última carta, cuando yo me disponía a escribirle dándole cuenta da mi entrevista con el Sr. Sánchez Ortíz y con el Sr. López a quienes tenía ya el gusto de conocer y q[e] han estado sumamente atentos y cariñosos conmigo efecto de su recomendación. El Sr. Ortiz está ayudándome en la Campaña teatral, es gran admirador de Vd. y entusiasta de sus obras, piensa publicar un número extraordinario de su periódico, con grabados consagrados al estreno de *Realidad* que Dios mediante tendrá lugar el día 7 de julio próximo. Yo telegrafiaré á Vd. dándole cuenta del estreno: El Sr. López tiene un deseo grande de que usted nos honre con su visita pues cree que será Vd. agasajado y vitoreado como Vd. se merece. He retrasado algo el estreno de su obra hasta que termine el incidente de las huelgas que creo será pronto. Llevamos veinte y dos funciones con el repertorio y La Credencial y el Obstáculo, que han gustado. Estoy encauzando una obra de su amigo Barrionuevo (1), que estrenaré la semana próxima. Tanto en Zaragoza como en Valencia y aquí defendemos el negocio y la Compañía es considerada como una de las más completas de España, y eso que tenemos aquí La Estrella *(sic)* Tubau, que trabaja cuanto puede con la prensa p[a] ser proclamada por la Reina de la Escena Española.

El año próximo tendremos en la Comedia los mismos artistas q. hoy trabajan aquí; exceptuando Mendruchi (2), que vá á Lara.

Mucho celebro verle consagrado al trabajo: Vd. puede ayudarnos en nuestra empresa, y como el Rabino de El Amigo Fritz me atrevo á pronosticarle que la obra que Vd. escriba será el éxito del año: Vd. que es observador há aprendido en los pocos días que há pisado el escenario de la Comedia, la manera de construir las obras p[a] que sean del agrado del público. La creación de los personajes y la forma literaria la domina Vd. como Tamayo, los resortes de Autor Dramático y las picardías teatrales las aprenderá enseguida y podrá dar días de gloria á la Escena Española y ganar mucha honra y provechos.

---

(1) Martínez Barrionuevo (n. en 1857), novelista, poeta y autor dramático español.
(2) De lectura dudosa.

No me atrevo á insistir sobre su venida porque no quiero distraerle de su trabajo. Cuando lo crea oportuno dé las gracias al Sr. Ortiz y López *(sic)*, por las atenciones que me han dispensado y á Vd. amigo mío mil gracias por todo.

Le envia un fuerte apreton de manos su amigo y admirador.

Emilio Mario

Barcelona 19. Junio - 1892.

* * *

Telegrama.—

A: BENITO PEREZ GALDOS.

De: BARCELONA.

CON GRAN EXITO MUCHOS APLAUSOS LLAMADAS ESCENA TEATRO LLENO ACABAMOS DE REPRESENTAR REALIDAD REPITOLE ENHORABUENA.

Mario

NOTA.—Fecha atribuida: 8 de Julio 1892.

* * *

Mi querido y distinguido amigo:

Anoche estrenamos *Realidad* con gran éxito, al terminar la obra, una y media de la mañana, puse a Vd. un telegrama participándole el resultado. Excepto el acto 3.º en que tomo parte presencié desde la sala la representación viendo el efecto que causaba en el público pª darle cuenta de lo ocurrido. *Varios amigos de la Empresa* y míos trataron de desviar la opinión respecto de la mayór ó menor inmoralidad de la obra, formando una atmósfera poco favorable por cuya razón el teatro no estuvo lleno como debía esperarse, no obstante había gran entrada y la obra despertó gran interés á medida que escuchaban las bellezas de lenguaje que la esmaltan: el primer acto aplaudido y llamando á escena al final: el segundo aplaudidísimo y la Peri un triunfo, llamando á Julia (1)

(1) De lectura dudosa.

al proscenío y al final tres veces, 2.º cuadro también aplaudido aunque con un poco de miedo, 3.º escuchado con religiosidad y respeto, llamando al final. 4.º gran éxito Thuiller aplaudidísimo. 5.º gran éxito apesar de marcar los relojes una y media de la madrugada. La sombra de Federico salió muy bien y para que le viesen desde todas partes, se colocó el billar de frente y todo el teatro pudo disfrutar de ella. El cristal es inmenso de ancho y de altura y resultó muy bien. Dice un periódico que la dirección de escena fué deficiente porque en el ejemplar impreso está señalado el billar en la puerta foro izquierda, el salón foro derecha, y como el salón ha sido preciso colocarlo por el mismo sitio de las salídas de la calle el articulista hechaba *(sic)* de menos este detalle: no pude consultar con este Sr. variación, de seguro que si le consulto se salva la obra.

Respecto de la ejecución Vd. la conoce puesto que Vd. la ha ensayado y como es natural se ha ido afinando especialmente la Guerrero y Thuiller que están mejor que en Madrid. Se puede hacer más, ya lo sabemos pero es preciso contentarse con el buen deseo y la buena fé que aníma á los artistas y alentarlos en vez de ponerles defectos. ¡Oh la prensa!, siempre lo mismo siempre con la palmeta levantada.

Y ahora mi querido D. Benito mil enhorabuenas.

Mañana Sábado 2.ª representación y el Domingo 3.ª.

Iré transmitiendo impresiones.

Sabe cuanto le quiere y admira su aftmo. amigo.

Q. B. S. M.,

Emilio Mario

Barcelona 8. Julio 1892.

* * *

Mi distinguido y respetable amigo:

Recibí su carta y siento muchísimo la causa que nos há privado del gusto de tenerle en esta unos cuantos días, donde sus admiradores le preparaban una entusiasta acogida. Deseo que su Sr. hermano político se mejore y pueda Vd. recibir buenas nuevas.

Remití á Vd. telegrama dándole cuenta del éxito que ha sido bueno, dada la índole de este público frío reservado y meticuloso. Si Vd. hubiese estado aquí el éxito habría sido ruidoso.

Tengo deseos de conocer su nueva obra. Si piensa Vd. venir sírvase avisármelo con anticipación pues nosotros estaremos aquí hasta el doce de Septiembre.

Queda siempre suyo afmo. amigo y admirador.

Q. B. S. M.,

Emilio Mario

Bilbao 31. Agosto 1892.

* * *

Mi distinguido y querido amigo:

Como yá sabrá Vd. por mi carta «D.ª Perfecta» gustó aquí mucho. El Sábado 25 empezamos en Salamanca, el 28 vá «Dª Perfecta» si quiere usted asistir á el estreno tendremos mucho gusto en ello.

Y si después quisiera Vd. regresar aquí con nosotros para la translación *(sic)* de los restos de Zorrilla haríamos otra representación de su obra que el público vería con gusto rindiendo a Vd. seguramente un tributo de cariño.

Tengo pensado para dicha translación aparte del «D. Juan Tenorio» una representación de «La jota aragonesa» otra del «Velay» y otra de «María del Carmen» con asistencia de Núñez de Arce (1), Cano (2), Feliú y Codina (3) y la de Vd. para su obra con lo cual resulta una solemnidad.

---

(1) Gaspar Núñez de Arce (1832-1903), el famoso poeta, también autor dramático. *La jota arogonesa* está escrita en colaboración con Hurtado.

(2) Leopoldo Cano (1844-1934), general y autor dramático español, cuya obra citada *¡Velay!* se estrenó en 1895.

(3) José Feliú y Codina (1847-1897), dramaturgo, novelista y periodista español, autor de la obra citada *María del Carmen.*

Ya sé que estuvo Vd. en Zaragoza y le tributaron grandes y merecidas ovaciones.

Espero su contestación que puede Vd. dirigir a Salamanca, Teatro Bretón.

Sabe que es suyo aftmo. y admirador.

Q. B. S. M.,

Emilio Mario

Nota.—Sin fecha. Aparece arriba la palabra: «contestada», de escritura de Galdós.

* * *

Mi querido amigo:

¡Mil felicidades en el año presente! No he podido ir á saludarle por el exceso de trabajo.

Mañana Lunes á las dos y media se ensaya la obra de Feliu y Codina.

¿Quiere Vd. honrarnos con su asistencia y darnos su valiosa opinión?

Se lo agradecerá su amigo y admirador.

Nota.—Sin fecha. El original en tarjeta de visita rubricada, de Emilio Mario, Habana, 18.

* * *

Mi distinguido amigo:

Adjunta remito á Vd. la lista de Comp[a]; ya me tiene Vd. aquí a sus órdenes.

Supongo que su Sr. hermano estará más aliviado de su enfermedad lo cual deseo.

Sabe cuanto le aprecia y admira su aftmo. amigo.

Q. B. S. M.,

Emilio Mario

Madrid 21 Sept[e] 1892.

* * *

Mi querido y distinguido amigo:

Anoche estrenamos su comedia *La loca de la Casa,* con un éxito completo. El teatro brillante y el público apreciando las bellezas de la obra. No mandé á Vd. telegrama porque quería darle detalles de la representación. Cepillo y la Guerrero obtuvieron un triunfo como los demás artistas. Llevamos cinco funciones que son cinco llenos y estaremos aquí hasta fín de mes. Si Vd. pudiera y quisiera venir p[a] el veinte cuatro *(sic)* guardaría el estreno de *Realidad* pero no sé si sus ocupaciones se lo permitirán. Si el teatro de esa localidad hubiese estado libre p[a] primeros de Mayo habríamos dado diez representaciones pero creo que tenían Opera y nosotros no podemos disponer más que desde el primero hasta el diez. Si sus ocupaciones se lo permiten póngame cuatro letras. Remito a Vd. los periódicos que se han ocupado de su Comedia.
Sabe cuanto le considera y aprecia su aftmo. amigo.

Q. B. S. M.,

Emilio Mario

Valladolid 7. Abril 1893.

* * *

Muy Sr. mío y distinguido amigo:

He leído en la prensa que se encontraba Vd. enfermo y aunque supongo, por la forma en que se dá la noticia, que no será cosa grave, le suplico que cuando le sea posible me de informes de su salud.
Deseándole un pronto alivio le saluda su aftmo. amigo.

Q. B. S. M.,

Emilio Mario

12 Marzo.

NOTA.—Sin fecha de año. El original en papel con iniciales E. M., en azul.

* * *

Mi querido y distinguido amigo:

En mi poder su grata fecha 29 del corriente. Ante todo doy á Vd. mi más sentido pésame por la muerte de su Sr. hermano político (q.s.g.h.).

Tiene Vd. señalado turno á su obra después de la de D. José Echegaray. Empezaremos los estrenos con un drama de D. Mariano Vela (1), primera producción de dicho Sr. y en mi pobre opinión comedia vaciada en los moldes antiguos pero buenos, y que espero tenga gran éxito, después la de D. José Echegaray y enseguida la suya, á la que seguirá una Comedia de D. Enrique Gaspar (2), titulada *¿Cuánto?*, y la de Miguel Echegaray (3) y Vital Aza (4), he aquí mi programa.

Sin más mi querido amigo conservese bueno y mande a s.s. y admirador.

Q. B. S. M.,

Emilio Mario

Madrid, 27 - Septiembre - 1893.

* * *

Mi queridísimo amigo:

En Santander tiene Vd. carta mía dándole cuenta del éxito de «La loca de la Casa» y también los papeles periódicos que se ocupan del estreno de un modo altamente satisfactorio p[a] Vd.

Como sé lo refractario que es Vd. a moverse no me atreví a rogarle viniese a pasar aquí unos días, pero por la suya veo que piensa marchar a Santander á fines de la semana próxima y me decido a suplicarle que si le es posible se detenga unos días p[a] asistir á la 2.[a] representación de su comedia y al estreno de Realidad. Muchos de sus amigos y admiradores lo desean y estoy seguro que será Vd. recibido como Vd. merece.

---

(1) Mariano Vela y Maestre (m. en 1903), autor dramático y abogado español.

(2) Enrique Gaspar (1842-1902), autor dramático y literato español.

(3) Miguel Echegaray y Eizaguirre (1848-1927), hermano de José, autor dramático también.

(4) Vital Aza (1851-1912), autor español que se distinguió como poeta festivo y comediógrafo.

El teatro está muy animado; en esta semana tendremos entre nosotros a D. José Echegaray y si Vd. accede a nuestros deseos, al terminar nuestra temporada proporcionaremos á este público el placer de aplaudirle.

Le ruego me ponga dos renglones cuando sus ocupaciones se lo permitan.

No sé si el teatro de Santander estará libre pª fines de mes ó principios del próximo, si así fuera, es fácil que diésemos allí algunas representaciones.

Sabe cuanto le aprecia su aftmo. amigo y admirador.

Emilio Mario

Valladolid 9. Abril 1893.

* * *

Mi queridísimo amigo:

Recibo su carta y le agradezco mucho acceda a nuestros ruegos deteniéndose en esta aunque no sea más que por 24 horas.

Hoy termina D. José y el viernes regresará á Madrid, se le ha recibido muy bien y se le há obsequiado.

El Miércoles 18 tengo proyectado dar la 2.ª representación de La loca de la Casa, asistiendo Vd. y el Jueves 19 estreno de Realidad y el Viernes le dejamos que siga su caminito de Santander. Le recibiremos con palio como Vd. se merece.

Dígame en dos renglones si esto puede ser.

Le quiere y admira su amigo, Q. B. S. M.,

Emilio Mario

Valladolid 13. Abril 1893.

* * *

Mi queridísimo amigo D. Benito:

Dígame Vd. la fecha de su llegada y la hora pª salir á recibirle: si es el Miércoles puede tomar el tren mixto de las ocho y cincuenta de la mañana, viage *(sic)* cómodo pues se almuerza en Avila y se llega aquí á las cinco de la tarde y se come a las siete tranquilamente. Esto no se les puede aconsejar más que a los que madrugan. Si no puede ser el Miércoles puede fijarme otro día. Yo anuncié el Miércoles variando la fecha que le indicaba del 23 porque su carta *(sic)* me decía Vd. que p[a] ese día retardaba Vd. mucho el regreso á Santander.

En fin Vd. me telegrafía cuando pueda y le conviene y yo lo anuncio oficialmente y hasta la vista mi querido D. Benito.

Emilio Mario

Espero telegrama el mismo día que reciba Vd. esta.

Valladolid 16. Abril 1893.

* * *

Mi queridísimo amigo:

Recibí su cariñosa carta a la q[e] no hé contestado antes porque el trastorno que nos causó la muerte de nuestro compañero me há tenido muy disgustado. Se le há sustituído con el Sr. Pérez recomendado de la Guerrero y anoche ha debutado con La loca de la Casa, que há gustado mucho. Es un actor discreto y no puede juzgársele por una representación.

La prensa hace de su comedia grandes elogios y le remitiré el periódico, único liberal, de esta localidad que se ocupa de el teatro. En Palencia Burgos y Vitoria nos hemos privado de ponerle en escena por no tener aun el actor que ha reemplazado al pobre Montenegro (q.s.g.h.).

El negocio há marchado bien en estas pequeñas poblaciones y terminamos aquí el Miércoles 19, y empezaremos en Zaragoza el día 17.

Sé por carta recibida que La loca la há estrenado un tal León que está en el teatro Circo, de todos modos nosotros la haremos en el Principal.

Consérvese bueno y reciba un apretón de manos de su amigo y admirador.

Q. B. S. M.,

Emilio Mario

Pamplona, 15 - Mayo - 1893.

* * *

Mi queridísimo amigo:

Ya por fin estamos en la Ciudad Condal y hemos dado principio á nuestros trabajos con gran aceptación. Vamos pues a organizar el trabajo y vea Vd. mi plan que Vd. varía á su gusto ó como mas le convenga.

Anuncio todos los jueves de la temporada un estreno. El primer Jueves día festivo lo escluyo *(sic)* por ser festivo.

1er estreno Jueves 8 La Estrella de los Salones (1).
2º Jueves - 15 Mariana (2).
3º Jueves - 22 Si á V. le conviene podemos estrenar La Loca de la Casa y sino dejarla pª el 6 de Julio.
4º Jueves 29 festividad de S^{n} Pedro no hay estreno.
5º Jueves 6 Julio. Esta noche pensaba yo estrenar La Loca de la Casa y el Jueves 22 de Junio El Poder de la Impotencia (3) aprovechando la estancia de Echegaray que viene pª el estreno de Mariana.

Aguardo sus ordenes para poder comunicar á sus amigos que son muchos cuando está decidida su venida á esta.

Y espero que ya tendrá muy adelantada su comedia del año próximo y nos dejará conocer algo.

Ya habrá V. recibido los periódicos de Zaragoza y de Lérida dando cuenta de el éxito de su obra.

Esperando su contestación se repite siempre suyo aftmo. amigo y admirador

Emilio Mario

Barcelona 4 Junio 1893.

* * *

(1) De Mariano Vela.
(2) De José Echegaray.
(3) De José Echegaray.

De Emilio Mario

Mi queridísimo amigo:

En mi poder su grata á la que no he contestado hasta hoy pues quise hablar antes con el Sr. Sánchez Ortiz, convinimos en que el 6 de Julio próximo se estrene *La Loca de la Casa* y se dé alguna representación de *Realidad*.

Esperamos á Vd. en los primeros días de Julio.

Se ha estrenado *Mariana* con muy buen éxito y esperamos mañana á D. José Echegaray que asistirá al estreno de *El Poder de la impotencia*, marchando a Galicia enseguida.

Esperamos que nos dará á conocer por lo menos dos actos de su nueva obra y aguardándole con los brazos abiertos se repite suyo aftm. amigo y admirador.

Q. B. S. M.,

Emilio Mario

Barcelona 17. Junio 1893.

* * *

Mi queridisimo amigo:

Hoy ha salido p[a] Galicia D[n] José Echegaray despues de pasar ocho dias entre nosotros obsequiado y aplaudido.

Sus amigos de V. que son muchos y sus admiradores le esperan y desean saber que día llega V. y la hora. ¿Será V. tan amable que me escriba cuatro renglones diciéndomelo?

Ya sabe V. que su comedia se estrenará el Jueves 6 de Julio.

Quedan muy pocos días y le ruego me avise su llegada. Guardo su drama Realidad, que V. sabe ha gustado aqui mucho para representarlo cuando esté V.

Sabe que le quiere y admira su aftm[o] amigo

Q. B. S. M.

Emilio Mario

Barcelona 27. Junio/93.

* * *

Mi querido amigo D[n] Benito:

Nos alarmó mucho la noticia del descarrilamiento y aunque suponía habria pasado por Anzuola (1) por la mañana y me enteré de los nombres que en la redacción del Noticiero, se habían recibido de los heridos y de los muertos p[a] tranquilidad de todos puse á V. el telegrama. Todos le felicitamos y agradecen mucho sus recuerdos.

En 1º de Set[e] estaré, Dios mediante, en Madrid.

Las cartas que V. ha recibido se le han puesto las señas de V. en Santander.

Sabe cuanto le quiere su buen amigo

Mario

Mañana Domingo por la tarde vá Realidad

Barcelona 21. Julio/93.

* * *

Mi querido y distinguido amigo:

Ayer recibí su carta y hoy espero su comedia que será, sin duda tan hermosa, como todo lo que sale de su pluma. Mucho me agrada que el papel de D[n] Jose esté tan subrayado en la Obra como lo está en el reparto. Este año y el de 94 al 95 seran probablemente los últimos en Madrid de mi carrera artística y he decidido no tomar ningún papel que no tenga verdadera importancia en la obra (no en el tamaño sino en la calidad) pues me cuesta trabajo aprender de memoria y no es justo molestarse por, lo que sin perjuicio de el *(sic)* autor, puedan interpretar los artistas de la Compañía, que como V. sabe procuro que sea la más completa de España.

---

(1) Se refiere a un descarrilamiento que se produjo en el tren Durango-Zumárraga, a la salida de Anzuola, el 14 de julio de 1893, a las cinco de la tarde, y que costó varios muertos y heridos.

Consérvese bueno y reciba un apretón de manos de su amigo y admirador

Emilio Mario

En este momento que son las 12 me anuncian la visita del Sr. Mireno (1), que me ha entregado en propia mano la comedia.

Madrid 1º Sete 1893.

* * *

Mi querido y distinguido amigo:

Ya hé mandado sacar su comedia «La de Sn Quintín» que me ha gustado mucho.

Los dos personajes de Rosario y Victor son muy hermosos y en estos va apoyada la obra, los demas jiran *(sic)* alrededor de estos astros y son secundarios, ninguno de ellos de verdadera importancia artística.

Dígame V. cuando quiere ir colocado pª ir ordenando el trabajo para que los autores queden contentos y los artistas puedan alternar en el trabajo a fín de evitar complicaciones que pudieran venir de enfermedades ó ronqueras.

Le diré á V. detalles de como tengo pensado el trabajo.

Empezaremos segun tenía prometido con:

Una pieza; despues La Dolores y pª terminar un Saynete *(sic)* de Dn Ramón de la Cruz.

Terminado el nº de representaciones que esto pueda dar:

El Café (Moratín) La Huelga de Hijos de (Enrique Gaspar) agotado esto:

Una pieza y despues la Comedía en 3 actos original y en prosa.

El Hogar moderno

y en el riñon de la temporada Dn Benito P. Galdós y Dn José Echegaray.

---

(1) De lectura dudosa.

Dígame si quiere ir antes ó despues de Dn José pa arreglarlo con Echegaray cuando venga, y si le parece bien mi proyecto.

Empezaremos a ensayar pronto pues casi toda la Compañía esta en Madrid.

Remitiré á V. listas.

Consérvese bueno y sabe cuanto le quiere su buen amigo y admirador

Q. B. S. M.

Emilio Mario

Madrid, 4 Sete 1893.

* * *

Mi querido y distinguido amigo:

Gracias mil por el retrato y el ejemplar de La de Sn Quintin y por sus cariñosas dedicatorias.

Ya se ha dado orden al Sr. Hidalgo pa que puedan representar su obra en Barcelona y Valencia.

Nosotros vamos á Galicia y Asturias.

Burgos Pamplona Bilbao Valladolid y empezaremos en Madrid a principios de Octubre (Dios mediante).

El teatro sigue muy concurrido y anoche Martes muy bien. Si los retratos estuvieran colocados aumentaría la curiosidad del publico.

Dé V. un fuerte apretón de manos a nuestro buen amigo Pereda y V. sabe cuanto le aprecia su admirador

Emilio Mario

Madrid 14 Febo 1894.

Nota.—El original en papel con iniciales E. M., en relieve y en color azul.

* * *

Mi distinguido amigo:

Recibo hoy carta de Barcelona de D. Rafael Casademunt encargándome felicite á V. en su nombre por el exito obtenido en «La de Sn Quintín»: este Sr. es el que nos invitó a comer en Valvidriera donde nos leyó

V. el primer acto de su comedia. Solicita un ejemplar firmado por V. y yo le suplico me lo remita cumpliendo así su encargo.

Gracias anticipadas de su aftmo. amigo y admirador

Q. B. S. M.

Emilio Mario

25 Feb^{o} 1894.

NOTA.—El original en papel con iniciales E. M., en rojo y en relieve.

* * *

Mi querido amigo D^{n} Benito:

Anoche se estrenó su comedia La Loca de la Casa con gran exito. El público que era numeroso aplaudió con entusiasmo muchas escenas de la obra llamando al final de los actos y al terminar, cosa aqui inusitada pues a las doce y cerca de la media solo piensan en retirarse á sus casas; (es de advertir que aqui no hay claque).

Creo que haremos una buena temporada pues el abono es grande y es de suponer que las entradas se sostengan bien; se espera con impaciencia La de S^{n} Quintin que irá la semana proxima.

Maria Guerrero, Cepillo, Sofia Alverá y todos cuantos trabajan en La Loca estuvieron muy bien. Antes de salir de Madrid hablé á Novelli de que debia estudiar esta obra pues el papel de Pepet le iría muy bien, me manifestó deseos de conocerla y que tal vez se decidiera á representarla este año.

Sabe cuanto le quiere su aftmo. amigo y admirador

Q. B. S. M.

Emilio Mario

Coruña 27. Marzo 1894.

NOTA.—El original con iniciales E. M., en relieve y en color castaño.

* * *

Mi querido amigo:

Con un lleno completo se estrenó el Lunes dos del corriente La de Sn Quintin que obtuvo un exito grande, mas que La Loca de la Casa. Me dijo Maria q. escribía á V. y por esta razon yo hé tardado en darle cuenta del exito y como no quiere V. periódicos no se los mando pero han hablado lindezas de su obra.

He supuesto que durante los días de la voladura del Machichaco no habrá V. permanecido en Santander apesar de que V. vive lejos del Puerto.

Aqui terminamos a fines de la semana proxima. El exito obtenido por la Compañía há sido muy satisfactorio, llenando el teatro todas las noches este publico, que está completamente alejado, pues solo funciona dos meses á lo sumo al año y con compañias de tercer orden.

Consérvese bueno y sabe cuanto le quiere su aftmo. amigo

Q. B. S. M.

Emilio Mario

Coruña 6 Abril 1894.

NOTA.—Al original acompaña un prospecto del Teatro Principal, Compañía Cómico-Dramática del Teatro de la Comedia de Madrid, dirigida por don Emilio Mario. Anuncia función para el jueves 5 de abril de 1894 en honor de doña Emilia Pardo Bazán, con el estreno, en primera y única representación, de la comedia en tres actos y en prosa, original de don José Echegaray: *La Orilla del Mar*.

La carta, como se advierte, no hace alusión a este prospecto.

* * *

Mi querido y distinguido amigo:

Con gran exito se ha estrenado en esta La loca de la Casa y La de Sn Quintin; han gustado mucho, no le mando á V. los periódicos que se han ocupado de ellas porque sé que á V. no le gusta. Mañana terminamos con La Mariposa de Leopoldo Cano y salimos pa Pamplona donde empezaremos con «Mariana».

El padre de la Guerrero há estado ocho días en Madrid gestionando la concesión del Teatro Español. Promete hacer las obras de reparación que han de importar cien mil pesetas. Ofrece cinco obras de D. José Echegaray, dos de usted y una de Guimerá (1); promete poner de Director Artístico de la Compañía á D^n^ José Echegaray y á Dª Maria Guerrero de primera actriz. Tambien nombra un Comité p^a^ la admisión de obras en que figuran Echegaray Galdós y Guimerá.

El Ayuntamiento en vista de que no puede dar el teatro sino en publica subasta determinó tomar en consideración esta oferta dar cuenta de ella en sesión y sacarlo segun está prevenido a subasta aceptando la proposición mas conveniente.

Hoy trae el Imparcial el adjunto suelto que le remito.

Deseandole á V. mucha salud y envidiándole á V. el fresco que disfrutará y de que aqui nos vemos privados,

Se repite siempre suyo aftmo. amigo y admirador

Q. B. S. M.

Emilio Mario

Burgos 1° Julio 1894.

NOTA.—Al original acompaña un recorte de periódico dando cuenta del acuerdo de la Comisión de Espectáculos del Ayuntamiento.

* * *

Mi querido y distinguido amigo:

Escribo á V. para darle cuenta de nuestra expedición por Galicia.

Coruña La de S^n^ Quintin dos representaciones, una de La Loca de la Casa.

Ferrol una de la S^n^ Quintin, una La loca de la Casa.

Santiago una de S^n^ Quintin una La loca de la Casa.

Vigo una de S^n^ Quintin, una Loca de la Casa. Todas con gran exito

---

(1) Angel Guimerá (1849-1924), notable autor dramático catalán.

y contentamiento de los públicos. Como nuestra estancia es corta en cada punto solo de nueve dias á excepción de la Coruña; por esta razon no hé mandado telegramas á la prensa no digan que manejo el bombo y los platillos.

El éxito de la Compañía es grande y el resultado satisfactorio. Los artistas muy aplaudidos; Maria Guerrero gusta mucho y se capta las simpatias de todos los publicos; ya canta canciones gallegas á maravilla, que les entusiasman á los marinos. Ya lo sabe V. todo.

A fines de este mes marcharemos a Oviedo; escribo con esta fecha a D. Leopoldo Alas. ¿Nos visitará V. en Asturias como me tiene prometido? si asi fuera me convendria saberlo pues guardariamos sus obras para cuando V. fuese: no deje de ponerme cuatro renglones.

¿Como va la Comedia ó drama del año proximo?

Sabe cuanto le quiere su aftmo. amigo y admirador

Q. B. S. M.

Emilio Mario

Vigo 9. Mayo 1894.

Nota.—El original en papel con iniciales E. M., en relieve y en rojo.

* * *

Mi distinguido amigo:

Hé recibido su carta fecha del 9. á mi regreso de Vitoria donde hé pasado los dias de corridas alejándome del bullicio insoportable que invade la población en las fiestas de Sn Fermín. Ayer me enteré de lo que es preciso hacer para ir a Jaca. Todos los dias á las dos y media de la tarde sale un coche correo que no tiene berlina sino los asientos de interior cuesta quince pesetas y permite un peso de equipage de una arroba; llega á las ocho y media á Tiermas donde se descansa y se duerme y a las cinco de la mañana del día siguiente sale para Jaca á donde llega á las once y media. El viage *(sic)* dicen que es precioso y si no es muy comodo no puede tampoco calificarse de muy molesto. Si usted se decide a venir sepa que estaremos aqui hasta el diez y ocho; avíseme V. y saldremos á recibirle dejándole tranquilo como es su deseo pero acompañandole las horas que aqui permanezca, si nos lo permite.

Mucho me convendría saber que artistas necesita V. para su comedia. Ya sabe que tengo contratada á Julia Sala hermosa mujer y muy discreta como actriz. Nada he dicho aun a los artistas que estan á mi lado hasta saber las obras con que cuento para el año proximo y prepararme. Ademas he querido dejar en libertad a la familia Guerrero de escoger los que pudiese convenir para el Teatro Español seguro de que hubieran sufrido un desengaño como el que acaban de tener con los autores. Por cartas que hé recibido de Dn Miguel Ramos Carrión, Dn José Feliú y Codina y Miguel Echegaray se que há estado Dn Ramón Guerrero pidiéndoles sus comedias pa el Teatro Español y le han contestado las tienen comprometidas para mi Compañia de la Comedia. Esto como es natural les aleja de mi lado y demuestra una vez mas la torpeza que les caracteriza pues todavia ni tienen el Teatro Español ni es facil que lo den, pues Blasco interpone tambien su influencia prometiendo cuanto exija el Ayuntamiento seguro de que nada há de cumplir pero como medio de vivir un año.

Da Maria Tubau trabaja por bajo de cuerda para ingresar en mi compañia pero (acá internos) no es santa de mi devoción y me estoy haciendo el desentendido sin decirle que nó, pero haciendo lo que hace Sagasta en politica dando largas al asunto.

Nada he hablado con Maria Guerrero de su comedia ni de las de los demas, no quiero mortificarla. No creo que ella me diga nada, pues el amor propio exagerado es una de las cualidades que la caracterizan. Lástima grande tenga un padre que me recuerda aquel cuento de uno que fué á confesarse y le dijo al Sr. Cura «Acúsome padre que soy Carpintero y el Cura le contestó: Ya se conoce hijo porque hueles á zoquete». Con una persona que guiase a Maria por buen camino y a quien ella escuchase podria hacer muy pronto una reputación de actriz de gran mérito y una buena fortuna pero todo inutil, cuantas mas reflexiones le he hecho mas se ha obstinado en su idea, y he desistido; ya no le hablo mas que del tiempo y del calor que vá apretando.

Mucho me gusta el titulo de su comedia «Los Condenados» y no me asusta por mas que V. crea que soy algo timorato: si, lo soy como empresario, pero como particular estoy conforme en algunas ocasiones con las doctrinas de Augusto Comte y Littré aunque no sea devotísimo partidario de ellas.

Con gran éxito se ha representado aqui La de S[n] Quintin y daremos La loca de la Casa.

Espero noticias de V. si se marcha por Burdeos o se decide a visitarnos.

Sabe cuanto le quiere y admira su aftmo. amigo

Q. B. S. M.

Emilio Mario

Pamplona 12 Julio 1894.

NOTA.—El original lleva adjunta la siguiente nota explicando el viaje Pamplona-Jaca:

Todos los dias á las 2 de la tarde sale de Pamplona un coche p[a] Jaca. Este coche que lleva el correo es un omnibus sin berlina y cuesta cada asiento de Pamplona á Jaca 15 pesetas.

El viage *(sic)* se hace saliendo de Pamplona á las dos de la tarde y se llega a Tiermas entre 8 y 9 de la noche.

Se cena y duerme en Tiermas y se sale entre 4 y 5 de la mañana para Jaca donde se llega á las 11 de la mañana.

* * *

Mi querido y distinguido amigo:

En mi poder su grata fecha 2. Por la prensa y por algunos amigos hé tenido noticias de V. haciéndome concebir la esperanza de que nos hubiese visitado en S[n] Sebastian. Guardé en Pamplona p[a] la ultima función La loca de la Casa y en S[n] Sebastian dí la penultima con La de S[n] Quintin; pero nos llevamos chasco, se conoce que desde Zumárraga donde le encontraron unos amigos que venian de Madrid se fué V. á Bilbao con las impresiones de su precioso viage *(sic)* sin acordarse de nosotros. Yo por el contrario sabiendo que V. tendria gusto en vernos por Santander hé firmado el contrado p[a] el mes de Set[e] desde el 6 al 15 p[a] dar nueve o diez funciones y representar sus obras *con el mismo personal* que las hé estrenado en Madrid. Alli tendremos el gusto de conocer ya concluida «Los Condenados».

La compañia que actuará el año comico venidero en el teatro de la Comedia será la misma de hoy exceptuando a la Sta. Guerrero que será reemplazada por la Sta. Sala; pudiera muy bien entrar la Sta. Cobeña pero este es asunto que hé de tratar con D. Ricardo Calvo (1) pues no quiero perjudicarle y aunque la Sta. Cobeña tiene deseos de estar en Madrid yo no puedo hacer nada sin la aquiescencia de Calvo. Si esto fuera posible la Comp[a] seria mas completa que los años anteriores.

D[n] Ramón Guerrero y Maria siguen pensando en las obras y en la formación. Si esto llega á realizarse creo que las obras resultaran un pequeño arreglo, la calefacción (que es precisa) y un cuadro de compañia imperfecto pues segun dice D[n] Ramon en teniendo á su hija nadie le hace falta. En fin un cien pies como todos los que há ideado, pero son felices haciendo castillos en el aire. Nosotros seguimos en muy buena harmonia, yo tratándole con el cariño de siempre pero nada le hablo de teatro; le dejo que sueñe pues eso constituye parte de su felicidad y hablarle de otra cosa sería molestarle.

Hé tenido carta de D[n] Fernando Diaz de Mendoza (2) recordándome la promesa que le hice de ingresar en la Comp[a]; le hé contestado diciendole le conviene estar en el Español al lado de Maria porque trabajará mas que en la Comedia donde tiene q. partir el trabajo con Thuiller.

Aqui me tiene V. hasta el dia 12 y en Bilbao desde esa fecha. Anoche se representó La loca de la Casa que ya la conocian por otras compañias. Obtuvo gran exito como siempre.

Sabe cuanto le aprecia su aftm[o] amigo y admirador

Q. B. S. M.

Emilio Mario

Vitoria 4 Agosto 1894.

* * *

Mi distinguido amigo:

Anoche se estrenó La de S[n] Quintin con gran exito (cosa aqui muy rara) llamaron al final de todos los actos y en el 2[o] dieron tres ó cuatro aplausos.

---

(1) Ricardo Calvo y Revilla (1844-1895), notable actor español que formó también compañía.

(2) Fernando Díaz de Mendoza, notable actor español que en 1896 casó con María Guerrero.

D^n Sabino Goicoechea le puso á V. un telegrama felicitándole.

Si V. viniera por aqui los amigos se alegrarían mucho y dariámos dos representaciones de sus obras Loca y S^n Quintin.

Ya creo habrá V. terminado la del proximo año.

Yo estoy organizando mi compañia: nada diré hasta que esté formada, procuraré que sea la mejor de Madrid.

Princesa y el Español se confiarán en las primeras actrices y lo demas flogito *(sic)*. El sistema de los artistas empresarios ya muy antiguo y no del agrado del publico.

No sé si podremos hacer lo de Santander pues hay bastantes dificultades.

Sabe cuanto le aprecia y admira su aftmo. amigo

Q. B. S. M.

Emilio Mario

Bilbao 19. Agosto 1894.

* * *

Mi querido amigo:

Siguiendo sus instrucciones hé contratado á Dª Carmen Cobeña p^a el año proximo.

Me pregunta D^n Sabino Goicoechea si viene V. aqui unos dias yo le he dicho que aguardo su respuesta y que guardo sus obras.

Mucha salud le desea su amigo y admirador

Q. B. S. M.

Emilio Mario

Bilbao 23. Agosto 1894.

Celebraré que la obra no parezca muy rara y que tenga todavia mas éxito que las ya representadas.

* * *

Mi querido y distinguido amigo:

En mi poder su telegrama y su carta. Yo no hubiera molestado á V. si los amigos que están en el teatro todas las noches no me hubieran preguntado constantemente cuando venia, por esta razón hé insistido: comprendo que á V. le moleste venir en estos momentos pero es preciso sacrificarse. Le aguardaremos á V. el dia tres Lunes beneficio de Cepillo con La loca de la Casa y Martes La de S[n] Quintin. Tiene V. cuarto preparado en el Hotel Terminus y esperamos ordenes p[a] salir á recibirle. Sabe cuento le quiere su aftmo. amigo

Q. B. S. M.

Emilio Mario

Al recibir el telegrama se ha cambiado la marcha del trabajo.

Bilbao 29. Agosto 1894.

* * *

Mi distinguido amigo:

Por si marcha V. antes de que pueda remitirle la lista de compañia pongo en su conocimiento que está ya formada y es la misma del año año anterior solo varía la 1[a] actriz que como V. sabe es D[a] Carmen Cobeña. Las listas saldrán el Viernes ó Sabado y se las remitiré. La inaguración de la temporada tendrá lugar Dios mediante el dia 19 del corriente con La Mogigata de Moratin rindiendo culto al maestro de hacer Comedias y un saynete *(sic)* titulado Las preciosas ridiculas. La primera obra que se estrenará es un arreglo del frances de *Puie* (1). Es una comedia de enredo muy cómica que se titula Campignol. Despues irá D[n] Miguel Echegaray con La Monja descalza y V. me dirá cuando quiere ir si antes ó despues de Feliu y Codina. Para terminar mis asuntos me vine

(1) De lectura dudosa.

directamente desde Bilbao y afortunadamente ya está todo arreglado y no falta mas que las obras que se estrenen gusten mucho, y que el publico llene todos los teatros de la Corte sin olvidarse del nuestro.

Nada nuevo de contarle que V. no sepa —Madrid todavía sin gente. Dé mis cariñosos recuerdos á los tres que le acompañaron en la espedición *(sic)* á Bilbao y V. sabe cuanto le quiere su aftmo. amigo y admirador

Q. B. S. M.

Emilio Mario

Madrid 12 Sete 1894.

* * *

Mi estimado y distinguido amigo:

En mi poder la suya. Estamos conformes en lo que V. me dice; ya procuraré que vaya V. en Diciembre como V. desea. Antes ó despues de Feliú y Codina segun duren las obras pues Feliú deja a mi gusto la colocación de su comedia.

Dicen que la Compa del Español marcha á Valencia hasta que terminen las obras y cuentan que dice Guerrero: Si yo hubiera sabido lo que es tratar con el Ayuntamiento cualquiera día me meto en arreglar el teatro!

Un feliz viage y un feliz regreso le desea su aftmo. amigo y admirador

Q. B. S. M.

Emilio Mario

Madrid 17 Sete 1894.

* * *

Mi distinguido amigo:

Hé leido su obra «Los Condenados» y me ha gustado mucho; tiene gran novedad y es teatral, es una de esas leyendas ó romances españoles que se prestan por su interés á despertar la curiosidad del publico. Tiene la ventaja de que le 3er acto es el mas teatral. Respecto al reparto es claro y la obra no ofrece grandes dificultades de ejecución porque como las situaciones están preparadas el publico entra en ellas y el artista no tiene mas que hacer lo que pueda y siempre resultarán.

Salomé	Sta. Cobeña
Monica	Sta. Ruiz
Feliciana	Sta. Alverá ó Sta. Tovar
Santiago	Sr. Cepillo
José León	Sr. Thuiller
Barbués Gaston Gines	V. me dirá quien ha de hacerlos

Si Cepillo no hubiera estado en la comp[a] yo podría representar el papel de Santiago con ligeras alteraciones cargándole unos años más y quitándole el querer casarse con la sobrina que es un incidente.

La obra la estan sacando de papeles p[a] que cuando V. venga tengamos adelantado el estudio.

El Sabado estrenamos una comedia, El Nido ageno *(sic)* primera obra de D. Jacinto Benavente (1). Los lobos la trituraron y la prensa creo que la trata mal, yo no leo los periódicos cuando empieza la temporada. El publico aplaudió mucho llamando al autor varias veces á escena. Los aspirantes á escribir comedias se encontraron con que viene con mas vuelos y con mas instrucción que todos ellos. Nos dará poco dinero, muy pronto estrenaré «Servicio Obligatorio».

La Cobeña ha representado La Dolores con gran éxito.

La Compañia Guerrero empieza el dia 15 en el teatro de la Princesa con Un crítico incipiente de D. José Echegaray.

Este año se preparan los Tenorios como salvación de las Empresas en todos los teatros de Madrid.

Dicen los comicos que el mejor será el de Novedades y el que dará mas dinero. El publico se prepara para asistir a todos.

---

(1) Jacinto Benavente (n. 1866), famoso autor dramático español cuya primera obra teatral fue, en efecto, *El Nido Ajeno*.

Felicito á V. por su nueva obra que creo, Dios mediante, há de proporcionarle un triunfo mas.

No tendran nada que decir los neos de Los Condenados.

Que V. se divierta mucho en ese hermoso pais y disfrute al lado de su familia es lo que le desea su amigo y admirador

Q. B. S. M.

Emilio Mario

Madrid 8 Oct^e 1894.

El 28 le pondré el telegrama.

* * *

Mi querido y distinguido amigo:

Por la prensa le supongo á V. enterado de cuanto me há ocurrido al salir de Madrid, la fuga de Cepillo que por el momento há sido imposible la sustitución porque Donato Gimenez (1) no podia salir de su pueblo hasta primeros de Junio; y emprendí mi marcha a Murcia donde se han dado veinte y una funciones estrenando Thuiller La loca de la Casa que há gustado extraordinariamente y mereciendo los honores de la representación. Esta noche la representamos aquí donde tambien es nueva. El Sr. Gimenez estudia los Condenados p^a estrenarlos en Barcelona.

Remito a V. la lista que con ligeras alteraciones será la que luche con las compañias que actuan en Madrid el año proximo.

El dia 15 del corriente voy á Valencia y el 1° de Junio empezaremos en Barcelona.

Le tendré á V. al corriente de nuestra excursión y del resultado de sus obras.

Sabe cuanto le quiere y admira su aftmo amigo.

Q. B. S. M.

Emilio Mario

Cartagena 10 Mayo 1895.

* * *

---

(1) Donato Jiménez (véase nota pág. 278) era natural de Jaén.

Mi querido y distinguido amigo:

En mi poder su grata fecha 9 del corriente: Despues de la fuga del Sr. Cepillo me há sido imposible poner en escena Los Condenados pero se ha representado en Murcia y Cartagena La loca de la Casa y en Valencia La loca de la Casa y la de S^n^ Quintin y en Barcelona La loca de la Casa, La de S^n^ Quintin, Realidad y Los Condenados que se estrenaran el Jueves 27 vispera de la festividad de S^n^ Pedro para que coincida con la epoca en que empieza la acción de la obra. Las cuatro obras dramáticas que V. há escrito las tiene de repertorio esta Compañia y las representa en cuantos teatros actua. No se puede decir lo mismo de otros que se llaman sus amigos y que lo son de mentirigillas como dicen los chicos. Pero las faldas siempre han tenido gran intervención y hasta han decidido en muchas ocasiones la suerte de los Imperios.

Aqui me tiene V. amigo batiendo el cobre en el teatro Lírico (el 1er teatro de Barcelona empezando por Gracia) y aqui me tiene V. defendiendo el pabellon con honores y no lo dice la prensa porque yo estoy hace tiempo á una distancia muy respetuosa de ella porque mis ocupaciones no me permiten agasajarla como ahora se acostumbra. Esto me lo reservo para cuando no tenga que estudiar ningun papel porque yo también sé pasarles la mano por el lomo (permítaseme la frase).

Esta noche se representa aqui *Teresa* á petición de los entusiastas admiradores de D. Leopoldo Alas, según dice la prensa: mucho celebraré que sea del agrado del publico. Yo lo dudo, no porque no este muy bien escrita, pero no es teatral no interesa y es preciso decir como el poeta:

> Que los dramas y comedias
> para el publico se hacen
> y si a este no satisfacen
> seran buenos... pero a medias.

Me pregunta V. en su carta ¿que donde voy á trabajar el año próximo? y no puedo contestarle. No paso por las exigencias del dueño del teatro de la Comedia y pondré mi tienda donde pueda y como en otras ocasiones con la ayuda de Dios y trabajando mucho nos defenderemos. Madrid es grande y dá para todos. Los autores no me abandonarán y con fé y entusiasmo se convierten las montañas en granos de arena y ya sabe V. que yo soy de los que no desmayan nunca.

Estoy ensayando Los Condenados al Sr. Gimenez há comprendido muy bien su papel. Telegrafiaré á V. el resultado.

Las señoras y Srtas de la Compañia agradecen su recuerdo y me encargan salude á V.

Dice el publico que la Cobeña va ganando mucho y que es muy bonita lastima que no tenga (como diría Ducazcal (1) q. e. p. d.), la mundología que se necesita para vivir en los escenarios.

Sabe cuanto le quiere y admira

Emilio Mario

Barcelona 28 Junio 1895.

* * *

Sr. D. Benito Pérez Galdós

Mi querido y distinguido amigo:

Anoche telegrafié á V. el éxito de Los Condenados: ignoro lo que dirá hoy la prensa que recopilaré y remitiré según vaya saliendo.

Terminó la Comedia á las doce y salí del teatro llevando solo mis impresiones, son las diez de la mañana y escribo á V. sin haber salido aun de casa.

1er acto: há gustado mucho, palcos y butacas aplaudian. La entrada regular porque la atmósfera de la obra como V. sabe no había sido buena en Madrid y aqui se leen todos los periodicos de la Corte.

2.º acto. marchó muy bien sin tropiezo alguno y entrando el publico en las situaciones dramaticas. El juramento en mi opinión enfrió algo el animo de los que ayudaban al éxito pero sin tropiezo marchó al final y llamaron al palco escénico tres veces aplaudiendo todo el mundo.

3er: ha gustado y la Sta. Cobeña fué llamada a escena en el mutis de su primera salida. Al concluir se llamo con entusiasmo y un individuo

(1) Felipe Ducazcal (1845-1891), activo y popular empresario de teatros madrileño.

sin duda de *otro corral* protestaba pero fue sofocada su protesta, precisamente por lo intempestiva por el publico de palcos y butacas.

La ejecución ha sido muy aceptable por parte de todos y el Sr Gimenez D^{n} Donato muy justo en su papel, cuando lo domine sacará de él gran partido.

Si V. hubiera estado en Barcelona el exito habria sido mucho mas grande. Mañana dia de Moda la repito y con la opinión de la prensa puede muy bien, si es favorable excitar la curiosidad del publico.

En resumen el pabellon há quedado muy bien colocado y la honra está salvada. La función há sido de desagravio, y la opinión general en corros y palcos es que lo sucedido en Madrid habia sido inicuo. Excuso decirle a V. que en cuantos estrenos llevo, vivo alerta y no dejo á mis adversarios ganar ni una pulgada de terreno. Estoy batiéndome en uno de los teatros de menos defensa y estoy llevándome el premio de honor hasta hoy.

La Teresa de D. Leopoldo Alas fué un fracaso y una plancha para los que trataron de defenderla. En fín como seria la cosa que no se han atrevido a ponerla por segunda vez por temor al escándalo.

El dia tres del mes de Julio voy a dar un beneficio p^{a} la familia de D. Ricardo Calvo y con este motivo una función en honor á su memoria. Todos los artistas dejan sus sueldos y pienso que los productos intégros vayan a poder de la viuda y huérfanos. Se pondrá en escena la *Loca de la Casa* y pido á V. perdone los derechos de la obra.

Al final se coronará el busto del que fué nuestro compañero que estará colocado en el proscenio sobre un pedestal y con una gasa en señal de luto.

Reciba V. mi entusiasta enhorabuena y tenga la seguridad de que hemos ayudado con nuestras pocas fuerzas á reparar la injusticia que con V. habian cometido la envidia y la impotencia.

Sabe cuanto le quiere y admira su aftmo. amigo

Q. B. S. M.

Emilio Mario

Barcelona 28 Junio 1895.

* * *

Mi querido y distinguido amigo:

En mi poder su grata por la que veo há leído V. la prensa y há recibido cartas dándole cuenta de la verdad de lo ocurrido. Hoy se me ha presentado D. Miguel Moliné y Roca (1) redactor del Diario del Comercio con el que hé tenido una larga conferencia autorizándole para que desmienta la noticia dada por el Sr Coria (2) de que Los Condenados habian sido transformados. Ni el Sr. Miguel y Badia (3) ni el Sr. D. Miguel Moliné han notado tal transformación: indudablemente el Sr Coria no há leído Los Condenados ó no los há visto: há oído campanas sin saber donde y al ver el éxito franco se conoce que le molestó y trató de desfigurar lo hecho por mi en el ejemplar; que solo há consistido en aligerar algunas escenas autorizado por V. en carta anterior á su última y que si se hubiera estrenado en Madrid con esas ligeras supresiones V. hubiera tenido *mas exito*: a pesar de los pesares y de las envidias.

El artículo del Noticiero es un fiambre mal hecho y mal escrito y con *su poquito de mala intención* que es lo único por lo que se distingue.

Se há estrenado Mancha que limpia (4) con muy buen exito, remito á V. el juicio crítico de Miguel y Badía que es el que dá en el clavo y dice la verdad.

Anoche tuvo lugar el beneficio en favor de la viuda e hija del malogrado Calvo. La entrada muy buena y remitirá cerca de siete mil reales producto líquido de la función. Todos me ayudaron y cedieron sus sueldos. Doy á V. gracias por los derechos. Resultó muy bien.

Nada mas de particular, sabe cuanto le quiere su aftmo. amigo y admirador

Q. B. S. M.

Emilio Mario

Barcelona 3 Julio 1895.

* * *

---

(1) Miguel Moliné y Roca (n. 1857), periodista y crítico taurino español, fundador del *Diario del Comercio de Barcelona*.

(2) De lectura dudosa.

(3) Francisco Miguel y Badía (n. 1840), escritor y crítico catalán, redactor del *Diario de Barcelona*.

(4) De don José Echegaray.

Mi querido y distinguido amigo:

Recibo su cariñosa carta cuando me disponia a escribirle a V. Acepto la obra que me propone mejor que Hamlet pues como dice V. muy bien la Ofelia no encaja bien en Mª Tubau: mas adelante si Dios nos dá vida y salud estudiaremos la obra de Shakespeare detenidamente que mucha parte de su salvación está en la manera de ponerse y representarse. Este verano en los pocos dias que me quedado *(sic)* libre he leido y releido el Hamlet y si bien me gusta mucho comprendo las dificultades que encierra.

La Sta. Alisedo (1) que V. me recomienda es muy amiga nuestra y tengo gran interes en colocarla en la Compª: no sé si podré conseguirlo pero haré cuanto me sea posible. Tambien trabajo para que quede en la compª Carmen Cobeña. Ya le escribiré teniéndole al corriente de cuanto ocurra. Creo que pª el 15 del corriente este ya formada.

Para hacer mi composición de lugar me convendría saber sobre que mes puede tener corriente su trabajo.

Doy á V. gracias por su interes sobre la salud de mi hijo que vá reponiendose pero estoy amagado de perder á mi madre política. Contratiempos naturales de la vida.

Sabe cuanto le quiere su aftmo. amigo y admirador

Q. B. S. M.

Emilio Mario

Madrid 4 Septe 1895.

Nota.—El original en papel de luto.

* * *

(1) Lectura dudosa.

Mi querido y distinguido amigo:

Remito á V. la lista de Compª. Dadas las circunstancias porque atraviesa el teatro la Compañía puede calificarse de buena, personal numeroso y sin notabilidades, porque no las hay tampoco en los demas teatros, pero todos los artistas muy aceptables. La otra 1ª actriz Juana Martinez es realmente una joven de veinte y cinco años, hermosa, tiene sentimiento declamando y arranque drámatico. Tiene defectos que ensayando mucho las obras sino desaparecen en el momento se atenuan.

Los actores son *muy* sutiles, creo que Dª Perfecta puede salir bien y si como espero es un éxito entonces pondremos en juego algunas de sus obras por mas que el Español teniendo á Donato Gimenez su repertorio no queda relegado al olvido pues tanto La *Loca* como *La de* Sª *Quintin* se las representaran y con la esperanza de estrenarle a V. una obra; Maria Guerrero tratará de tenerle contento.

Ahora empieza V. a trabajar con la compª de Mª Tubau y así se forma V. un repertorio de obras dramáticas que en ocho o diez años pueden darle un gran resultado.

Agradezco á V. mucho su sentido pésame y mi mujer me encarga se lo haga asi presente.

Póngame algunos renglones cuando tenga tiempo y sabe cuanto le admira su amigo y admirador

Q. B. S. M.

Emilio Mario

23 - Sept^{e} 1895 Madrid.

* * *

Mi querido y distinguido amigo:

El Miercoles estrenamos con gran exito su drama Dª Perfecta, algun temor tenían los timoratos que conocían la novela, y como aqui, como en todos estos pueblos domina el clero, no hubo la entrada que yo me prometía; es de admitir que estamos con las elecciones y la batalla es reñida de modo que no se ocupan mas que en buscar votos y la influencia de la guerra de Cuba tambien contribuye al retraimiento. A pesar de todas estas cosas la obra há gustado mucho y se ha aplaudido llamando al final de todos los actos. El 3º queda muy bien con la reforma y al mutis de los cospiradores *(sic)* se los há llamado á escena: Altarriba hace muy bien el Caballuco y la Tovar há estado admirable en Dª Perfecta la pobre trabajó tanto la primera noche que se há quedado afónica y la 2ª representación le costó mucho trabajo concluir. Doy á V. mi enhorabuena porque quedando con gran crédito se la harán todas las compañias que vengan en otras temporadas. Esta es la ventaja de dar á conocer las obras bien representadas. Nosotros hemos luchado aqui en Miel de la Alcarria y La fierecilla domada con la opinión desfavorable que este publico tenía de ellas y ya es imposible en tan corto espacio de tiempo rehacerla. Esta noche La de Sn Quintin, ya ve V. como no le olvidamos. Dígame cuando regresa á Santander por si estamos aun aqui y puede detenerse.

Sabe cuanto le quiere su aftmo. amigo y admirador

Q. B. S. M.

Emilio Mario

Valladolid 10 Abril 1895.

* * *

Mi querido y distinguido amigo:

Ante una concurrencia de Charros y Charras distinguidos se estrenó anoche Dª Perfecta interpretando el papel de protagonista por enfermedad de Dª Rosa Tovar, la Sta. Dª Maria Cancio que cumplió perfectamente su cometido diciendo con valentia su escena culminante del acto 2º. El publico aplaudió muchísimo. Remito a V. la prensa pª que vea el exito.

Siento no haya V. venido a pasar unos dias en nuestra compañia porque tenemos aqui una fonda de primer orden que es nueva con luz electrica en los cuartos y una mesa abundante y exquisitamente servida. La concurrencia al teatro es escasa porque esto se resiente de la guerra y de la sequía pero los que asisten salen complacidísimos. Mañana damos la ultima función-despedida con La de Sn Quintín. Ya ve V que no le olvidamos y en seis funciones van dos de usted. En Pamplona estrenaré Los Condenados; no lo he podido hacer en Valladolid por la enfermedad de la Tovar pero ya se lo he repetido á la Cancio.

Siento no tenerle á V. en Valladolid pero comprendo las razones y las respeto.

Sabe cuanto le quiere su amigo y admirador

Q. B. S. M.

Emilio Mario

Salamanca 29 Abril 1896.

Carmen Cobeña, Emilio Thuiller, todos todos *(sic)* me encargan de á V. sus recuerdos.

NOTA.—El original lleva adjunto un recorte de un periódico de Salamanca con la crítica del estreno de *Doña Perfecta*.

* * *

Mi querido amigo:

El exito inmenso de Dª Perfecta há despertado muchos odios iras y rencores en este pais de Carlistas, pues hasta las piedras de las calles lo son. La mujer hipocrita abunda en esta tierra y es claro se han movido pª evitar otra demostración de protesta contra esa clase de gentes. Anoche anuncié pª hoy Lunes estreno de «Juan José» (1) y el Alcalde y el Gobernador me suplicaron que no lo pusiera en escena; despues de una discusión de una hora les manifesté había concluido de trabajar y me marchaba sin dar la representación de hoy. Salgo pª Sn Sebastián veremos si los clérigos nos arrojan tambien de aquella región de Orbajosa.

Es preciso que los autores se reunan Vs y tomen un acuerdo contra

(1) Drama de Joaquín Dicenta (n. 1863) estrenado en Madrid en 1896 y por el que recibió al año siguiente el premio Piquer de la Real Academia Española.

esta irritante censura eclesiástica y que la prensa liberal haga una campaña contra los que perjudican los intereses de V[s] y los de las Empresas, pues como dicen en los periodicos de su comunion que saldrán los nombres de las Sras. y Stas. que asistan á ver D[a] Perfecta y Juan José y otras muchas más obras, es natural el retraimiento de estas familias que tienen que vivir dominadas por los zánganos que comen á costa de los imbéciles, sin trabajar, pero haciendo daño. Una pluma tan respetada y autorizada como la suya promovería la reacción. Ya escribiré á V. desde S[n] Sebastian.

Sabe cuanto le quiere su aftmo. amigo y admirador

Q. B. S. M.

Emilio Mario

Pamplona 18 Mayo 1896.

* * *

Mi querido y distinguido amigo:

Hé remitido á V. la prensa de Pamplona p[a] que lea la campaña que se há hecho con D[a] Perfecta en toda la región de Orbajosa: Los curas predicando en el púlpito y mandando a las Sras. que no vayan al teatro a ver obras que atacan á la religion; y no concluyendo las flores de Maria hasta las nueve, p[a] que la gente no tuviera tiempo de mudarse de ropa p[a] ir al teatro. ¡Buena campaña han hecho! Nos han molestado cuanto han podido pero en Valladolid, Salamanca, Pamplona, S[n] Sebastian y Lérida ha gustado mucho D[a] Perfecta.

Aquí la haremos el dia 25 de Junio (Jueves) lo que le participo p[a] que vaya arreglando sus asuntos. Como en los puntos que he corrido no se han dado mas que seis u ocho funciones no se han puesto Los Condenados que representaré aquí en la 1[a] quincena de este mes.

Anoche empezamos con «El Si de las Niñas» (1). Gran exito y gran entrada; veremos como sigue pues el año es malo para los teatros.

Todas estas cuestiones levantadas por el clero le dan credito á la

(1) De Leandro Fernández de Moratín, escrita en 1805.

obra y sirven de publicidad pª las poblaciones grandes como Valencia y Barcelona; pero en los pueblos pequeños asustan á las señoras. Espero que aqui tenga un gran exito Dª Perfecta.

La Guerrero há empezado aqui el dia 28.

Sabe cuanto le quiere su aftmo. amigo y admirador

Q. B. S. M.

Emilio Mario

Barcelona 31 Mayo 1896.

* * *

Mi querido y distinguido amigo:

Como ya anuncié á V. el Jueves 25 estrenamos Dª Perfecta. Sería muy conveniente estuviera aqui dos ó tres dias antes, porque el exito seria muy grande. Guardo pª su estancia en esta La de Sⁿ Quintin y Los Condenados.

Las bombas nos han estropeado la temporada de verano y aunque la impresión no há sido tan grande como creíamos sin embargo há dejado huella perjudicando á las obras que hemos estrenado en estos días.

Sabe cuanto le quiere su aftmo. amigo y admirador

Q. B. S. M.

Emilio Mario

Barcelona 15 Junio 1896.

* * *

Mi distinguido amigo:

Escribo á V. una carta dirigida a Santander anunciandole que el dia 25 Jueves estrenamos Dª Perfecta y que seria conveniente estuviese aqui dos ó tres dias antes pª darle importancia al estreno como lo han hecho Dⁿ Joaquin Dicenta y D. José Feliu y Codina.

Los teatros se han resentido algo de las bombas anarquistas pero empieza á renacer la calma y la tranquilidad y espero que muy pronto se normalice el estado de la población.

Esperando sus ordenes se repite suyo aftmo. admirador y amigo

Q. B. S. M.

Emilio Mario

Barcelona 15 Junio 1896.

* * *

Mi querido y distinguido amigo:

Recibo su carta y paso a manifestarle que el susto del primer momento há desaparecido y los teatros siguen sus representaciones con bastante animación en algunas noches como siempre há sucedido. El Jueves 11 estrenamos El Juan José *(sic)* con extraordinario exito y asistiendo el autor que há estado aquí ocho dias. Esperan á Feliu, que se estrena M[a] del Carmen mañana Jueves, y el próximo Jueves en la epoca mejor de estos dos meses irá D[a] Perfecta y su presencia ayudará mucho á la obra y entonces representaremos Los Condenados como contraste, p[a] que no digan que es usted libre pensador y copiando una frase suya puedo decirle respecto á la cuestión de las bombas: ¡Aqui no ha pasado nada!

Sabe le quiere su amigo y admirador

Q. B. S. M.

Emilio Mario

Barcelona 17 Junio 1896.

* * *

Mi querido amigo D[n] Benito:

Recibí su gratísima carta y celebro mucho que esté trabajando con gran entusiasmo en la obra del invierno próximo. Solo siento q. sea tan dramática y no tenga algun personaje que sirva de contraste á lo terrorífico p[a] q. el publico encuentre algunos momentos de descanso;

en fin V. sabrá mejor que nadie lo que ha de hacer. El distinguido Clubman *(sic)* Sr. Medrano ha ingresado en la Compª del teatro de la Comedia y se há estrenado en Vitoria con La de Sⁿ Quintin gustando mucho (sobre todo los trages): hoy hace El Hombre de Mundo (1) y mañana nos despediremos de este publico con Dª Perfecta (la hé dejado pª lo ultimo por si acaso el Ayuntamiento que es Carlista tratase de llevarnos á la Carcel).

Ya ve V. que no le olvidamos, no hemos hecho Los Condenados porque aqui no hay ni una mala decoración, pero la pondré en Bilbao pª donde salimos el Jueves 13. Anímese V. pª la semana de fiestas en Bilbao y háganos una visita.

Sabe cuanto le quiere su aftmo. amigo y admirador

Q. B. S. M.

Emilio Mario

Vitoria 11 Agosto 1896.

* * *

Mi querido amigo:

Hé sabido por Carmen Cobeña que sigue V. en Madrid y trabajando en la obra de esta temporada.

En Vitoria se estrenó Dª Perfecta con gran exito y grandes protestas pero vencieron los liberales; aqui la daré a conocer el Martes proximo y tambien daremos Los Condenados, ya ve V. que no me olvido de V. Salimos pª Salamanca el día 7 y empezaremos el ocho terminando el 22 y empezaremos en la Comedia el 1º de Octubre como todos los años: Compañia, la misma, con algunas actrices y actores que aumenten el personal. Autores, ya los conoce V.; exceptuando a Dⁿ José Echegaray que solo escribe pª Mª Guerrero, todos los demas prefieren el Teatro de la Comedia siquiera sea porque se les trata con mas cariño. La Cam-

---

(1) Obra capital del autor dramático español Ventura de la Vega (1807-1865), estrenada en 1845.

paña de Vitoria y Bilbao ha sido muy buena, veremos el año proximo si tenemos suerte con las obras y si hay publico en Madrid para tanto teatro pues segun dice la prensa Vico vá al Moderno y los teatros del genero chico abundan cada dia mas: la langosta del arte.

Anímese V. y háganos una visita á Salamanca.

Sabe cuanto le quiere su aftmo. amigo y admirador

Q. B. S. M.

Emilio Mario

Bilbao 29 Agosto 1896.

* * *

Mi querido amigo:

Con especial gusto hubiese asistido á su toma de posesión en la Real Academia Española para cuyo solemne acto fuí invitado agradeciendo mucho la distincion que se me guardaba.

Pero yá que bien a mi pesar no me fué posible le envio mi entusiasta enhorabuena y la de mi hijo por el nuevo puesto que V. ocupa y que debe solo a sus propios y especiales merecimientos que en verdadera justicia hace mucho le correspondía disfrutar.

Sabe cuanto le aprecia y admira su aftmo. a.

Emilio Mario

Febrero 8/97.

NOTA.—El original en papel con el siguiente membrete: «Empresa del Teatro de la Comedia. Madrid.»

* * *

Mi distinguido amigo:

En mi poder su carta y al dia siguiente la de Canarias. Se la hé entregado a Carmen p^a^ que vea si le conviene.

Aqui como en todas partes tiene V. muchos admiradores y hablamos de V. continuamente. Espero que cuando tenga arreglado El Abuelo

p^{a} el Sr. Novelli mande sacar una copia para mi pues tendré una gran satisfacción en intentar representarlo si mis fuerzas me lo permiten.
Queda suyo aftmo. amigo y admirador

Q. B. S. M.

Emilio Mario

Sevilla 4 Feb^{o} 1898.

* * *

Mi querido y distinguido amigo:

Recibí su cariñosa carta y siento verle á V. tan pesimista respecto al teatro. Tiene V. dos obras en los pocos años que lleva escribiendo p^{a} él, que se las hacen todas las compañías: La loca de la casa y La de S^{n} Quintín. Repase V. las que se hacen de los que figuran en primera linea al lado de V. por cada éxito seis fracasos, y lo mismo sucede en todas las cosas de la vida sobre todo en las que son producto del ingenio.

El Abuelo debía V. dejarlo representar este año en el Teatro de La Comedia donde está Conchita Ruiz y Josefina Blanco. Donato Gimenez encaja admirablemente en el protagonista de la obra por la dureza de caracter y Rosa Tovar en el papel de madre esto sin perjuicio de que Noveli *(sic)* la represente cuando venga que, con perdón sea dicho, no le va el papel; querrá hacer muchas cosas y en mi corto entender necesita sobriedad.

La refundición mejor dicho la fusion de los actos 3° y 4° es muy facil de hacer pues no es necesario que el Conde eche á D. Pio en la 2ª escena del 3er acto sino que D^{n} Pio vaya á vestirse p^{a} llevar las niñas con su madre: De este modo se aprovecha lo de verdadero interés que es la acción de la obra y desaparece algo que hace mas repugnante el caracter de la madre cuando se cuente que esté dando escándalo con otro amante.

1er acto: está defendido con la exposición de la obra y el final es hermoso. 2° acto: La escena de El Abuelo y la nuera basta p^{a} defenderlo.

3er acto: La defensa de la nieta cuando tratan de llevar al abuelo á un asilo o convento y otras escenas preciosas y de interes entre ellas la del Conde con D. Pio aseguran el éxito, y el 1° y último tan hermosos creo que hacen de la obra una de las mejores y mas teatrales puesto que

Emilio Mario
Habana, 18.

Madrid 5. Eno 1899.

Sr. Dn Benito Perez Galdos

Mi querido y distinguido amigo:
Recibí su cariñosa carta y siento
verle á V. tan pesimista respecto
al teatro; tiene V. dos obras en los
pocos años que lleva escribiendo pª
él que se las hacen todas las compa
ñías. La loca de la casa y La de
San Quintín. Repase V. las que se
hacen de los que figuran en prime
ra línea al lado de V. por cada éxi
to seis fracasos y lo mismo suce
de en todas las cosas de la vida sobre

Facsímil de la carta autógrafa de Emilio Mario a Galdós de 5 de enero de 1899 el público sabe ya en el primer acto de lo que se trata por mas que ignoren el final todos aquellos que no conocen la novela.

Las protagonistas de la obra para mi son las niñas y con dificultad volverán á unirse Josefinita Blanco y Concha Ruiz. Nada importa que las obras las representen las 1as partes. Como existan la Comedia o el drama y encajen los papeles en los artistas y se ensaye la obra con esmero, el éxito es seguro.

No titubee V.: entregue su obra á la Comedia que la recibiran como pan bendito y el 1.º de Febrero viene V. á recibir aplausos.

No deje de escribir pa el teatro que eso es lo [que] desean los envidiosos: el nombre de D. Benito Pérez Galdós pesa mucho en la balanza. V. se debe al público, no sea V. egoista. Su nombre de V. como autor dramático llegará a tanta altura como ha llegado el del novelista, se lo dice á V. un practicón de teatros que ve con alguna claridad el estado en que se encuentra nuestra pobre literatura dramática y que vería con pena que aquellos que pueden salvarla la abandonen por la indiferencia de nuestro pueblo, que es la causa de las desgracias ocurridas, y por las envidias, odios, rencores y malas pasiones hijas de la mala educación. No D. Benito es preciso que los seres superiores se impongan y nos regeneren aunque sucumban en la lid, algun día aquellas lecciones vertidas en un escenario servirán pa salvar la literatura dramática española como á principios de siglo lo hizo Moratín.

Le deseo un feliz año en su precioso paraíso La Magdalena.

Su buen amigo y admirador.

Q. B. S. M.,

Emilio Mario

Madrid 5 Enero 1899.

NOTA.—El original en papel, con membrete: «Emilio Mario. Habana, 18.»

* * *

De Emilio Mario

Mi querido amigo:

Ya he visto su firma de V. en el comunicado a la prensa con motivo del atropello de San Sebastián.

No se si iremos allí pues con ese motivo la prensa ha falseado la opinión presentado a Colom (1) como el Cristo víctima de editores, autores y víctima mía que en nada me he metido y sin embargo soy el que viene a pagar los vidrios rotos. Escribí a D. José Feliú y Codina y a Dicenta rogándoles que a pesar de todo mantuviesen la prohibición de sus obras y a V. iba á escribirle con el mismo objeto pero ya el tal Colom se ha marchado de San Sebastián, y no hay caso, se conoce que ha temido las consecuencias naturales de su incalificable conducta.

Adjunto le remito a V. dos recortes de un periódico ó cosa así que se llama *La Tradición Navarra;* vea V. como se explica y como se van poniendo las cosas al final del siglo 19. La clericalla no deja vivir a nadie y creo que es llegado el momento de dar la voz de alerta los que como V. tienen autoridad y medios, en bien de la clase y en bien del Teatro que a este paso pronto se verá reducido a tres o cuatro capitales de provincia donde esa gentecilla no domine en absoluto.

El Sábado vá D.ª Perfecta; ha sido objeto de gran discusión en el Ayuntamiento, adonde pertenece este Teatro, si había o no de representarse pero yo me he mantenido firme ante esa previa censura, las personas sensatas se han alborotado y no han tenido mas remedio que bajar la cabeza porque de otro modo el Gobernador hubiese tomado cartas en el asunto.

Ya escribiré a V. el resultado.

Sabe que le quiere su aftmo. a.

Emilio Mario

(1) Juan Colom y Sales (n. 1852), actor y autor cómico valenciano.

CARTAS DE ANTONIO VICO
A
GALDÓS

Mi ilustre cuanto querido D. Benito:

Preocupado con mil cosas, y no queriendo hablar á Vd. entre tanta gente, lo hago por escrito.

Seré todo lo breve que pueda, y voy al grano.

El 4.º acto de Gerona (1) no es posible hacerlo tal como está, y juzgo q[e] nada haremos de provecho sino se le dá un giro distinto. Languidece de un modo insostenible, y es el acto que más vigor debe tener.

Ni mis escenas con Montagut, ni las salidas de las petrimetras, ni las idas y venidas en busca de Josefina, ni las del Fraile Valentín ni cuanto constituye el *acto* nos servirán mi querido D. Benito. más q[e] para matarnos la obra y atenuar el éxito de los actos anteriores.

Hablo con el corazón, y con mi práctica de 36 años de actor y 30 de director de escena.

El efecto que me ha producido este acto esta tarde en el ensayo, ha sido pesimista.

Creo, y Vd. *debe pensarlo bien*, q[e] el 4.º acto debe empezar defendiendo la trinchera, cuadro breve, vivo, animado, y bello, figurando en la defensa todos los personajes juntos. De esta lucha puede caer mortalmente herida Sumta, y luego la salida del capitán Montagut en una camilla, custodiado por soldados y Josefina, retirándola el padre de aquel horror. Explicación breve de Josefina, y orden de la rendición p[r] el Intendente Beramendi, *y enseguida el cuadro final* con la rendición y alguna frase de dolor mía, como final del drama.

Ni más ni menos. De hacerlo como está, tengo la evidencia de que salimos derrotados, aunq[e] espero en los tres actos primeros gran *suscee (sic)*.

---

(1) *Gerona* se estrenó el 3 de febrero de 1893 en el Teatro Español de Madrid.

Teatro Español

DIRECCIÓN

Sr. Dn. Benito P. Galdós.

Mi ilustre maestro y querido D. Benito = preocupado con mil cosas, y no queriendo hablar a Ud. entre tanta gente, lo hago por escrito – Seré todo lo breve que pueda, y voy al grano.

El 1er acto de Gerona tal como está no es posible hacerlo; nada haremos, y pienso que nada se le da [illegible] de provincia, sino se le da de un modo distinto – Lánguido de un modo insostenible, y es el acto que más rigor debe tener. – Ni mis escenas con Montagut, ni las salidas de [illegible], ni las ideas y las petit-maîtres, ni las [illegible] de [illegible], vendidas en [illegible]

Facsímil de carta autógrafa de Antonio Vico a Galdós, sin fecha

¿Y no sería un dolor que esto suceda y que yo no se lo advierta a usted?

Cumplo un deber sagrado y en ello busco mi salvación y la de todos.

Piense Vd. y mañana dígame lo que determina.

Le abraza su amigo.

Q. B. S. M.,

A. Vico

NOTA.—Sin fecha. El original en papel con membrete del Teatro Español. Dirección.

* * *

Mi noble amigo:

Anoche no pude hablar con Vd. á última hora, pero yo quiero seguir haciendo Gerona aunq[e] en ello me deje la vida q[e] me queda.

Trate Vd. con Mela de los medios q[e] pueda allegar á su objeto, trayendo á este teatro gente del Ejército, sus conocimientos particulares y cuanto entre todos podamos inventar.

Yo no puedo ni debo entregarme y ahora menos que nunca.

Ayer la señora de Moret y su hijo me aseguraron q[e] la subvención de la Diputación se me dará enseguida. —¿Cómo dejar el teatro ahora, aún siendo ruinoso continuar en él?

Mela lleva el encargo de hacerle a Vd. una súplica en mi nombre.

De ella depende, mi cariñoso amigo que yo pueda *por el pronto* proseguir mi lucha, y ponerme en condiciones relativamente tranquilas. —Vea Vd. cómo me saca del conflicto q[e] *es mayor que mi constancia.*

De esto depende todo. Familia, casa, teatro, *Gerona* y yo *inclusive.*

Espera anheloso la salvación de Vd., su buen amigo.

A. Vico

Hoy 6 Enero - 93.

* * *

Mi ilustre y querido amigo:

He cerrado el teatro y estoy abrumado por todos conceptos, sin tener donde ir á trabajar.

En tal situación he pensado q[e] Vd. telegrafie á Santander p[a] que me den aquel teatro y abrir un abono de 30 funciones, con cuyos ingresos pudiera trasladarme allí enseguida, anticipándome lo que necesitara p^a^ el viaje. —¿Puede Vd. hacerlo? Si no puede Vd. dígamelo ensegui *(sic)* p^a^ tirar por otro lado.

Sabe que es su admirador y reconocido amigo.

Q. B. S. M.,

A. Vico

Abril 14 - 1893.

* * *

Mi ilustre y querido amigo:

Atendiendo a la indicación q^e^ me hizo Vd. de las elecciones en esta, y atendiendo al fabor *(sic)* cada día más creciente de este público p^a^ conmigo y mi comp^a^ he retrasado su venida por conveniencia de todos, y p^a^ prepararle (como ya lo está) una noche de entusiasmo y de gloria!

La prensa se está ya ocupando de su venida, y tiene usted casi vendido el teatro para la 1.ª representación...!

He tenido cuatro llenos completos en las 4 func^s^ q^e^ llevo, y tengo el teatro abonado p^r^ la mejor sociedad de Zaragoza.

De acuerdo con los *chicos de la prensa*, se preparan banquetes y obsequios. —Solo falta q^e^ el Domingo se meta usted en el tren y llegue a esta el lunes 13, donde tiene ya su habitación preparada en el Hotel Europa donde estoy yo.

El lunes 13 hago *Guzmán el Bueno* (1), por ser aquí día gustado y gustar mucho *aun* ese género al público. —El martes su 1.ª representación de *D.ª Perfecta*, y el miércoles la 2.ª— *Despedida* de D^n^ B. P. Galdós!

Asi pues, le esperan con los brazos abiertos los corazones y este viejo andaluz, q^e^ si ha perdido la gracia, todavía cumple su deber, respeta y quiere á quien como Vd. vale..., lo que vale!

Póngame telegrama de su salida p^a^ publicarlo.

Su amigo que le abraza.

Vico

NOTA.—Sin fecha.

---

(1) Drama histórico de Antonio Gil y Zárate (1793-1861), escrito en 1842.

CARTAS DE JUAN VALERA
A
GALDÓS

Muy Sr. mío y distinguido amigo:

Adjunto tengo el gusto de remitir á V. un Diploma ó Título y una carta que he recibido p[a] V. de Lisboa.

Doy á V. mi cordial enhorabuena por la distinción que hacen de V. los escritores portugueses, si es que honor tan pequeño, y, dicho sea entre nosotros, tan por bajo del mérito de V. puede lisonjearle en algo. De todos modos, y por si V. es algo distraído y descuidado como yo lo soy, me atrevo á aconsejarle y a rogarle q[e] conteste á la Asociación dándole las gracias porque le ha admitido en su seno. Si V. lo hace, quedarán por allí muy contentos, y si no lo hace, casi de seguro se ofenderán, pues en Portugal la gente es muy vidriosa y muy puesta en sus puntos.

Creame V. siempre su afft[mo] s. y a.

q. b. s. m.,

Juan Valera

Madrid, 27 de Enero.

Nota.—Todas estas cartas de Valera están escritas por amanuense, únicamente la firma es de mano de don Juan. Esta carta no lleva fecha de año.

* * *

Mi querido amigo y compañero:

Escribo á V. para hacerle una pregunta á la que le suplico me conteste pronto y con toda franqueza.

Hoy ha venido á visitarme un señor llamado Zamacois, con otro señor cuyo nombre no recuerdo.

Ambos tienen el propósito de imprimir y publicar en Madrid, libros españoles, traducidos en lengua francesa. Dicen que las ediciones que harán serán de cuatro á cinco mil ejemplares; que esperan ganar con ello bastante dinero y hacer que nuestra literatura sea conocida y apreciada en Francia; pero que, por lo pronto, solo tienen esperanzas y muchísimos gastos, entre los cuales, sin duda no cuentan con lo que han de pagar á los autores, pues me aseguran que V, Picón y otros les dan sus novelas de balde. Añaden que han obtenido ya el permiso de traducir y publicar, de V. la novela *Doña Perfecta*, y de Picón *Dulce y sabrosa*.

Yo soy muy pudoroso, cuando trato asuntos de dinero, confío poco en lo que me pueda y me deba producir la literatura, y soy además tan blando y benigno de carácter, que apenas sé decir que nó, y por cualquiera persona, me dejo engañar y burlar muy fácilmente. En suma, yo he dado permiso al Sr. Zamacois y á su consocio para que traduzcan y publiquen mi novela *Genio y Figura*.

Después que salieron de mi casa los mencionados señores, he recapacitado sobre todo, y me he afligido y me he arrepentido de lo hecho, atribuyéndolo á debilidad y á ligereza. Ceder así, sin remuneración alguna, el fruto de mi trabajo y de mi ingenio por pobre que sea, es deacreditar yo mismo este fruto y dar á entender, que le tengo por desabrido ó poco sazonado, y por de tan corto valor, que es menester regalarle.

Sea como sea, mi tontería está hecha: no tiene remedio. Yo no quiero ni puedo volverme atrás, como sea cierto que V, perdóneme que se lo diga, ha incurrido antes que yo en la misma tontería. Si el Sr. Zamacois y su consocio, me han engañado y sí V. no les dá de balde sus novelas, yo tendré derecho á volverme atrás, y á decirles que no les doy mi permiso sino con las mismas condiciones y ventajas con qué V. ha dado el suyo.

Espero pues de la bondadosa amistad de V. que me informe de lo que ha hecho y hasta de lo que piensa en el mencionado asunto. Por escribir á V. yo debí haber empezado, pero todavía no es tarde, si la dicha es buena.

En el alma agradeceré á V. que me dé franca contestación á esta carta para que se logre mi deseo de hacer en adelante lo mismo que V. haga.

Creame V. siempre su af° amigo y compañero.

Q. L. B. M.,

Juan Valera

NOTA.—Carta escrita en papel con membrete del Senado.

* * *

Mi querido amigo y compañero:

Acabo de recibir carta del Duque de Sotomayor, donde me dice que S. M. la Reina Regente nos recibirá el Martes próximo á las seis de la tarde. Como mi casa está cerca de Palacio, ruego a Vd. que venga á ella á las cinco y media de la tarde de dicho día, afin de que Sellés, Vd. y yo, vayámos á ver a S. M. Creo que debemos ir de frac, corbata blanca y medalla de la Academia al cuello.

El Secretario de S. A. la Serem[a] Sra. Infanta Doña Isabel no me ha contestado todavía. Espero que me contestará, concediéndome la audiencia que le he pedido, para inmediatamente después de la que nos ha dado la Reina.

Los ejemplares que han de ir de presente, estarán con tiempo prontos en esta su casa, donde, para no llegar tarde á la cita, conviene que esté Vd. á las seis menos cuarto.

Créame Vd. siempre su afectísimo amigo y compañero.

q. l. b. l. m.,

Juan Valera

28 Nob[re] 97.

Nota.—El original en papel con membrete del Senado.

CARTAS DE JOAQUÍN COSTA
A
GALDÓS

Joaquin Costa

Facsímil del epígrafe autógrafo de Galdós a las cartas de Joquín Costa

Mi ilustre amigo:

Envio á V. en pruebas la 1.ª parte del folleto sobre *Caciquismo y oligarquia*, hecho, estado social y problema paralelo de los de *Electra* y todavía más graves, según creo.

El libro que le acompaña lleva al principio un índice de materias muy circunstanciado; y tal vez convenga á su objeto hojearlo una ó más horas (el libro quiero decir, con la guia del índice), y aun leer enteros los preámbulos ó el principio de los documentos I, V, XII y XVI (páginas 3, 111, 207 y 261), que expresan puntos de vista acerca del estado y situación actual de España, problema general de su existencia, revolución que se juzga necesaria, etc.

Saluda á V. con el mayor respeto y estima su devoto admirador y amigo

q. b. s. m.,

Joaquín Costa

16 Mzo. 901.

Nota.—El original en papel con membrete de «Joaquín Costa. Abogado. Barquillo, 5, primero. Madrid».
La carta aparece cruzada por una raya de lápiz azul.

* * *

Mi querido amigo.

Si me da V. hora, iré á ponerme á su disposición; pero si, como me dijo acostumbra y le hace bien salir á las 3 ó las 4, le aguardaré muy gustosamente.

Le devuelvo el ejemplar de su *España de hoy*, con las mas cordiales y cumplidas gracias por haberme hecho el favor de prestármelo.

Me ha interesado mucho la interrogación que pone V. al principio, sobre *quién ha de desatar ó cortar el nudo* que se ha formado en la historia de España. —Dos partidos nuevos se están formando sobre la base de ese nudo; no precisamente para desatarlo, sino para hacer de él nimbo y pedestal a dos personas. Qué pena!—. Sobre la misma base, deberían haberse agrupado ó agruparse las clases intelectuales, de que son cabeza usted, Cajal, etc., cuatro ó cinco más. De ello he dicho el sábado en el Ateneo, página 38 y sigs. del informe —resumen adjunto.

La otra interrogación con que remata su trabajo, relacionada con aquella otra, no es menos tremenda: *¿podrá el país, anémico*, etc....? Mucho convendría que contestara V. mismo, con lo que haya meditado y medite acerca de ello, y aún que llevara tema y solución al teatro, ó por lo menos á la novela, representando ambas cosas en acción; á estilo de *Sybil.*

Sí, señor; es imposible, como V. dice, que el país sea indefinidamente testigo y víctima callada del mal que padece; tiene V. razón, así no se puede seguir; pero sigue, y la malla no se rompe, ni se romperá como no se pongan á ello ustedes mismos, los que lo ven y denuncian y tienen detrás millares de corazones y de brazos que les oyen..., y que les aguardan.

El cuadro de España con instituciones de aprensión, (cartones pintados), soberanía transferida del pueblo al cacique, etc., está muy bien; y cómo se presta á la novela social!

Las condescendencias de los llamados liberales con el clericalismo, y sus consecuencias: el que no haya tenido aquí imitadores Lattoche en la Vendée, cuando fué ocasión; el Estadillo escolar, etc. —son cosas que encuentro bien apreciadas y censuradas. De otras, no estoy bastante orientado, no conozco suficientemente la situación para poder juzgar: leo y admiro.

Felicito á V. por este su trabajo social, que está pidiendo otros; y me suscribo una vez más su adicto amigo y admirador

Joaq^n Costa

Madrid 19 Junio 901.

NOTA.—El original en papel con membrete de la «Liga Nacional de Productores. Directorio. Barquillo, 5, Madrid».

* * *

De Joaquín Costa

Mi ilustre y querido amigo:

Se está imprimiendo ¡por fin!, el libro del Ateneo sobre *Oligarquía y Caciquismo*. He salido de la Memoria, y vamos por el pliego 8, donde principian los Informes (de los cuales quizá vió ayer una enumeración en *El Imparcial* ó *La Correspondencia)*.

En el verano último me prometió V. que, cuando llegara esta ocasión, haría por escribir un informe, nota ó testimonio, aun cuando fuese breve.

No creo que sea cosa fácil distraer á V. de tantas cosas como lleva entre manos. Si pudiese hacer un esfuerzo de aquí al 9 (de Marzo), se lo agradecería muy profundamente su apasionado amigo y admirador

Joaq^{n} Costa

En su caso, podría V. servírse remitirnos su escrito al Ateneo mismo.

Madrid, 28 de Febrero de 1902.

NOTA.—El original en papel con membrete de «Liga Nacional de Productores. Directorio» (Barquillo, 5, Madrid. aparece tachado).

* * *

Ilustre maestro y amigo de todo mi respeto:

Bajé ayer de la montaña de esta provincia á este monasterio de Benedictinos, donde pasaré unos días. Allí me enviaron, con otras cartas, las papeletas de invitación que V. tuvo la bondad de mandarme para «Alma y vida». Le agradezco muy de veras su fineza, y siento no haber podido darme un hartazgo de belleza. Supongo que se verificó el estreno del drama: á mi vuelta iré á verlo y aplaudirlo, y sentir y aprender.
Suyo siempre devoto admirador y amigo

q. b. s. m.,

Joaqⁿ Costa

El Priego (Barbastro, Alto Aragón).

Nota.—Sin fecha. Tiene que ser inmediatamente posterior al estreno de *Alma y Vida*, el 9 de abril de 1902.

* * *

Mi ilustre amigo:

El viernes 3 principiaremos la información sobre *Oligarquía*, en el Ateneo.

Alguno de los informantes (el Vizconde de Campo Grande) leerá por sí su informe escrito; yo leeré los de otros ausentes; otros hablarán.

Esta noche envío á los periódicos el anuncio de aquel acto. ¿Puedo decir que asistirá V. y leerá su dictamen?

Mucho me alegraría poder anunciarlo así, (con seguridad). Me repito de V. con el mayor respeto y estima affmo. amigo admʳ

Joaqⁿ Costa

28 - Abril - 1905.

Nota.—El original en papel con membrete de «Joaquín Costa. Abogado. Barquillo, 5, primero. Madrid». Aparece cruzada por una raya de lápiz azul.

* * *

El Pueyo (Barbastro, Alto Aragón)

Sr. D. B. Pérez Galdós

Ilustre maestro y amigo de todo mi respeto: Bajé ayer de la montaña de esta provincia á este monasterio de Benedictinos, donde pasaré unos días. Allí me enviaron, con otras cartas, las papeletas de invitación que V. tuvo la bondad de mandarme para "Alma y vida." Le agradezco muy de veras su fineza, y siento no haber podido darme un hartazgo de belleza. Supongo que se verificó el estreno del drama: á mi vuelta iré á verlo y aplaudirlo, y sentir y aprender.

Suyo siempre devoto admirador y amigo

q. b. s. m.

Joaqn. Costa

Facsímil de carta autógrafa sin fecha de Joaquín Costa a Galdós

Mi ilustre amigo D. Benito:

¿A qué *horas* de qué *días* (para poder escoger) podría usted hacerme el honor de recibirme, á fin de hablar, no de Oligarquía y Caciquismo, que esto ha quedado ya liquidado con su favorecida del otro día, sino del asunto que dejamos pendiente al marcharse V. á Santander el año pasado?

Vendría cuando V. me dijese. Yo no tengo casa donde recibir.

Espero tener tiempo y salud para ir á ver á *su cacique;* y celebro que la musa de V. haya echado por ese camino.

Muy de V. affmo. respetuoso admirador y amigo.

Joaq[n] *Costa*

NOTA.—La carta está escrita en un papel de la agencia «Obras de Pérez Galdós», de Hortaleza 132.

Sin fecha: tiene que ser posterior al 28 de abril de 1905, fecha de la carta que antecede.

* * *

Ilustre maestro:

Recibo su *Casandra*, admirable de invención, de diálogos, de retratos y de situaciones. Hay que augurarle la misma fortuna que á *Doña Perfecta*, de quien es hermana, aunque con otros horizontes. La lucha entre el clericalismo, aplastado y redivivo (D.ª Juana) y la Razón que le vence (Casandra) es grandiosamente épica. —Si en vez de ser obra exclusivamente de combate, lo fuese también de soluciones, de porvenir, de *programa*, diria que había echado de menos, al lado de la antítesis, la sintesis, al lado de la o-posición, la com-posición, lo que ha de sobrenadar en la tormenta y pasada ella.

Todavía, Sr. D. Benito, hay algo más ruin y letal que eso, otras «fortalezas de injusticia y opresión» (página 207): los «locos que nos dirigen y gobiernan», sueltos y no sueltos (pág. 153); otro monstruo que está pidiendo el puñal de una Casandra y de cien Casandras. Los republicanos han sido injustos agotando sus valentías en lo primero (revueltas de Electra, Nozaleda, etc.), y dejando comerse y asolar y deshonrar la tierra á lo segundo. Y esas injusticias se pagan: las estamos ya pagando...

Mi entusiasta felicitación por el merecido exitazo y cordialísimas gracias por haberse acordado de mí, con tan valioso presente. Aquí tengo, enviados por Suárez, los siete *Episodios* de la cuarta série, para este invierno: su musa me acompaña en mi soledad y en mis tristezas muy asiduamente.

Con mis respetos, admiración y acendrado afecto, suyo

Joaq^{n} Costa

Graus 18 Dic. 905.

* * *

Ilustre maestro y querido amigo:

El portador de esta es D. Hipólito González Rebollar, escritor de cosas sociológicas laureado y poeta de altos vuelos. Anda en la brega consiguiente á *un primer drama*. ¿Podría V. ayudarle con una recomendación, caso de encontrarla justificada?

Es un íntimo mío y como *alter ego;* me intereso por el drama como si lo hubiese yo parido. Le supongo á V. crucificado con demandas análogas á esta mía. Perdóneme. Si puede buenamente sacrificarse un rato, obligará otra vez muy singularmente á su devoto y admirador

Joaquín Costa

Madrid 25 Dic. 906.

NOTA.—El original en papel con membrete del Ateneo Científico Literario y Artístico de Madrid.

CARTAS DE MARCELINO MENÉNDEZ PELAYO
A
GALDÓS

Menendez y Pelayo

Facsímil del epígrafe autógrafo de Galdós a las cartas de Menéndez Pelayo

Al Sr. D. Benito Pérez Galdós, b. l. m., su aftmo. am° y comp° y le recomienda muy especialmente al Sr. D. Calixto Oyuela eminente literato argentino.

Nota.—El original en tarjeta de visita: M. Menéndez y Pelayo. Sin fecha.

* * *

Mi querido amigo:

Por encargo de la empresa de *Artes y Letras* (Domenech y Cª), q. nos há nombrado jueces de un certámen literario, remito á Vd. los adjuntos números, para q. se vaya enterando de ellos con la posible brevedad, porq. el editor nos está hostigando sin darse punto de reposo.

Sabe Vd. q. es siempre suyo verdadero am°

M. Menéndez y Pelayo

Madrid, 10 de noviembre, 1882.

* * *

Mi querido amigo:

Como anuncié á Vd. le remito las composiciones, cuyo juicio le ha cabido en suerte, en el certámen de los Domenech y Cª.

Suplico á Vd. q. las vea con la posible brevedad. Suyo siempre y de todo corazón.

M. Menéndez y Pelayo

Nota.—Sin fecha.

* * *

Mi querido amigo:

El mismo día q^{e} recibí la carta de V. tuvimos Academia, y hablé á Silvela del asunto. Prometió activar el informe..., pero hasta ahora nada. Volveré á apremiarle.

Si tiene Vd. acabado el examen de los mamotretos de la Biblioteca de *Arte y Letras*, le suplico q^{e} se los devuelva, á la mayor brevedad, á Cañete, p^{a} q^{e} nos convoque pronto, y demos dictámen porq^{e} aquéllos señores deben de estar hartos, y los pobres concurrentes todavía más.

Sabe Vd. que le quiere de veras su amigo

M. Menéndez y Pelayo

NOTA.—Sin fecha.

* * *

Mi muy querido amigo:

La noche del jueves pasado, al acabar la Academia se me acercaron Cánovas y otros amigos manifestándome deseos de votar á Vd. para la primera vacante. Yo me mantuve á la capa, sin decir q^{e} si ni que no, excusándome con no tener instrucciones de Vd. sobre el caso, pero ellos insistieron mucho, y Cánovas me ofreció formalmente firmar la propuesta y hacer q^{e} firmasen otros dos de los q^{e} antes habían votado en contra.

En principio, la transacción no me parece mala, y envuelve una especie de desagravio. Es claro q^{e} algunos energúmenos de los q^{e} nos hicieron guerra la otra vez, no han de complacernos ahora ni nunca, pero quedarán en minoría insignificante, si aceptamos el trato propuesto. Usted verá lo q^{e} le conviene. Yo por mi parte, aceptaría, aunq^{e} no fuese más q^{e} por el deseo caritativo de sacar á la Academia del atolladero en q^{e} neciamente se há metido.

más q. por el deseo caritativo de sacar á la Academia del atolladero en q. necíamente se ha metido.

Fuera no puede haber porq. Manuel del Palacio, único candidato posible, desistirá de su pretensión si Vd. se presenta.

En fin, piénselo Vd. despacio, y contésteme antes del miércoles por la noche.

Sabe Vd. q. es siempre su mejor amigo

M. Menén Pez
y Pelayo

Facsímil de la carta autógrafa de Menéndez Pelayo a Galdós de 21 de abril de 1889

Lucha no puede haber porq[e] Manuel del Palacio, único candidato posible, desistirá de su pretensión si Vd. se presenta.

En fin, piénselo Vd. despacio, y contésteme antes del miércoles por la noche.

Sabe Vd. q[e] es siempre su mejor amigo.

M. Menéndez y Pelayo

Madrid, 21 de Abril de 1889.

* * *

Mi querido amigo:

Por fin está corriente mi discurso de contestación al de Vd. Dígame usted si quiere q[e] se lo envíe inmediatamente, para q[e] lo empiecen á componer en la imprenta, y me manden las pruebas aquí, y todo esté listo para mi vuelta á Madrid q[e] será del 10 al 15 de Enero.

Al mismo tiempo hé de decir á Vd. q[e] Pereda, cuyo genio impaciente usted conoce, está impacientísimo por entrar pronto, y desea q[e] Vd. le saque de pena cuanto antes, para q[e] pase poco tiempo entre ambas recepciones.

Sabe Vd. q[e] es siempre su buen amigo y s. s.

M. Menéndez y Pelayo

Santander, 17 de Diciembre de 1896.

CARTAS DE BENITO PÉREZ GALDÓS
A
RAMÓN PÉREZ DE AYALA
(De 1907 a 1918)

Mi querido amigo:

No contesté antes á su carta del 23 del pasado porque ausente de Madrid los días de Navidad y primeros de Enero, no tuve el gusto de leerla hasta despues de Reyes. Luego ocurrió que no hallaba manera de enterarme del paradero de su artículo. Afligido por fuertes catarros, apenas he salido en muchos días. Por fin he tenido la idea de llamar á mi casa á Luis Bello, el cual ha venido ayer á verme, y me ha dicho que el trabajo de Vd. se destinó á una hoja extraordinaria del Imparcial consagrada exclusivamente á *Prim*. La publicación de esta hoja se ha aplazado por razones atendibles; pero no tardará en salir, segun me ha dicho Bello. Este quedó en escribir á Vd. sobre el particular.

He recibido y empezado á leer el exquisito libro *Crímenes de Don Iscariote Val de Ur*, que me ha deleitado lo que Vd. no puede figurarse. Si conoce Vd., como creo, al *albacea telarañista*, dele en mi nombre los más ardientes plácemes.

Téngame siempre por su ferviente amigo.

L. B. L. M.

B. P. Galdós (rúbrica)

23 de Enero de 1907.

NOTA.—Carta escrita a máquina en papel timbrado: «B. Pérez Galdós.—Alberto Aguilera, 46.—Madrid.» Firma autógrafa.

* * *

Mi querido amigo:

Perdóneme la tardanza. Ausente, enfermo y ocupadísimo he pasado largos días. Además, ha sido difícil ver al Sr. Luca de Tena, que estuvo algunos días en Sevilla.

El Diputado á Córtes
por
Madrid 21 de Marzo 907

Sr. D. Ramón Pérez de Ayala.

Mi querido amigo: perdóneme la tardanza. Ausente, enfermo y ocupadísimo he pasado largos días. Además, no me fué difícil ver al Sr. Luca de Tena, que estuvo algunos días ausente en Sevilla.

Razones de haber cesado V. en la corresponsalía de A. B. C. — Que las cartas que V. enviaba, siendo excelentes y de un estilo bellísimo (para mí

a su familia, y que
deseo, además, que halle
V. en el trabajo los con-
suelos que éste da siem-
pre.

De V. siempre afmo
amigo y admirador

B. P. Galdós

A la izquierda: *Facsímil de la primera cuartilla de la carta autógrafa de Galdós a Pérez de Ayala del 21 de marzo de 1908*

Arriba: *Facsímil del final de la misma carta*

Razones de haber cesado V. en la corresponsalía de A.B.C.—Que las cartas que V. enviaba, siendo excelentes y de un estilo bellísimo, (para mí superior a todas las de su género) no traían el sello de actualidad, del-*suceso del día.* La fotografía instantánea, así en lo gráfico como en lo literario es lo que hoy priva.

No hubo otra razón. Que además D. Torcuato, que no tuvo conocimiento de la muerte de su padre de V., y menos de que hubiese ocurrido en las trágicas condiciones que V. me indica. En fin, que escriba V. a Luca de Tena, y le ofrezca nueva colaboración en Inglaterra ó donde sea en la forma de extrema actualidad que él desea. El hombre se halla dispuesto a favorecer á V. Yo haré lo que pueda, y volveré á la carga siempre que V. me lo indique.

Bien comprenderá Vd. que he sentido extraordinariamente lo ocurrido a su familia, y que deseo, además, que halle V. en el trabajo los consuelos que este dá siempre.

De V. siempre afmo. amigo y admirador

B. P. Galdós (rúbrica)

21 de Marzo de 1908.

Nota.—Carta autógrafa.

* * *

Querido amigo mío:

He recibido su afectuosa carta y no se puede V. figurar lo mucho que siento verme en la precisión de decirle que, por desgracia llega V. tarde para que yo pueda complacerle y servirle, como quisiera, en lo del concurso de Liverpool.

Hace ya tiempo que tuve noticia de ese concurso; en la pasada primavera me pidió D. Fernando de Arteaga, la certificación ó testimonial que V. me pide hoy.

El señor Arteaga ejerció aquí el magisterio y luego se trasladó á Inglaterra donde desempeña, hace catorce años, la cátedra de lengua castellana en la *Tailor Institución (sic).*

Como ya le ofrecí al Señor Arteaga la certificación para lo de Liverpool, V. comprenderá que, aun lamentándolo con toda el alma. no puedo ofrecer lo mismo a V. que tanto vale y á quien quiero muy de veras.

Ya sabe V. que, haciendo justicia á sus méritos, tengo de V. concepto altísimo, y por ello expondría con gran placer mi opinión favorabilísima acerca de V. á no impedirmelo el compromiso anterior de Fernando de Arteaga.

Pienso que V. puede llenar tan cumplidamente como el que más, el cargo de profesor de lengua y literatura española á que aspira, y espero felicitarle por su triunfo en Liverpool.

Conste que V. merece esa victoria.

En cuanto á los demás extremos de su carta, haré lo que pueda por complacerle.

De V. siempre affº,

B. P. Galdós (rúbrica)

P/S. Amigo Ayala: Sobre mis agoviantes *(sic)* ocupaciones, me ha caído la inexcusable obligación de salir esta noche para el mitin de Almería.

Felices Pascuas, mande cuanto guste.

24 de Diciembre de 1908.

Nota.—Carta escrita por amanuense; posdata y firma autógrafos.

* * *

Mi querido Ayala:

Ya puede comprender con cuanto gusto recibí —y en parte he leído— su formidable libro A. M. D. G.

A los pocos días de recibir el tomo me sorprendió una inesperada desgracia de familia que, aunque ocurrida en país lejano ha producido en esta casa un trastorno tan grande que hasta ayer he vivido lejos de la política, de las letras, y del trato con los amigos.

No necesito decirle que la dedicatoria de su libro me honra y enorgullece por venir de un escritor, compañero á quien tanto quiero y admiro, bien lo sabe V.

Reanudo la lectura de su hermosa novela y cuando la termine escribiré una Carta Abierta (publicable) consignando las alabanzas que merecen un arte y su valentía.

Ya sabe V. que es siempre su más cariñoso amigo y compañero.

B. Pérez Galdós

Madrid, 27 de Diciembre de 1910.

Nota.—Carta escrita por amanuense, firma autógrafa. El original en papel de luto con membrete: «El Diputado a Cortes por Madrid.»

* * *

Mi querido Ayala:

Teniendo precisión de ver á V. con urgencia escribí á V. ayer, tomándome la libertad de citarle en el Teatro.

Sin duda no recibió V. á tiempo mi carta, y por ello me atrevo á rogar á V. que esta tarde, á las cinco, tenga la bondad de pasarse por el Español, donde le espero.

Perdone la molestia y ya sabe es su constante amigo que le quiere mucho.

B. Pérez Galdós

Madrid 25 de Diciembre de 1913.

Nota.—El original en papel con membrete: «El Diputado a Cortes por Madrid.» Escrita por amanuense; firma autógrafa.

* * *

Mi muy querido amigo:

Para hablar del asunto de los libros proyectados, espero á V. y al amigo Mesa, en esta su casa, mañana sábado, a la hora en que estuvieron hace días.

De V. siempre cariñoso amigo

Q. s. m. e.
B. P. Galdós (rúbrica)

Julio 17-1914.

Nota.—Carta escrita por amanuense en papel con membrete de «El Diputado a Cortes por Las Palmas». Firma autógrafa.

* * *

Mi muy querido amigo:

En Madrid estoy de desde Octubre, sin que en tan largos días haya tenido el gusto de ver á V. ni á Enrique Mesa. Varias tardes he estado en el Ateneo. La primera vez que allí estuve supe que su señora de usted estaba delicada á consecuencia del alumbramiento. Después me dijeron que estaba yá bien. Hice propósito de visitarle en su casa; pero la distancia, mi dolencia de la vista, y la desgracia que he tenido en mi familia, me privaron de satisfacer aquel deseo.

Como el tiempo pasa, deseo saber en qué estado se hallan el proyectado libro del Censo de mis obras, y los nó menos interesantes del Epistolario.

Cierto es que esta guerra maldita y estúpida aconsejará quizás el diferir la publicación de tales obras, pero, yo creo que á pesar de las arrogancias y bravatas de los alemanes, la guerra nó ha de durar mucho, y debemos estar preparados para reanudar pronto la vida y con la vida el trabajo que nos alienta y vigoriza.

Me han dicho que usted y Mesa han establecido su flamante Casa Editorial en la calle de Villanueva; pero ignoro el número y la hora en que ustedes están allí. Hágame el favor, mi querido Ayala, de hacerme saber por una breve carta el número de la casa y la mejor ocasión para encontrarles á ustedes allí.

Póngame usted á los pies de su señora, y esperando sus gratas órdenes se reitera de usted cordialísimo amigo que s. m. e.

B. Pérez Galdós

Madrid 22 de Diciembre de 1914.

NOTA.—El original en papel de luto con membrete: «El Diputado a Cortes por Las Palmas.» Escrita por amanuense; firma autógrafa.

* * *

Mi muy querido amigo:

Tengo un interés particularísimo en que vaya usted al estreno o revisión de Los Condenados en el Teatro Español. Aunque dicho estreno está anunciado para el lunes, no será hasta el martes.

Tengo una butaca para usted y otra para Enrique Mesa.

Deseo vivamente que escriba usted un artículo sobre Los Condenados, en el periódico *España*.

En los ensayos, la obra resulta muy bien.

De usted siempre incondicional amigo q. s. m. e.

B. P. Galdós (rúbrica)

Madrid 3 de Abril de 1915.

Nota.—Carta escrita por amanuense en papel con membrete de «El Diputado a Cortes por Las Palmas». Firma autógrafa.

* * *

Mi muy querido amigo:

El domingo por la tarde estuve en el Español y usted tambien, pero no logré verle como deseaba. Era mi intento decirle que no olvidase las notas que se han de mandar a Stokolmo *(sic)*. Dichas notas deben referirse a las siguientes obras: Cánovas, Celia en los Infiernos, y Alceste.

Si usted, mi querido Ayala, no puede hacer estas notas con la urgencia que el caso requiere, dígamelo.

Comprendo que sus ocupaciones le absorben el tiempo y no quiero perturbar su trabajo.

Mande lo que guste a su cordial amigo q. s. m. e.

B. Pérez Galdós (rúbrica)

Madrid 17 de Abril de 1915.

Nota.—Carta escrita por amanuense en papel de luto con membrete de «El Diputado a Cortes por Las Palmas». Firma autógrafa.

** *

Mi querido amigo:

Lo que usted me ha mandado referente á la polémica de *España* con el *ABC* está muy bien; pero yo le ruego que no le dé publicidad hasta que hablemos. Yo tengo mis razones para este aplazamiento. Pronto iré a ver a usted para hablarle de este y de otros asuntos. En cuanto me libre de ocupaciones apremiantes iré á verle.

Suyo siempre constante amigo que s. m. e.

B. Pérez Galdós

Madrid 22 de Junio de 1915.

NOTA.—El original en papel de luto con membrete: «El Diputado a Cortes por Las Palmas.» Escrita por amanuense; firma autógrafa.

* * *

Mi muy querido amigo:

No me olvide. Ya le dije a Mesa que me conviene que haga usted pronto, lo mas pronto posible, el artículo de «La Razón de la Sinrazon» Ya sabe usted por lo que hablé con Mesa, lo mucho que me conviene que salga en un periódico de gran circulación.

Estoy sumamente ocupado y por eso no voy a verle. Ni venga usted a esta su casa por encontrarme fuera de ella casi todo el dia.

Adjunto va el libro para Enrique Mesa.

De usted siempre cariñoso amigo

q. s. m. e.

B. Perez Galdós

Madrid y Enero 13/1916.

NOTA.—El original en papel de luto con membrete: «El Diputado a Cortes por Las Palmas.» Escrita por amanuense; firma autógafa

* * *

Mi querido amigo:

Ayer sábado escribí á Vd. á su oficina de la calle de Villanueva 23, diciéndole que tengo muchas cosas que hablar con Vd. de asuntos literarios principalmente y le suplicaba que viniese por esta su casa de las 4 en adelante. En efecto le esperé hasta las 7 y tuve un grandísimo disgusto porque pensé que no le darían á usted el recado.

Como los anhelos de hablar con Vd. son cada día mayores y más motivados, le esperaré a Vd. también hoy domingo á la misma hora, rogándole que si á Vd. no le fuera posible venir me lo diga por teléfono, como tambien á que hora quiere Vd. que yo vaya a su casa mañana lunes.

Siempre suyo cariñoso amigo que le abraza.

B. Pérez Galdós (rúbrica)

Hoy domingo 7 de Octubre 1917.

NOTA.—Carta escrita por amanuense. Firma autógrafa.

* * *

Mi queridísimo amigo:

Como anoche no le vi a usted en el Español le dirijo ésta para preguntarle si puedo contar con que el Ateneo haga la solicitud oficial para el Premio Novel *(sic)*. Esto me urge mucho, pues todo el asunto está suspendido hasta que dicho Ateneo en su Junta General diga la primera palabra.

Hoy no salgo de casa en todo el día; pero no le digo á usted que venga por no causarle tanta molestia. Lo que si le suplico es que me escriba esta tarde por un continental con objeto de saber yo lo que hay para seguir mis gestiones.

Siempre de Vd. cariñoso amigo que le abraza

B. Pérez Galdós (rúbrica)

Madrid y Octubre 29/1917.

NOTA.—Carta escrita por amanuense. Firma autógrafa.

* * *

Mi queridísimo Ayala:

Todavía no se si el Ateneo celebra mañana día 10 la Junta extraordinaria para lo del premio Novel *(sic)*. Dispense tanta molestia, pues no estoy tranquilo hasta no saber que este asunto se ha realizado. Como esta tarde no salgo de casa le ruego a Vd. me comunique por teléfono todo lo que sepa de dicho asunto.

Siempre de Vd. cariñoso amigo que tanto le quiere y le abraza

B. Pérez Galdós (rúbrica)

Madrid y Noviembre 9/1917.

NOTA.—Carta escrita por amanuense. Firma autógrafa.

* * *

Mi queridísimo Ayala:

Me ha sorprendido mucho que todavía «El Sol» no publique ni anuncie *Santa Juana de Castilla*. Considere Vd. que el martes próximo es la última función de esta obra con mi beneficio. Estoy muy disgustado con Margarita Xirgu que procede con una irregularidad inconcebible.

Pienso hablarle con toda franqueza negándole mi concurso en su próxima campaña de Barcelona.

En cuanto a El Sol procure Vd. activar la publicación del folletón.

Sabe cuanto le quiere y admira su constante amigo que le abraza.

B. Pérez Galdós (rúbrica)

Madrid y Mayo 19/1918.

NOTA.—Carta escrita por amanuense. Firma autógrafa.

* * *

Mi querido Ayala:

La conducta de El Sol que no publica ni anuncia la *Santa Juana de Castilla*, me ha puesto en una situación verdaderamente aflictiva. ¿Qué hacemos? Ni siquiera tengo ejemplar para imprimir la obra y darla a el publico que ya me parece que es tiempo, pues el único ejemplar lo tiene «El Sol». Haga el favor de decirme hoy mismo lo que hay de este asunto, para yo tomar una resolución.

Esperando su rápida respuesta se reitera de Vd. constante y ferviente amigo que le abraza

B. Perez Galdós

Madrid y Mayo 25/1918.

NOTA.—En el original, la firma autógrafa muestra ya una mano muy torpe.

* * *

Mi querido Ayala:

Recibí su atta, y cariñosa carta á la que contesto manifestando á Vd. que ponga todo su empeño en anunciar en «El Sol» la venta de los ejemplares de la edición ilustrada, pues en las gestiones realizadas por mi abogado cerca de los Hernandos, ha sido acordado definitivamente que el producto de los primeros 300 ejemplares o colecciones sea íntegro para mí y es mas, que cuando dichos Sres. Hernandos vean que se venden las 100 primeras colecciones no tienen inconveniente de liquidarme todos los ejemplares de mi pertenencia al precio de su venta. No tenga Vd. duda, mi querido Ayala de que esto es como le digo, pues como Vd. me dice muy bien, bastante se han lucrado á cuenta mía y no estoy dispuesto á que lo sigan haciendo en lo sucesivo.

Tengo muchísimas ganas de ver publicado en «El Sol» el primer folletin de *Santa Juana de Castilla* y respecto á las condiciones, estoy completamente de acuerdo con Vd.

De Vd. siempre devotísimo y agradecido amigo que le abraza

B. Perez Galdos

Madrid y Julio 6/1918.

P. D. Después de escribir esta carta recibo otra de Vd. en la que me incluye la que le dirije Félix Lorenzo. Ya he contestado á este aceptando lo que me ofrece ó sea las 500 ptas. sobre las 500 que me han entregado.

Mucho la agradecería, si tuviera un momento libre, se pasara esta tarde, por esta su casa para hablar de todas estas cosas.

El Sr. Alcain también tiene muchos deseos de ponerse al habla con Vd.

NOTA.—El original en papel con membrete: «El Diputado a Cortes por Madrid.» Membrete que aparece tachado. Escrita por amanuense; firma autógrafa.

* * *

Mi muy querido amigo:

Suplico a Vd. no deje de escribir algo sobre *Marianela* en El Imparcial. La obra se defiende muy bien, como Vd. verá, y esta noche es la 53 representación. Llegará á la 60 y aun a la 80 si la crítica le ayudase un poco. Pero la crítica como Vd. ha visto está aquí en España completamente prostituída y no se ocupa más que del Teatro mal llamado cómico y de estúpidos retruécanos. Si yo pudiera hablar con Vd., mi querido Ayala, le contaría la sorda conspiración que existe hoy contra «Marianela» por envidia de otros teatros y la necedad de los críticos.

Bastante le digo por escrito y algo más le diré cuando nos veamos. Pero entre tanto hágame el favor de escribir una cosa sobre esta obra, elogiando, que lo merece, el trabajo de los Quintero, y la exquisita labor de Margarita Xirgu y demás intérpretes.

No le digo que venga a esta su casa porque está muy lejos. Cuando yo pueda salir, aliviado de mi catarro, ya iré a verle a la calle de Villanueva.

Sabe cuanto le quiere su invariable amigo

B. Pérez Galdós (rúbrica)

Madrid y Diciembre 1/1918.

NOTA.—Carta escrita por amanuense. Firma autógrafa.

CARTAS NO INCLUIDAS EN ESTA PUBLICACIÓN

Nota del compilador.—Incluimos aquí la relación por orden alfabético de autores, de las cartas que integran el resto del Epistolario entregado por Galdós a Ramón Pérez de Ayala, inéditas hasta la fecha y propiedad de la familia Pérez de Ayala. Junto al nombre de cada corresponsal se consigna, entre paréntesis, el número de cartas correspondientes y, a continuación, la fecha de las que la llevan, pues, en muchos casos, no todas las de un mismo autor aparecen fechadas.

No acaba aquí, sin embargo, el legado de Galdós. Quedan aún en el archivo de la familia Pérez de Ayala tres carpetas de originales que incluyen: 1.ª) Cartas de corresponsales cuyas firmas no hemos podido descifrar en esta primera ordenación, pero, que, sin duda, podrán ser identificadas en un estudio posterior más detenido; 2.ª) las cartas que llegaron a nuestras manos incompletas —auténticos «mutilados de guerra» en el caso que nos ocupa—; y 3.ª) la que contiene un grupo de doce de cartas de «Clarín» a Jacinto Octavio Picón entregadas por Galdós a Ramón Pérez de Ayala en un sobre aparte.

ALBAREDA, José Luis (2): 1873 ó 1874?; junio de 1874.
ALFONSO, Luis (16): de 1887 a 1888.
ALONSO EGUILAZ (1).
ALTAVILLA, Marqués de (1).
ALVAREZ MENDIZÁBAL, Juan (1): 1 de junio de 1898.
AMADOR DE LOS RÍOS, José (2): 13 de junio de 1873; 14 de noviembre de 1873.
ARANGUREN, José (1): 30 de marzo de 1883.
ARBONES, Miguel (1): 31 de marzo de 1883.
ASUERO, Facunda (1): 10 de febrero de 1899.
BALART, Federico (10): 26 de julio de 1886; 20 de junio de 1900; 3 de julio de 1900; 8 de agosto de 1900; 1 de noviembre de 1900; 12 de noviembre de 1900; 3 de abril de 1901.
BALAGUER, Víctor (1): 7 de enero de 1875.
BAÑULS, Vicente (2): 1 de agosto de 1898; 24 de enero de 1901.
BARRIÈRE, Marcel (1): 9 de julio de 1922.

BECKER, A. Henri (3): 26 de julio de 1901; 4 de diciembre de 1901.
BERUETE, Aureliano (10): 20 de agosto de 1885; 16 de marzo de 1891; 4 de febrero de 1903; 18 de junio de 1904; 2 de enero de 1906.
BIXIO, Maurice (7): 7 de octubre de 1898; 22 de noviembre de 1898; 12 de octubre de 1899; 18 de octubre de 1899; 17 de enero de 1900; 7 de febrero de 1900; 25 de febrero de 1901.
BLASCO, Eusebio (18): 16 de noviembre de 1871; 28 de noviembre de 1871; 8 de marzo de 1873; 30 de marzo de 1884; 1 de abril de 1884; 26 de julio de 1884; 7 de agosto de 1884; enero de 1895; 4 de enero de 1895; 14 de enero de 1895; 13 de febrero de 1895; 3 de agosto de 1895; 9 de febrero de 1896; 15 de enero de 1901.
BORREGO, Andrés (4): 31 de julio de 1872; 30 de marzo de 1883; 3 de marzo de 1885.
BUDDENBROCK, Eugène de (3): 22 de marzo de 1891; 15 de junio de 1891; 9 de diciembre de 1892.
BUSTILLO, Eduardo (1): 12 de junio de 1872.
CÁNOVAS DEL CASTILLO, Emilio (6): 8 de junio de 1872; 14 de septiembre de 1880; 11 de junio de 1897.
CAÑETE, Manuel (1).
CARDAILLAC, Xavier de (2).
CARRETERO, Arturo (1).
CASTELAR, Emilio (4): 17 de enero de 1889; 9 de agosto de 1889.
CASTRO SERRANO, José de (8): 30 de abril de 1880; 1 de febrero de 1883; 22 de agosto de 1883; 1 de diciembre de 1885; 12 de julio de 1886.
CIRIA Y VINENT, Antonio de (1): 19 de abril de 1883.
CLARETIE, Jules (4).
COELLO, Carlos (1): junio de 1872.
COLORADO, Vicente (2): 28 de enero de 1881; 15 de abril de 1882.
CORREA, R. R. (1).
COS GAYÓN, Fernando (2).
CHAPÍ, Ruperto (8): 12 de abril de 1886; 2 de enero de 1887; 18 de octubre de 1893; 11 de abril de 1894; 21 de abril de 1894; 6 de julio de 1899; 30 de mayo de 1903.
DARDENNE DE LA GRANGERIE, M. (14): 23 de junio de 1896; 8 de octubre de 1899; 16 de mayo de 1900.
DIANA, Manuel Juan (3): 20 de noviembre de 1872; 20 de diciembre de 1872; 25 de enero de 1873.
DUSE, Carlo (1).
ESTRADA, Luis (1).
FABRE, Antonio M.ª (1): 17 de julio de 1890.

FASTENRATH, Juan (6): 21 de enero de 1873; 25 de diciembre de 1897; 2 de abril de 1899; 23 de marzo de 1899; 23 de abril de 1902; 22 de febrero de 1904.
FELÍU CODINA, José (1): 6 de octubre de 1896.
FERNÁNDEZ, Eduardo (1): 9 de junio de 1883.
FERNÁNDEZ CABALLERO, Manuel (1): 29 de marzo de 1905.
FERNÁNDEZ FLÓREZ, I. (1).
FERNÁNDEZ JIMÉNEZ, José (2): 18 de junio de 1902.
FERNÁNDEZ VILARDELL, Ramón (1): 29 de marzo de 1883.
FERRERAS, J. (6).
FIERROS, Benito (1): 19 de julio de 1882.
FULGOSIO, Fernando (1): 31 de julio de 1872.
GAMA, Julio (2): 28 de julio de 1901; 25 de noviembre de 1901.
GAMAZO, Germán (2): 4 de junio de 1897.
GARCÍA, José (1): 13 de marzo de 1901.
GARCÍA AYUSO, Francisco (1).
GARCÍA CADENA, Peregrino (1).
GASPAR, Enrique (2): 10 de mayo de 1883; 30 de enero de 1894.
GASSET, Eduardo (1): 13 de abril de 1874.
GENOUY, Oswald (11): 9 de febrero de 1900; 20 de febrero de 1900; 20 de marzo de 1900; 28 de marzo de 1900; 1 de abril de 1900; 30 de abril de 1900; 6 de junio de 1901; 11 de junio de 1901; 12 de junio de 1901; 16 de agosto de 1901; 28 de agosto de 1901.
GRACIA, Mariano (2): 31 de enero de 1901; 1 de noviembre de 1903.
GRILO, Antonio (2).
GUERRERO, María (1) (telegrama).
HEREDIA, J. M. de (2): 7 de febrero de 1900; 1 de noviembre de 1903.
HOUGHTON, Arthur E. (3): 28 de abril de 1899; 4 de mayo de 1899; 18 de noviembre de 1899.
IXART, José (9): 4 de junio de 1883; 20 de abril de 1891; 22 de mayo de 1891; 1 de septiembre de 1893; 8 de enero de 1894; 30 de enero de 1895; 5 de febrero de 1895; 27 de febrero de 1895.
JOVER, Francisco (1): 26 de febrero de 1902.
JOVER, Pedro (1): 16 de febrero de 1900.
LA GRANGE DE LANGRES (22): 11 y 27 de junio de 1900; 1, 23 y 24 de julio de 1900; 1, 8 y 8 de agosto de 1900; 6, 15 y 25 de septiembre de 1900; 6 de febrero de 1901; 5 y 17 de junio de 1901; 4 de agosto de 1901; 21 de octubre de 1901; 2 y 7 de noviembre de 1901; 25 de diciembre de 1901; 15 y 22 de enero de 1902; 28 de noviembre de ...?
LARRA, Luis Mariano de (1).

Laverde, Gumersindo (3): 21 de abril de 1873; 12 de mayo de 1873; 16 de junio de 1873.

Llave, Pedro de la (1): 8 de mayo de ?

Llorente, Teodoro (6): 9 de febrero de 1872; 24 de enero de 1873?; 23 de agosto de 1873; 15 de diciembre de 1873?; 24 de febrero de 1897.

Macías, Ricardo (1): 7 de enero de 1882.

Maldonado, Joaquín (2): 12 de marzo de?; 12 de octubre de?

Marburg, Guido (8): 8 de mayo de 1904; 7 de julio de 1904; 20 de julio de 1904; 31 de julio de 1904; 19 de octubre de 1904; 19 de noviembre de 1904; 24 de marzo de 1905; 13 de mayo de 1905.

Martín, Melitón (1): 20 de junio de 1883.

Martín Mateos, Nicomedes (1): 14 de octubre de 1872.

Martinenche, Ernest (1): 10 de septiembre de 1906.

Massieu, Felipe (1): 7 de abril de 1883.

Melida, Arturo (10): 23 de agosto de 1881; 25 de agosto de 1881; 6 de septiembre de 1881; 14 de agosto de 1882; 29 de julio de 1884; 10 de agosto de 1884; 29 de septiembre de 1884; 3 de junio de 1885.

Melida, Enrique (9): 7 de junio de 1880; 21 de junio de 1880; 23 de julio de 1880; 9 de septiembre de 1881; 31 de julio de 1882.

Menèndez Rayón, Damián (1).

Mendigorría, Marqués de (4): 24 de enero de 1875; 7 de enero de 1886; 6 de noviembre de 1886.

Merime, E. (1): 28 de diciembre de 1900.

Mironnes, Paul (3): 2 de abril de 1902; 26 de abril de 1902; 8 de agosto de 1902.

Morel Fatio, Alfredo (7): 14 de enero de 1900; 21 de enero de 1900; 27 de enero de 1900; 5 de febrero de 1900; 17 de marzo de 1900; 3 de noviembre de 1900; 17 de mayo de 1900.

Moreno, Pedro José (1): 19 de noviembre de 1894.

Muñiz y Terrones, José (2): 2 de febrero de 1893; 9 de marzo de 1894.

Navarro, Luis (1): 26 de marzo de 1873.

Navarro Rodrigo, Carlos (1): 8 de diciembre de 1886.

Nombela, Julio (1): 2 de marzo de 1897.

Novelli, Ermete (2): 12 de diciembre de 1897; 28 de noviembre de 1900.

Núñez de Arce, Gaspar (3): 14 de enero de 1873; 3 de noviembre de 1880; 27 de enero de 1894.

Ochoa, Enrique de (1): 11 de febrero de 1872.

OCHOA, Miguel (3): 10 de abril de 1900; 31 de enero de 1901; 13 de marzo de 1901.
OCHOA MADRAZO, Carlos (1): 25 de marzo de 1891.
OLIVEIRA MARTINS (1): 5 de julio de?
OLLENDORF, Paul (1): 20 de junio de 1896.
OSSORIO Y GALLARDO, Carlos (1): 14 de septiembre de 1894.
PALACIO, Manuel de (3): 12 de febrero de 1889; 4 de abril de 1889; 17 de abril de 1889.
PALADINI, Ettore (1): 20 de noviembre de 1898.
PALOMERO, Antonio (8): 27 de agosto de 1904; 23 de septiembre de 1904; 28 de septiembre de 1904; 7 de febrero de 1905.
PARISET, C. (1): 17 de septiembre de 1901.
PELLICER, José Luis (12): 10 de diciembre de 1878; 9 de marzo de 1882; 26 de marzo de 1882; 29 de junio de 1883; 6 de julio de 1883; 15 de marzo de 1884; 25 de junio de 1884; 18 de noviembre de 1884; 20 de abril de 1890; 20 de octubre de 1893.
PEÑA Y GOÑI, Antonio (3): 29 de mayo de 1895; 2 de diciembre de 1895; 21 de marzo de 1896.
PFLÜCKER, Emilia (3): 15 de febrero de 1887; 6 de enero de 1888; 25 de septiembre de 1888.
POWER, Teobaldo (1): 28 de noviembre de ?
QUEROL, J. W. (2): 27 de marzo de 1883; 3 de julio de 1883.
RAIO, Juan (4): 15 de marzo de 1904; 4 de enero de 1905; 10 de enero de 1908; 15 de enero de 1908.
RATTAZZI, Madame (1).
REINA, Manuel (8): 19 de junio de 1902; 4 de octubre de 1902; 9 de noviembre de 1902; 15 de febrero de 1904; 14 de abril de 1905; 29 de abril de 1905.
REVILLA, Manuel de la (11): 7 de diciembre de ?; 11 de marzo de 1876.
RIAÑO, Juan Facundo (3): 5 de agosto de 1883; 18 de diciembre de ?
RIVA PALACIO, Vicente (3): 7 de diciembre de 1887; 8 de febrero de 1889.
ROBERT, Roberto (1).
ROUANET, Léo (5): 15 de junio de ?; 21 de junio de ?; 24 de junio de ?; 31 de agosto de ?
RUIZ AGUILERA, Ventura (6): 4 de abril de ?; 9 de enero de ?; 19 de febrero de ?; 30 de abril de ?; 7 de junio de 1872; 9 de marzo de 1881.
SAGASTA, Práxedes Mateo (2): 9 de octubre de 1887; 24 de febrero de 1894.

San Miguel, Evaristo (1): 9 de septiembre de 1903
Sansón, José Plácido (1).
Santín de Quevedo, Julián (1): 30 de octubre de 1865.
Savine, A. (3): 2 de abril de 1885; 13 de julio de 1886; 20 de abril de 1898.
Scholtz, Ricardo (1): 12 de abril de 1881.
Sierra, Justo (1): 10 de diciembre de 1900.
Silvela, Manuel (1): 19 de enero de ?
Sinués de Marco, María del Pilar (1): 19 de marzo de 1872.
Tamayo y Baus, Manuel (5): 14 de junio de 1889; 4 de marzo de 1893; 15 de febrero de 1897.
Tannenberg, Boris de (7): 21 de agosto de ?; 16 de marzo de 1890; 18 de diciembre de 1898; 24 de mayo de 1901.
Tedeschi, Enrico (7): 23 de marzo de 1898; 6 de agosto de 1898; 13 de agosto de 1898; 8 de octubre de 1898; 18 de enero de 1899; 1 de febrero de 1899; 15 de abril de 1899; 21 de agosto de 1901.
Thebussen, Dr. (1): 6 de mayo de 1887.
Tubino, Fransico M.ª (2): 9 de diciembre de 1872.
Vicuña (1).
Vidart, Luis (2): 30 de marzo de 1873; 14 de abril de 1879.
Vilanova y Piera, Juan (1): 15 de mayo de 1890.
Villanueva (1): 21 de julio ?
Villavaso, Camilo (3): 13 de enero de 1872; 19 de mayo de 1874; 6 de marzo de 1882.
Villaverde, Cirilo (1): 11 de abril de 1883.
Villaverde, R. (1).
Vicent, Ephrem (15): 10 de diciembre de ?; 7 de diciembre de 1898; 31 de diciembre de 1898; 22 de junio de 1900; 3 de marzo de 1901; 26 de diciembre de 1901; 13 de febrero de 1902; 17 de febrero de 1902; 18 de febrero de 1902; 26 de febrero de 1902; 1 de marzo de 1902; 2 de enero de 1904; 22 de enero de 1904.
Wolff, Emilio (2): 3 de abril de 1880; 30 de abril de 1884.
Zerolo, Elías (3): 22 de enero de 1889; 20 de febrero de 1895; 8 de febrero de 1900.
Zola, Emile (2): 16 de febrero de 1900; 16 de marzo de 1900.

Ortega, Soledad, ed.
Cartas a Galdós. Con 10 láminas y 17 facsímiles de epígrafes y cartas autógrafes.
Madrid, Revista de Occidente [1964]
454p. facsims., ports. 22cm.

1.Authors, Spanish-Correspondence, reminiscences, etc.
I.Pérez Galdós, Benito, 1843-1920. II.Title.